sarah
et
mikaël

stéphanie macfred

DUOS 3.1

ÉDITIONS
MICHEL
QUINTIN

Catalogage avant publication de Bibliothèque et Archives
nationales du Québec et Bibliothèque et Archives Canada

MacFred, Stéphanie

Duos

Sommaire: [5] 3.1, Sarah et Mikaël -- [6] 3.2, Sarah et compagnie.

ISBN 978-2-89435-611-1 (v. 5)
ISBN 978-2-89435-612-8 (v. 6)

I. Titre. II. Titre: Sarah et Mikaël. III. Titre: Sarah et compagnie.

PS8625.A235D86 2011   C843'.6   C2011-940326-9
PS9625.A235D86 2011

Illustration de la page couverture: Magali Villeneuve
Conception de la couverture et infographie:
Marie-Ève Boisvert, Éditions Michel Quintin

La publication de cet ouvrage a été réalisée grâce au soutien
financier du Conseil des Arts du Canada et de la SODEC.

De plus, les Éditions Michel Quintin reconnaissent l'aide
financière du gouvernement du Canada par l'entremise du
Fonds du livre du Canada pour leurs activités d'édition.

Gouvernement du Québec – Programme de crédit d'impôt
pour l'édition de livres – Gestion SODEC

ISBN 978-2-89435-611-1

Dépôt légal – Bibliothèque et Archives nationales du Québec, 2012
Dépôt légal – Bibliothèque et Archives Canada, 2012

Éditions Michel Quintin
4770, rue Foster, Waterloo (Québec)
Canada J0E 2N0
Tél.:   450 539-3774
Téléc.: 450 539-4905
editionsmichelquintin.ca

1 2 - A G M V - 1

Imprimé au Canada

1

Limousines noires

J'ai l'impression de vivre un long cauchemar qui ne veut plus me quitter. Même si je reste debout, le visage vers le ciel sous le grésil, je ne me réveille pas. Même si la pluie glacée et le vent violent me font grelotter, la réalité reste la même. Les jours se ressemblent tous. Les matins grisâtres se présentent à notre porte, amenant avec eux des journées mauvaises, des nuages lourds, des ciels sombres, jusqu'à ce que la nuit nous ramène à la pénombre et à la noirceur.

Mes nuits sont lugubres, pleines de pleurs, de silences, de peurs. Les odeurs amères de café du matin me donnent la nausée. Nos parents, la seule famille que nous avions ici, à Londres, viennent de nous abandonner. Je hante la maison, le temps que mon oncle réorganise notre vie et que j'aille vivre près de Montréal, sur le continent nord-américain, au Nouveau Monde tant vanté et convoité par mes ancêtres. C'est là que se trouve la seule parcelle de famille qu'il nous reste. C'est là que ma cousine et mon cousin, ainsi que leurs chouettes parents, ont décidé de vivre. Mon oncle William s'est poussé de Londres il y a maintenant plus d'une vingtaine d'années. Je veux me tirer d'ici moi aussi, mais je ne veux pas le faire seule et n'importe où. L'Amérique me semble toute désignée.

Dans une heure, une limousine noire viendra nous chercher à la maison. Je vais m'y engouffrer avec ma sœur pour me rendre à l'église et entendre un long discours mélancolique de la bouche d'un homme qui a mauvaise haleine et qui a le coin des lèvres blanchi par une salive trop épaisse.

Rachel, ma bien-aimée sœur aînée de deux ans, a choisi de porter sa robe noire classique, ses escarpins, son ciré gris et son foulard Burberry. J'ai failli, moi, enfiler mes vieux jeans et mon pull avec un collet montant gris charbon en espérant passer inaperçue ou, mieux, rester cachée dans la limousine au moment où le cortège sera accueilli sur le parvis de l'abbaye et que les voitures s'éloigneront silencieusement en laissant leur fumée monter derrière elles.

Mais mon oncle William, celui qui a joyeusement accepté de prendre soin de nous deux, a trouvé que c'était de mauvais goût et a dit « apprécier un léger effort de ma part ». J'ai donc mis ma robe grise en fin tricot, mon foulard noir et mon ciré beige, tout ce qu'il y a de plus morne et triste. J'ai mis mes bottes foncées et lacées parce que je n'avais rien d'autre et, sur le commentaire, toujours de mon oncle, que j'avais eu cinq jours depuis la mort de mes parents pour aller magasiner des chaussures convenables, je suis allée rejoindre Rachel dans la voiture de tête.

Mon oncle, sa femme et leurs enfants ont gagné la deuxième voiture. Rachel a les yeux creusés par le manque de sommeil et les larmes se répandent sans fin sur ses joues. Elle est résignée devant la fatalité.

Moi : Tu sais ce qu'oncle William m'a dit ?

Sachant qu'elle ne répondra pas, j'enchaîne aussitôt :

— Il a dit que j'avais eu cinq jours depuis la mort de nos parents pour aller magasiner des chaussures de merde. Tu te rends compte ? Je n'ai même jamais pensé, depuis leur départ, à mettre les pieds dans une boutique.

Rachel : Tais-toi Sarah ! Respecte un peu les convenances. Tu devrais te recueillir et penser une dernière fois à notre mère et à notre père.

— Mais c'est ce que je fais depuis cinq foutus jours !

— Tu es vulgaire ! Tu me déranges !

— Oh, évidemment, dans ton précieux recueillement, tu n'as plus de place pour moi, ni pour personne d'autre.

Rachel siffle presque sa hargne à travers ses jolies dents blanches :

— Tu veux que je te dise ? Je m'inquiète de toi, de Jonathan et de moi. Je me fais du souci au sujet de l'école et de notre maison. Mais, pour le moment, je me moque de demain, et d'après-demain, et du jour d'après, et du reste de nos vies, parce que, aujourd'hui, on enterre nos parents et que, les jours qui suivront, je voudrais être morte avec eux. De toute façon, je vais être un fantôme le reste de ma vie.

— Hé ! On peut laisser tomber le théâtre ? On n'est

pas les seules à qui ça arrive, on n'est pas les premières et on ne sera sûrement pas les dernières.

— Tu n'as pas de cœur, ou quoi ?

— Pas de cœur ? Ce sont tous vos apparats protocolaires qui n'ont pas de cœur ! Jamais maman ne m'a obligée à m'habiller comme une petite bourgeoise quand j'avais de la peine et jamais papa ne m'a demandé de porter des couleurs semblables en même temps pour que je l'honore. Et ni l'un ni l'autre ne m'aurait dit d'aller m'acheter de nouvelles chaussures pendant le deuil de mes deux parents.

— Oncle William a peut-être exagéré un peu, je te le concède. Mais c'est vrai que tu as l'air habillée moitié convenablement, moitié pour aller à un concert rock alternatif.

— Ouais, mais maman ne m'avait même pas obligée à aller à l'enterrement de mamie Wolfe. C'est déjà un effort exceptionnel d'entrer potentiellement dans l'abbaye.

— Tu fais mieux de te présenter au premier banc, ma chère, parce que je pourrais ne jamais te pardonner. Tu m'entends ?

Je baisse la tête.

Rachel : Et tu veux bien te taire, maintenant ? Tu n'arrêtes pas de parler tout le temps. Tu me lasses.

— Hélas !

— Oh, ton humour est plutôt de mauvais goût, Sarah, et surtout mal choisi pour le moment. Alors, sois gentille et la ferme !

— Rachel, tu ne réussiras jamais à t'adapter à l'Amérique. Tu es froide et dure comme le marbre. Tu devrais me prendre dans tes bras et me tenir la main, au lieu de te donner des airs de sainte martyre.

— Tais-toi ! Je ne veux pas aller vivre là-bas, avec ceux qui n'ont pas de manières et qui peuvent être grossiers comme notre cousine. Je veux qu'on m'offre des roses et qu'on me séduise avec courtoisie et galanterie. Je ne veux pas me faire embrasser comme une traînée sur une piste de danse. Je n'aime pas leurs habitudes.

— Oh là là ! Tu vas finir vieille fille, Rachel !

— Assez ! Ferme-la ! Un peu de tenue !

— Oui, tu as certainement raison ! Je peux venir m'asseoir plus près de toi ? Je commence vraiment à avoir peur.

Rachel a les larmes aux yeux. Elle hoche la tête et se mordille la lèvre :

— Nous allons être seulement toi et moi, maintenant. Nous ne devons jamais nous laisser tomber. D'accord ?

— D'accord ! Je t'aime, Rachel !

— Je ne peux pas croire que je vais m'ennuyer de Londres et du gris.

— Hé oui ! Quand la canicule va nous tomber dessus, on va même s'ennuyer du fond d'air glacé et humide qui envahit l'Angleterre inlassablement !

— Tu crois que nous allons finir par oublier tout ça ?

— Je n'en ai aucune idée.

L'abbaye est pratiquement vide à l'arrière et bondée à l'avant. Depuis que je suis petite, je suis fascinée par l'ampleur des édifices religieux et surtout par le nombre de personnes qu'ils peuvent contenir. Dire qu'à une certaine époque tous les bancs étaient remplis et souvent achetés par des familles de bourgeois !

Quand je vois les deux cercueils, l'un ébène, l'autre brun-noir, j'attrape la main de ma sœur. Je me sens toute petite, perdue dans cet océan de représentations de saints et de richesses offertes au bon Dieu. Bon Dieu ? Je ne dirai pas ce que j'en pense pour l'instant parce que Rachel risque de m'arracher la tête pour ajouter une touche funèbre au tableau macabre de notre vie.

Le prêtre, acteur manqué qui semble prendre un certain plaisir à prononcer laconiquement des mots tragiques pour faire pleurer l'assistance au gré de ses humeurs, déblatère des faits divers sur mes parents. « Blablabla ! homme d'affaires prospère aux riches qualités de cœur et donateur généreux pour les organismes de notre communauté, femme fidèle et disponible qui a œuvré auprès des pauvres et des malades, et qui organisait des activités au profit de regroupements sociaux… Le ciel leur offre sûrement une place privilégiée, ce qui met un baume sur les peines de ceux qui restent. Ont laissé dans le deuil deux jeunes femmes aux portes de la vie adulte qui devront désormais faire face, seules, aux dures réalités de notre monde… »

J'ai envie de partir. Je trouve ça d'un ridicule accompli. Afin d'assouvir la curiosité malsaine des fidèles et de couronner son impertinence d'un point d'orgue, le saint homme y va d'un résumé de l'accident ; de la masse s'élèvent des ah ! et des oh !, qui ponctuent le récit du prêtre. Rachel se retourne vers moi, blanche de fureur. Moi, je suis noire du même sentiment. Sous les yeux impuissants de notre oncle, nous allons embrasser les cercueils et quittons l'abbaye, la tête haute et le cœur en paix, sans attendre le requiem.

Emily-Kim : Attendez-moi !

Rachel : Ne dis rien, surtout !

— Je n'ai rien de plus à dire que ce que vous avez fait. Vous avez du cran, les filles. Vous êtes remarquables.

Leonard : Jolie sortie, les filles !

Moi : Tu sais quoi, Leonard ? Je n'en peux plus des réactions des gens. J'en ai par-dessus la tête. Nous sommes devenues, ma sœur et moi, des animaux de cirque. Tout le monde nous regarde et essaye de nous toucher pour nous consoler à grands coups de larmes et de pauvre-petite-chérie !

Rachel : Je ne peux pas croire qu'il vient de se passer ce qui vient de se passer. C'est dégoûtant ! Je trouvais cet homme rebutant, mais je n'aurais jamais cru qu'il irait jusqu'à se faire rapporteur de manchettes. C'est d'un irrespect désarmant !

Emily-Kim : Ouais… il va vous falloir mettre ma mère de votre bord et filer doux devant mon père, avec ce que vous venez de faire. C'est toujours ma mère qui finit par calmer les choses, la tête sur l'oreiller ou sous la couverture…

Rachel : Emily-Kim ! Est-ce que tu pourrais, pour l'amour de Dieu, exclure ce genre de détails de la conversation quand je suis là ?

Ma cousine hausse les épaules.

— Si tu veux ! Mais je ne crois pas que mes parents aient une relation digne des exploits de Don Juan. Ils ont tout ce qu'il y a de plus platonique comme vie de chambre à coucher.

Rachel est légèrement outrée.

— Peu m'importe ! Cela ne nous concerne pas, ma sœur et moi !

Leonard : Laisse tomber, Emily ! Rachel a raison.

Emily-Kim : Il faudrait peut-être que tu te mettes à jour, chère cousine. C'est un sujet des plus tendance parmi mes amies.

Rachel : Nous ne risquons pas d'avoir des copines en commun, alors.

Emily-Kim : Attends de les connaître.

Moi : Tu imagines, Emily-Kim ? Ça pourrait être nous qui soyons à Montréal pour vous déménager avec nous, ici !

Emily-Kim sursaute. Elle semble abasourdie devant l'évocation d'une telle possibilité.

Moi : Ma sœur a seulement besoin de temps. Elle est extraordinaire, mais on va essayer de lui donner un petit coup de main. D'accord ?

Elle fait oui.

Moi : Super ! Alors, Leonard, toi, tu as des copains intéressants qui parlent d'autres choses que de chambre à coucher ?

— Évidemment ! J'ai une tonne d'amis médecins et spécialistes.

— Oh ! Tu y penses, Rachel ? Tu pourras faire la vie de rêve et avoir un amant pendant que ton docteur de mari fera des heures supplémentaires et des heures et des heures de garde.

— Un amant ? Juste d'y penser, j'ai le goût de remettre mon petit déjeuner sur le parvis !

Leonard : Eumm ! Alors, pas d'amant pour toi, Rachel ! De toute façon, c'est beaucoup plus simple de mener une vie sans avoir à cacher quoi que ce soit.

Il semble sous-entendre quelque chose.

— Pour une fois, mon cher Leonard, je suis d'accord avec toi et tout à fait charmée par ta conscience sociale exemplaire !

Emily-Kim, avec un grand rire bruyant : Il n'a pas nécessairement une conscience sociale exemplaire, mais il est très sociable, ça, c'est certain !

Rachel : Qu'est-ce que tu veux dire ?

— Il se pourrait bien que tu te fasses tout un cercle de copines juste à répondre aux sonneries de son portable. Et maintenant, on fait quoi ? On se les gèle, ici !

Moi : Nous pourrions retourner à la limousine. Est-ce que tu veux aller au cimetière, Rachel ?

— Je crois que oui.

— Parfait ! Je te suis !

On sort les cercueils de l'abbaye et on les charge à nouveau dans les corbillards. Celui de ma mère est orné de roses blanches, alors que celui de mon père se pare de roses rouges. Le cortège se met en route pour gagner le cimetière, à plusieurs kilomètres de là. Je pose ma tête sur l'épaule de ma sœur et elle couvre ma main de la sienne, glacée et blanche. Elle sanglote une partie du trajet. Je n'ai plus aucun mot pour elle, ni de réconfort, ni d'encouragement, ni de compassion, et encore moins de convenance protocolaire. Mais parfois le silence a cet étrange pouvoir de tout expliquer en permettant à quelque chose en nous de se répercuter contre les molécules d'air et de doucement venir nous réchauffer comme l'eau chaude d'un bain d'hiver.

Lorsque nous sortons de la voiture, je tiens la main de ma sœur à partir de la première seconde jusqu'à notre retour. Comme beaucoup de gens n'ont pas suivi à cause du temps qu'il fait et de la distance énorme entre l'abbaye et le cimetière, nous avons le plaisir de dire au revoir à nos parents en famille, à l'aide des bons mots du croque-mort qui y est allé sobrement, simplement et brièvement. En outre, après la mise en terre, la plupart de ceux qui avaient bravé la pluie et les kilomètres de route nous quittent respectueusement. Si bien que nous pouvons partager avec oncle William, qui nous raconte à sa façon l'histoire du village dans lequel nous nous trouvons, là où il a grandi avec mon père, sous l'œil sévère de ma grand-mère et les strictes limites imposées par mon grand-père.

Je découvre alors une chose qui va sauver ma nouvelle relation parentale avec mon parrain. Il a un cœur énorme et un désir incommensurable de nous faire plaisir, de veiller sur nous avec amour et patience et de voir à notre bonheur.

C'est au-dessus des tombes de maman et papa, dans le vent glacé et humide, qu'il nous raconte pourquoi il a décidé de partir en Amérique. Croyant fermement aux vertus de l'ouverture d'esprit et de l'émancipation, il a choisi de quitter l'Angleterre pour trouver l'amour et essayer de tirer son épingle du jeu en se lançant dans le monde du commerce, notamment dans le domaine de la restauration. Il a aussi été sensible aux charmes de tante Sophie. Il l'a d'abord courtisée comme le gentleman anglais qu'il est et il a fait son approche doucement, sans l'effrayer. Un jour, il lui a fait la grande demande. Un an plus tard, mon cousin se lovait au creux du ventre de ma tante pour prendre part au mariage de Sophie en bedaine rebondie. Mon oncle avoue que les débuts de leur relation ont été très anglais, mais que la suite a été très québécoise.

Oncle William me coince alors dans ses bras et permet à mon nez de se chauffer dans son collet de tricot. Il sent bon. Ma hargne tombe peu à peu.

William : Je suis désolé pour mon commentaire de tout à l'heure, ma puce. Jamais mon frère n'aurait voulu te voir acheter de stupides chaussures dans les circonstances. Je suis désolé.

Je reçois ses excuses sans mot dire, pendant qu'il poursuit :

— Je ne sais pas comment atténuer votre peine.

— Ça aide déjà, oncle William, que tu nous racontes ton histoire.

— Je vous aime depuis toujours. J'espère pouvoir être à la hauteur de ce qui nous attend tous. J'espère que vous serez bien, malgré tout.

Rachel : Oncle William, tante Sophie, je dois vous avouer quelque chose avant que nous partions d'ici.

William : Eumm ?

— J'ai pris une décision très difficile et elle me pèse encore beaucoup…

J'attrape sa main gauche et lui tiens à présent les deux mains en même temps ; c'est notre rituel à nous, notre façon de nous donner du courage depuis que nous sommes toutes petites. Ma sœur enchaîne :

— Je devais me fiancer avec mon petit copain, Jonathan.

Emily-Kim : Oh mon Dieu !

— Mais j'ai renoncé à le faire pour suivre ma sœur au Canada. Mes parents me manquent et il va me manquer énormément aussi. Je sais que c'est irrationnel, mais j'ai parfois le vertige quand je pense à tout ce qui est devant moi. Je ne suis pas certaine d'arriver à surmonter tout ça. J'aurais tellement voulu être dans la voiture avec eux quand l'accident est arrivé !

Elle sanglote.

Moi : Je suis là. Tiens bon !

— La seule chose qui me pousse à ne pas abdiquer, c'est mon désir de rester auprès de toi, Sarah.

— Je sais !

Sophie : Je ne pourrai jamais remplacer votre mère.

William : Ni moi votre père !

— Mais William et moi souhaitons vous offrir une nouvelle famille, une famille où vous vous sentirez chez vous et où vous aurez votre mot à dire. Vous deviendrez comme deux sœurs pour Leonard et Emily-Kim.

Rachel accepte d'un hochement de tête. Notre tante poursuit doucement :

— Vous aurez votre chambre et votre liberté. Nous voulons vous offrir le meilleur de nous, le meilleur de notre famille et de notre pays. Ce sera à vous de nous dire ce dont vous aurez besoin.

J'incline la tête à mon tour en signe d'acquiescement. Elle ajoute :

— Nous veillerons à vous soutenir du mieux que nous pourrons. Vous êtes fortes et formidables. J'espère aussi être à la hauteur. Je vous offre mon aide, mon amour, mon écoute, ma présence, ma compréhension. Je ne sais pas tellement comment m'y prendre encore, mais mon cœur est ouvert grand comme ça pour vous deux.

— Merci, tante Sophie ! Ça va aller. Ça va sûrement finir par aller, pour Rachel et moi.

Je laisse une des deux mains de ma sœur et nous retournons aux voitures, tous ensemble. Cette fois, nous montons tous les six ensemble dans la même limousine noire. Nous sommes devenus l'embryon de notre future famille d'Amérique. Ma sœur est à ma gauche et Leonard est à ma droite. Je glisse ma main dans celle de mon cousin. Il la porte à ses lèvres et passe son bras autour de mes épaules. Il sent bon, lui aussi. Sa chaleur m'apaise et je m'endors profondément, rassurée pour la première fois depuis le départ de maman et papa.

• • •

J'ai un grand soupir nostalgique quand je finis de vider ma chambre de mes affaires. Je regarde la vieille tapisserie fleurie, mon couvre-lit lavande et rose, mes oreillers de dentelle, mon rideau de voile à la lucarne qui s'ouvre sur le jardin de roses. J'entasse les draps d'hiver sur ceux d'été, l'odeur de lessive embaumant doucement l'air triste de ma petite chambre. Je tourne la clé de ma lampe, sur ma table de chevet. La lueur jaunâtre s'éteint et la faible lumière grise de mon pays remplit l'espace. J'entr'ouvre la porte de la garde-robe pour laisser l'air circuler et je referme la porte de ma chambre à moitié, comme quand j'étais petite et que maman venait me dire bonne nuit. Petite. C'est ce que je laisse dans cette pièce, la petite Sarah. Je suis maintenant grande. Grande et seule.

Je me retrouve face à face avec mon reflet, dans le gros miroir rond accroché au mur devant moi. Les joues un peu rondelettes, les cheveux bouclés et foncés vu la saison hivernale, mais traversés de mèches rousses l'été, les joues tachetées d'éphélides, de grands yeux tristes parfois bleus, souvent verts, cinq pieds et sept pouces, petite en comparaison de ma mère et de ma sœur qui ont toutes les deux eu droit à un magnifique cinq pieds et dix pouces. Je fais aussi vingt livres de plus que ma sœur, malgré la différence en hauteur. Je tiens du physique de mon père, en plus petit. Ma sœur Rachel est une réplique en plus jeune de ma mère.

Je descends l'escalier étroit entre le deuxième étage et le premier en tenant ma valise contre mon ventre. C'est ma tante qui a vidé la chambre de mes parents. Ma sœur est encore à terminer ses bagages.

L'agent immobilier est passé en matinée. Il a fait une évaluation sommaire des biens et a estimé la valeur marchande de la maison. Nous laissons tous les meubles en place, la table, les fauteuils antiques, la desserte de bois… Nous laissons même la vaisselle dans le vaisselier, malgré l'insistance de ma tante pour que nous gardions, ma sœur et moi, une partie de notre héritage maternel. Rachel et moi avons convenu de n'apporter que nos vêtements et nos articles personnels, ainsi que les albums photo et des souvenirs choisis ici et là dans les pièces de la maison. Pour ma part, j'ai délibérément poussé l'audace jusqu'à contrevenir à la loi en cachant dans ma valise des graines de rosiers, ceux dont ma mère était si fière et dont elle avait tellement pris soin. Je prie pour réussir à les faire germer et à les entretenir de manière à les voir fleurir au Nouveau Monde.

Je vais déposer ma clé sur la table de la cuisine et je remets ma chaise à sa place une dernière fois. Je prends un verre d'eau que je savonne ensuite longuement et que j'essuie avec le linge bleu. Je le remets à sa place, en rang avec les autres, et le déplace légèrement vers la gauche parce que j'ai toujours fait ça, pour que maman repasse derrière moi et lâche un petit soupir, le petit soupir qui était à moi. Je vais faire un dernier tour dans le jardin. Les rosiers ont été brunis par le froid et dégouttent de pluie glacée. Je pique mes doigts volontairement à leurs épines et je laisse dégoutter de grosses gouttes de sang dans les plates-bandes pour y laisser une marque de notre passage, de mon ADN. Je lève mon visage vers le ciel et respire un grand coup, si bien que mes yeux se remettent à pleurer.

« Fais que je sois bonne comme toi, maman. Fais que je puisse te ressembler et que les gens m'admirent quand je vais mourir, parce que j'aurai été généreuse et aimable. Fais que je sois forte, papa. Forte comme toi. Fais que je sois capable de soutenir Rachel et qu'elle soit heureuse à nouveau. Fais-lui rencontrer quelqu'un au plus vite pour qu'elle réussisse à oublier Jonathan. Rends-la heureuse encore comme tu as toujours réussi à le faire avec nous deux et maman. Et, papa, veille sur maman. Je n'ai aucune idée de l'endroit où vous êtes, mais arrange-toi pour être avec elle. Dis, tu veux bien, papa ? » Je cache mon visage dans mes mains, barbouillant ainsi mes joues de larmes salées et de sang ferreux.

Leonard arrive près de moi tout en douceur :
— Hé !
— Hé !
— Viens là !
Il m'ouvre les bras.
— Merci, Leonard.
— Y a pas de quoi.

— Je crois que tu vas devoir être patient et faire ça souvent pour moi, maintenant.

— Je vais le faire avec plaisir, Sarah-Love !

Je fais un sourire discret.

— Tu te souviens de ça ?

— Pour toujours, depuis toujours !

— Mon père me manque tellement !

— Bien sûr, mais tu vas t'en sortir. On va essayer de les garder vivants pour vous deux, pour que tu les sentes toujours près de toi et que tu puisses continuer de grandir près d'eux.

— C'est bon !

— Tu peux compter sur moi, Sarah. Pour toujours, depuis toujours !

— Merci !

Je me blottis dans ses bras sous la pluie anglaise, le laissant délibérément se faire tremper lui aussi.

2

Maison d'hiver et maison d'été

L'avion décolle mollement en laissant le caoutchouc des pneus démordre lentement du sol. Je sens la pression de mon dos contre le banc de velours. Je respire, le cœur gros. Rachel garde les yeux fixés sur la piste, par le hublot. Elle ne pleure pas. Blanche et droite, elle a le visage de glace, ses longs cheveux blonds hérités de ma mère noués sur la nuque, et elle est vêtue comme à l'enterrement. Sa main enveloppe toujours la mienne. Et ça me fait mal en dedans, comme si on avait arraché quelque chose de vital dans mon organisme. Je suffoque en silence. Mes yeux laissent couler des larmes intarissables. Je viens de perdre tous mes points de repère, mes amis, ma maison, mon pays, mon confort. Je vais un jour avoir ma nationalité canadienne et ne plus être tout à fait anglaise. Sarah Wolfe sera alors une joyeuse Nord-Américaine…

• • •

L'aéroport de Montréal nous accueille paresseuse-ment. Le temps semble à la fois plus tangible et plus précieux. Les gens vont rapidement d'un point à l'autre, légèrement voûtés et le pas imperceptiblement traînant. Plusieurs musulmans sont regroupés dans l'attente de leur vol. Une petite fille pleure contre le sein de sa mère qui semble découragée. Je voudrais lui dire de profiter de sa fille ou, du moins, de la laisser profiter d'elle. Mais je passe mon chemin.

L'air de Montréal est encore plus froid que celui de Londres, comme si cela était possible. Mon ciré bien refermé sur mon pull de laine semble laisser passer le vent. Par chance, Leonard est allé quérir la voiture pour que nous ne soyons exposées que le moins possible aux griffes de l'hiver canadien. Il est d'une gentillesse affable sans limites.

La route est brillante de glace et la poudrerie la tra-verse à certains endroits. Rachel sourit poliment quand le contexte l'exige, mais sans plus. Leonard conduit bien, très prudemment. Oncle William est resté en Angleterre pour régler les aspects juridiques et financiers de la suc-cession et faire les arrangements qui s'imposent avec l'agent immobilier.

Quand nous arrivons chez ma tante, à notre nouvelle maison, Leonard actionne l'immense porte du garage pour y faire entrer la voiture. Jamais nous n'aurions fait ça par un froid semblable chez nous. Le chauffage aurait peiné pendant des jours pour rétablir la température dans la maison. Ma sœur attend que notre cousin ouvre la portière arrière pour descendre. Emily-Kim est déjà sur la petite marche entre la dalle du garage et la porte de la maison. Je ne sais pas de quel côté je dois sortir de la voiture, du côté de ma sœur anglaise, sous le joug de la galanterie, ou du côté de ma cousine canadienne, libre et autonome. Ma sœur me tient la main à la seconde où je me lance sur les traces d'Emily-Kim. J'opte donc pour le côté de Rachel. Leonard me fait un clin d'œil qui inspire la confiance et témoigne de sa compréhension.

La maison est chaude. Ma tante met des bûches dans le foyer du salon et bourre le support métallique de papier journal pour activer les flammes et allumer le bois. En quelques minutes, le feu grignote l'écorce et la fumée âcre prend le salon d'assaut. J'entre en transe devant le foyer et la chaleur s'empare de moi. Leonard me présente une couverture douce imitant une peau de mouton frisé et me suggère de m'étendre sur le divan à carreaux. J'accepte son offre sans plus réfléchir. Je m'assoupis doucement.

• • •

L'odeur de la cuisine de ma tante me fait sortir de mon sommeil. Je suis légèrement nauséeuse. Il fait nuit. Les réverbères de la rue éclairent les façades des maisons et les bancs de neige énormes. Les branches des arbres et des arbustes ploient sous la neige. Quel pays barbare envers la nature !

Je me dirige vers la cuisine et me tiens debout à quelques pas de la table.

Sophie : Assieds-toi, ma belle.

— Eumm ! Je ne sais pas quelles places sont prises et lesquelles sont libres.

— Oh ! Emily s'assoit habituellement ici et Leonard, là. William et moi occupons ce côté.

— Je vais aller du côté de Leonard, si cela convient.

— Parfaitement. Emily pourra converser avec ta sœur pendant les repas. Rachel pourra donc s'intégrer tranquillement à sa nouvelle vie. Mais, si tu préfères, je peux demander à Leonard de prendre place aux côtés de sa sœur pour que tu puisses être plus près de Rachel.

— Oh non! Ça va aller. Ça devrait convenir à Rachel, aussi.

— Tu ne te gênes pas, d'accord?

— Eumm!

— Tu veux manger un peu?

Je hausse les épaules.

— Ça va te faire du bien de mettre quelque chose dans ton ventre. J'ai fait dégeler une crème de courges et je fais chauffer un pain parisien. Ça, ça ne nous tombera pas trop lourdement dans l'estomac.

— C'est vous qui avez fait la crème?

— Oh non! Elle vient de la brûlerie. Je t'y emmènerai quand tu en auras envie. On y sert des repas de style sandwicherie, ou petit bistrot, si tu préfères.

— Je vois.

— Alors, je te sers un bol?

— Volontiers!

— Viens t'asseoir. Tu es à ta table, maintenant.

— Merci.

La crème est bien chaude et le pain, moelleux. Je l'ai rendu croulant de beurre fondu. Je détaille la cuisine, les comptoirs de marbre, les armoires de bois brun-noir, les électroménagers en inox; certains panneaux sont en verre pour permettre d'apprécier une vaisselle anglaise semblable à celle que nous avons laissée derrière nous, ou une autre section dans laquelle différents types de verres sont minutieusement alignés, brillants de lumière.

Ma tante Sophie s'assoit avec son bol et son bout de pain.

— Quand tu auras terminé, je te montrerai ta chambre. Tu auras le choix entre deux pièces, puisque ta sœur a choisi la sienne, déjà.

— D'accord !

— Tu pourras choisir les couleurs que tu veux. Nous les mettrons à votre goût. Nous n'avons pas eu le temps de les rafraîchir avant de partir pour Londres, mais nous voulions aussi avoir votre avis, que vous puissiez vous sentir chez vous, du moins, un petit peu.

— C'est gentil de votre part.

— Hum !

• • •

Je prends la chambre à côté de celle de Leonard. Ma sœur a pris la pièce la plus éloignée. Tant pis pour elle. Elle est sur un demi-étage dans les combles de la maison. Moi, je veux avoir accès rapidement à ma chambre et pouvoir rejoindre le reste de la maison facilement, une volée de marches en moins.

Les murs de la chambre sont gris perle et le couvre-lit est noir et parsemé de fleurs rouges aux tiges vert trèfle. Parfait. Les meubles sont brun-noir, semblables aux armoires de la cuisine. De grandes portes de verre givré cachent les supports à linge de la garde-robe et les tiroirs. Je me sens déjà bien. Je pose mes valises au pied du lit en prenant soin de mettre un jeté dessous pour ne pas abîmer le couvre-lit. Je sors mes vêtements et les mets dans les tiroirs. Juste dans la première section de la garde-robe, il y a de la place pour toutes mes affaires. Je glisse précautionneusement mes graines de rosiers dans le fond du compartiment du haut pour les laisser en dormance quelques semaines avant de tenter ma chance et de voir si j'ai aussi hérité du pouce vert de ma mère.

On m'a dit que Leonard est parti à l'hôpital reprendre son travail. Emily-Kim est au téléphone et raconte son séjour triste en Angleterre, regrettant de n'avoir pas pu sortir dans les pubs. Je frappe faiblement contre sa porte, en face de celle de son frère, et elle vient m'ouvrir, toujours très souriante. Elle met fin à sa conversation, s'assoit en plein milieu de son lit et tapote une place devant elle.

— Viens t'asseoir.

Je m'applique à dessiner un sourire sur mon visage :
— D'accord.

— Alors ? Est-ce que tu es du genre ermite comme ta sœur, ou si tu veux sortir et que je te présente déjà des amies ?

— Maintenant ?

— Mais oui ! On est vendredi soir.

— Oh ! J'ai un peu perdu la notion du temps.

— C'est pas grave. Comme tu parles super bien le français, tu n'auras pas de problèmes à discuter avec les autres.

— Tu crois ?

— Bien sûr !

— Je ne sais pas. Il y a souvent des expressions canadiennes que je ne saisis pas.

— Bon. Pour commencer, tu dois dire québécoises. Au Québec, on n'est pas comme le reste du Canada.

— Oh! Désolée!

— C'est pas grave. Je serai avec toi et les filles auront sûrement beaucoup de plaisir à t'apprendre nos expressions. Mais, dans les faits, on utilise souvent des mots anglais pour ponctuer les phrases. Tu vois?

— Je crois!

— Ce soir, on sort avec Juliette, Florence et Justine. Tu vas voir, elles sont super gentilles. Juliette est en couple avec Émile, il est super lui aussi. Justine n'a pas de copain, Florence non plus, pas officiellement, en tout cas. Peut-être que Léa sera là avec Mikaël. Il est vraiment chouette. Il est super gentil. Mais il est intimidant au début parce qu'il a un regard assez déconcertant. Il a des yeux incroyables et il est vraiment charmant. On va aller dans un pub tranquille, ce soir. On va pouvoir s'entendre sans se crier dans le creux de l'oreille.

— Tant mieux, alors!

— Si tu as envie de rentrer, je vais revenir avec toi. Ne te gêne pas.

Elle me fait un grand sourire:

— Merci, Emily-Kim.

— Mais de rien, Sarah!

Vers vingt-deux heures, nous allons rejoindre ses copines. Une chance que j'ai dormi durant l'après-midi. Il est trois heures du matin pour moi… en fait, pour les gens qui sont toujours dans mon pays. Je prends de la bière qui s'appelle L'Écossaise. Elle ne goûte pas tout à fait les bières d'Écosse, mais au moins elle est foncée et caramélisée comme les bières que j'aimais tant… avant.

J'aime bien Juliette. Elle est vive, drôle et divertissante.

Elle a une opinion personnelle sur tous les sujets et elle cherche sans cesse l'approbation d'Émile qui lui répond inlassablement par des sourires ou des baisers tendres. Les filles parlent d'une douzaine de sujets allant de la politique québécoise à l'école, d'un groupe de musique dont je ne retiens pas le nom au nouveau couple Rosalie et Emmanuel, et ainsi de suite. Ma cousine prend soin de moi:

— Tu vas voir, Sarah, je suis certaine que tu vas bien t'entendre avec Rosalie. Vous vous ressemblez un peu, je trouve, et moi, je l'adore.

— Ah!

— Et Emmanuel est, *oh my God*! un dieu vivant. Malheureusement, il est fidèle comme un chien envers son maître.

— Je suppose que sa blonde apprécie qu'il soit ainsi.

Juliette: Et toi, tu avais un copain en Angleterre?

— Eumm! Pas comme Émile et toi!

Juliette: Tu avais un copain pour le lit, donc?

— Eumm! Peut-être!

— Et c'est quoi, ton genre de gars?

— …

— Ne sois pas gênée! Si jamais tu veux qu'on te donne un coup de main, il faudrait savoir ce que tu cherches.

— Oh! Mais, pour le moment, je ne cherche rien!

Justine: Il faudrait que tu me donnes un coup de main aussi, Juliette! Je suis ici depuis plus longtemps que Sarah.

Justine m'adresse un clin d'œil, cherchant une certaine complicité de ma part. Je lui réponds par un faible sourire.

Emily-Kim : Mais il ne faut pas te gêner, Justine. Il faudrait seulement que tu choisisses ce que tu veux. Il me semble que ça fait un bout de temps que tu essayes différents modèles ! Tu étais sur le point d'acheter…

Je fais un sourire discret pour moi-même.

Justine : Et toi, mademoiselle Wolfe ? Tu es sur le point de choisir aussi, ou si tu regardes encore le menu ?

Comme je ne sais pas si elle s'adresse à moi, j'attends. Finalement, il semble qu'elle vise davantage ma cousine.

Emily-Kim : J'en suis encore au plat principal. J'attends de voir la carte des desserts.

Émile : C'est vrai que, un gros gâteau au fromage, c'est toujours agréable.

Mikaël : Alors, Sarah ? Tu crois pouvoir te faire un peu aux discussions très intellectuelles de ta cousine ?

— Ce n'est pas si différent de celles qu'ont les filles en Angleterre. C'est plutôt la forme, qui change. C'est divertissant.

— Tant mieux !

Ses yeux semblent accrocher les miens. Je suis à peine intimidée. Je le trouve surtout gentil.

Mikaël : Tu t'entends bien avec Emily ?

— Je commence à connaître ma cousine un peu. J'arrive à prévoir certaines de ses réactions. Elle me fait penser à Julianna, une de mes bonnes amies… d'avant.

Je ressens une montée de mélancolie.

Mikaël m'offre un sourire de compassion et ajoute :

— Je suis surpris que tu sois déjà avec nous, ce soir, mais je crois que c'est une bonne chose. Si on se met tous ensemble pour te remonter le moral, ça devrait aller mieux plus vite. Qu'est-ce que tu en penses ?

— J'espère que tu as raison !

J'ai droit à de la bière gratuite toute la soirée, comme cadeau de bienvenue. Les amis d'Emily-Kim sont remarquablement gentils et particulièrement accueillants. Quand je retourne à la maison, ma nouvelle, il est deux heures du matin. Sept pour moi. Je suis épuisée et je tombe de fatigue dans mon lit… mon nouveau.

• • •

La première semaine se déroule un peu en vitesse. On s'informe pour nous inscrire, ma sœur et moi, à des cours par correspondance et pour connaître les restrictions touchant les inscriptions à temps plein dans les universités ou les collèges. On amasse les informations et on vérifie si nous avons tous les papiers nécessaires. Ce qui est le cas. Les procédures d'émigration ou d'immigration, selon le point de vue, s'enclenchent. J'ai souvent le cœur gros pendant quelques secondes, mais, la plupart du temps, ça se passe doucement. Je respire. Je pense à autre chose.

J'essaye de ne penser au passé que le moins possible et de décider de ce que je veux faire de ma vie le plus vite possible.

Je réussis à me trouver un club de tennis intérieur. Ma sœur et moi allons y jouer trois fois par semaine. Nous y rencontrons des gens intéressants. Ma sœur donne rendez-vous à un jeune homme, pour jouer en simple avec lui. Elle fait un peu femme froide, pour le moment. Je ne sais pas trop quoi en penser.

Je choisis plusieurs cours par correspondance, surtout en littérature pour parfaire mon français écrit. Je donne des nouvelles aux copains pour la première fois, un mois après l'accident, lors d'une tempête de neige spectaculaire.

Je reçois une avalanche de nostalgie incontrôlable. Je m'effondre sur mon clavier. J'étouffe sous la neige qui tombe sans répit et les vents qui veulent arracher le toit de la maison. J'ai peur que les branches des arbres ne se cassent et qu'elles ne viennent fracasser ma fenêtre, immense, bien trop grande. Ma minuscule chambre avec sa toute petite fenêtre me manque horriblement.

Je tombe mal dans la nuit. Depuis une semaine, j'ai l'impression de couver quelque chose; je traîne une fatigue anormale, que je mets sur le compte des émotions vécues.

Je vais frapper doucement à la porte de mon cousin, sachant pourtant que c'est tout à fait contraire aux convenances, en dépit de notre lien de parenté. Il m'ouvre, les yeux encore collés de sommeil, enroulé dans sa couette. Il me questionne.

— Qu'est-ce qui se passe, Sarah?

— Je ne sais pas. Je ne me sens pas bien du tout.

Il appuie son poignet sur mon front.

— Tu es fiévreuse. Va dans ta chambre, je vais aller te voir. Je dois me mettre quelque chose sur le dos. Je suis à toi dans quelques minutes.

— Je suis désolée.

— Ne le sois pas! J'arrive.

Il ne lui faut pas beaucoup de temps pour constater qu'il aurait besoin de me faire passer des tests sanguins. Il ne peut pas m'accompagner parce qu'il travaille le lendemain, mais il me dit qu'il demandera à sa mère d'aller avec moi à la clinique privée pour les prélèvements.

Au matin, j'ai beaucoup de peine à me sortir du lit. Rachel est toute blanche, terrorisée par mon état. Mais je lui dis de ne pas venir avec moi.

Nous avons les résultats par l'entremise de Leonard en après-midi. Mononucléose. Physiquement, mon corps n'en peut plus de créer une barrière imaginaire pour me protéger de mes montées de larmes. Psychologiquement, je craque comme une grosse pierre sous le gel. Leonard me prodigue ses bons conseils. Il me présente un ami, Alexis, et sa copine, Frédélie, qui est aussi l'amie d'Emily-Kim et qui est la sœur de Rosalie, laquelle est en couple avec le dieu fidèle, si j'ai bien tout compris. Mon cousin me cloue dans mon lit pour une semaine.

— On réévaluera dans sept jours.

Et je dors. Tout le temps. Tellement que je crois comprendre ce que les gens dans le coma ressentent en se rendant compte au réveil de tout le temps qu'ils ont perdu à dormir. J'ai un horaire à respecter avec des heures actives, passives et de sommeil. À la fin, j'implore Leonard de me laisser tranquille. Il accepte avec son magnifique sourire. Je demande ensuite à mon oncle de me donner du travail comme serveuse dans un de ses cafés. Il accepte à condition que je reprenne mon retard dans mes cours par correspondance.

Il m'affecte à un quart de travail en semaine. Je bosse depuis le matin jusqu'à treize heures. Tout le monde veut me prendre en charge comme une petite orpheline désarmée. Je leur laisse un certain rôle de soutien, mais je me débrouille par moi-même la plupart du temps.

En mars, je commence à faire un peu de comptabilité aux côtés de mon oncle. Il me trouve douée et il me fait confiance. Je travaille toujours du lundi au vendredi et je joue avec les chiffres de quatorze à seize heures. J'adore ça.

Le 1er avril, on ouvre un tout nouveau café dans la vieille partie de la ville de Montréal. C'est plutôt récent de mon point de vue, à peine quatre cents ans, mais c'est ce que les gens d'ici appellent le Vieux-Montréal. La nouvelle place s'appelle la Cafetière de Maisonneuve et elle sera sous ma responsabilité, sous supervision de mon oncle, bien entendu. Je suis comblée par mon travail, mais les déplacements me pèsent. Je déteste perdre mon temps dans les embouteillages. J'en parle donc à Leonard.

— Tu crois que ça pourrait être possible que j'achète quelque chose près de la nouvelle Cafetière? Je veux dire : crois-tu que tes parents accepteront mon idée? Je sais que j'ai hérité de suffisamment d'argent pour ne pas m'inquiéter et j'en ai marre de rouler à dix kilomètres à l'heure pendant plus de deux heures tous les jours.

— Je crois que ça peut s'envisager.

— Et tu accepterais de magasiner ça avec moi?

— Certainement!

— Et tu crois que tu voudrais venir habiter avec moi?

— Quel est l'intérêt d'un tel arrangement?

— J'ai entendu ta conversation au téléphone, hier soir.

— Oh ! J'ai une espionne sous mon propre toit, maintenant ?

— C'est possible. Et c'est aussi que je me suis dit que, si nous déménageons ensemble, j'aurai l'approbation parentale plus facilement.

— Tu as quelque chose en tête, si on veut commencer le magasinage ?

— Condo ou loft, c'est ça surtout qu'on trouve, dans le coin. Les maisons sont hors de prix, même si elles sont aussi minuscules que notre maison d'Angleterre.

— Mais je croyais que c'est exactement pour cette raison que tu serais intéressée par une maison.

— C'est ce que tu souhaiterais, toi ?

— Un loft pour nous deux, c'est impossible.

— Eumm ! À moins qu'on mette des cloisons pour se faire chacun une chambre !

— Alors, vaut bien mieux rechercher un condo… ou une petite maison anglaise.

— Tu crois ?

— Évidemment ! Laisse-moi en parler aux parents. Donne-moi quelques jours et je te reviens là-dessus. Tu crois que tu seras assez patiente ?

— Je n'ai pas le choix.

•••

Fin avril.

William : Alors, ça y est. Leonard et toi êtes décidés à nous quitter ?

— Il semblerait.

Rachel : Et tu as pensé à tout ce que ça implique ?

— Tu sais, Rachel, j'y ai pensé énormément. Ce qui

a fait pencher la balance, c'est justement le fait que, de ton côté, tu t'en fous complètement, de reprendre ta vie en mains. Tu es devenue une joyeuse reine blanche et tu n'es même pas convaincue de ce que tu vas faire à l'université.

— Oh! Ce n'est pas parce que, toi, tu envisages de suivre les traces de papa que tu vas y parvenir!

— Oh, mais oui! J'ai quand même les excellents conseils d'oncle William et je ne suis pas partie sur une dérape comme toi.

William: Holà, les filles! Je ne crois pas que ça vous mène à quelque chose de vous chamailler de cette façon.

— Tu as raison, mon oncle. C'est tout à fait inutile.

Rachel m'imite vachement:

— Tu as raison mon oncle. Et puis, Sarah, déménage donc à l'autre bout du monde si ça te chante! Tu joues les Nord-Américaines fortunées et tu crois que ça va te mener loin dans la vie. Tu vas repousser tous les hommes intéressants en te faisant passer pour ce que tu n'es pas.

— Et qu'est-ce que je fais semblant d'être, s'il te plaît?

— Tu fais semblant d'être au-dessus de tes affaires. Il y a quelques mois, tu te retrouvais rivée à ton lit. Tu crois que, maintenant, tu peux en prendre plein les bras et assumer? Tu vas en prendre plein la tronche, si tu veux mon avis.

— Mais qu'est-ce que tu as, Rachel? Je ne pars pas pour une autre planète. Je vais habiter à moins d'une heure d'ici.

— Et pourquoi pars-tu avec Leonard, et non pas avec moi?

— Mais parce que je ne croyais pas que tu aimerais le projet.

— Oh ! parce que, maintenant, tu connais suffisamment tout le monde pour juger de qui doit ou non déménager avec toi ?

— Ce n'est pas ce que j'ai dit. J'ai dit que je ne pensais pas que tu aurais envie de déménager pour le moment.

— Tu as sans doute raison. Les choses vont beaucoup trop rapidement et je crois que tu vas regretter ton choix.

— Je ne le pense pas. Je crois, au contraire, que c'est exactement ce que j'ai envie de faire depuis longtemps. Je ne suis pas partie de la maison, en Angleterre, parce que je n'avais pas la possibilité de le faire.

— Et maintenant, tu crois que tout t'est permis ?

— Non. J'ai une tête sur les épaules et je suis capable de m'en servir tous les jours, plusieurs fois par jour. Ce n'est pas parce que je ne m'apitoie pas sur mon sort que je ne suis pas une bonne petite fille de bonne famille. Le temps minimal d'*endeuillement*, ça ne tient plus la route.

— *Endeuillement*, ce n'est pas un mot.

— Rachel, tu es bornée ! Je suis désolée de te dire ça de cette façon, mais j'ai le droit de faire les choses différemment. Je n'ai pas à être comme toi toute ma vie.

— Et que fais-tu de ton éducation anglaise ?

— Oh, la belle affaire ! Maintenant, tu vas me faire croire que tous les Anglais sont des princes William et que toutes les Anglaises viennent au monde avec une couronne sur la tête ? Ce n'est pas parce que tu te les joues…

Oncle William m'interrompt soudain.

— Sarah, c'est assez !

Rachel : Tu vois ?

William : Toi de même, Rachel ! Vous vous écoutez, toutes les deux ? Deux vipères ! Vous voulez vous ridiculiser et vous jeter au visage tout plein de méchancetés, soit ! Mais vous ne le ferez pas sous mon toit et encore moins en ma présence. Rachel, ta sœur a choisi cette opportunité pour se lancer dans la vie active. Elle en a le droit. Toi, tu fais les choses à ta façon. Je te le concède, c'est peut-être plus conventionnel à tes yeux, mais ni l'une ni l'autre n'a davantage raison. Je n'ai pas à m'interposer entre vous deux, mais je trouve que vous dépassez les bornes en vous traitant comme vous le faites. Sarah, tu dois faire preuve de bonne volonté. Tu savais que Rachel s'opposerait à ton départ. Tu m'avais dit que tu veillerais à lui en parler doucement. Je constate que ça n'a pas été fait. Pour quelle raison ? Peux-tu me le dire ?

— Parce que j'en ai marre de toujours devoir m'expliquer en long et en large avec Rachel. Elle se prend pour ma mère, mais, le problème, c'est qu'elle me rabaisse tout le temps, peu importe ce que je fais ou dis. Je ne suis jamais assez bien pour elle. Elle me juge de toute sa hauteur et m'écrase de la semelle de son soulier comme un vulgaire insecte.

Rachel : Ce n'est pas vrai !

— Oh si !

— D'accord ! Dis-moi la dernière fois que j'ai agi ainsi.

— Tu viens de le faire. Regarde-toi ! Tu lèves le nez quand tu me parles comme si je suscitais le dédain.

Elle tourne son regard vers le sol.

Moi : Alors ?

— Je ne suis pas d'accord avec tes choix. Ce n'est pas ce que maman aurait fait dans les mêmes circonstances.

— Qu'est-ce que tu en sais ?

— Maman est restée chez ses parents jusqu'au jour de son mariage.

— Oh ! Tu veux être une copie carbone de maman ? C'est ça ?

Léger haussement d'épaules de ma sœur.

— Peut-être bien !

— Hé bien ! tu devrais commencer à agir plus ouvertement si tu veux qu'un homme… oh non ! qu'un gentleman demande ta main.

— Et qu'est-ce que tu crois que je fais ?

— J'en sais rien !

— Écoute-toi parler ! Je n'en sais rien, pas *j'en sais rien*. Tu es d'une familiarité…

— Arrête ! Tu lèves encore le nez sur moi.

— Hé bien, pars, ma chère ! On verra bien qui aura la tête haute dans quelques années.

— Pourquoi deviens-tu si mesquine ?

— C'est à force de vivre sous le même toit que toi !

— Hé bien, ça devrait te passer. Parce que je pars !

— Bon vent !

Ma mâchoire est crispée et j'ai les larmes aux yeux.

— Excuse-moi, mon oncle. Je vais me retirer, si tu le permets.

Je me retrouve dans ma chambre, sur mon lit, en petite boule de haine et de rage. Depuis des mois, ma sœur se replie sur elle-même sans que personne puisse lui être d'une aide quelconque. J'ai le cœur en lambeaux. Rachel devient la reine Élisabeth Ire, droite, froide, autoritaire.

Léonard choisit ce moment magique pour remettre les pieds dans ma vie. Il m'aborde doucement.

— Bon ! Ça aurait pu être mieux, ça aurait pu être pire.

— Tu crois, Léonard ?

— Je suis libre tout l'après-midi et j'ai déjà bouclé quelques rendez-vous d'ici vingt heures. Tu es prête à partir à la recherche de notre nouvelle villa, ma chérie ?

— Plus que jamais !

— Je t'attends dans la voiture.

— Oh ! Je suis prête !

— Merveilleux. Les dames d'abord.

Il m'indique la sortie. Je lui présente ma plus belle révérence anglaise dans les circonstances.

• • •

On gagne Montréal et on passe d'abord par le condo des Montcalm. Je rencontre Raphaël et Thomas. Au début, je crois qu'ils sont frères. Deux têtes plutôt pâles, bouclées, et des yeux bleus magnifiques… J'ai droit à des nouvelles de la fameuse Rosalie voleuse de cœurs. Je vois le visage de mon cousin prendre un air songeur et détaché, comme s'il avait toujours cette fille dans la peau. Et j'apprends, pour autant que j'aie bien compris, que la sœur de Raphaël est la copine de Thomas, sa *blonde*, comme on dit ici. Arielle a un an de moins que moi.

Tout à coup, plusieurs révélations en cascade s'imposent à moi. Mikaël, le *chum* de Léa, est le frère de

SARAH

Raphaël et d'Arielle, et Arielle est la fameuse copine de Juliette. Raphaël est le chum, comme on dit toujours, de la terrible Victoria qui est aussi une ancienne blonde de mon cousin. Pour ajouter à tout ça, le chum de Rosalie est l'ancien chum d'Arielle. Mon Dieu! il me semble que le Québec est tellement vaste! Je ne comprends pas trop ce zigzag relationnel.

Je vais tâcher minutieusement de sortir de ce cercle beaucoup trop concentrique. C'est cependant un vœu pieux, puisque toutes les maisons que nous visiterons se situent à moins de dix minutes à pied de toutes ces chouettes personnes.

Arielle arrive au moment où nous allons partir. J'ai envie d'être copine avec elle malgré mon souhait récent de ne pas me mêler à tout ce beau monde. Elle m'interpelle en claironnant :

— Salut! Je m'appelle Arielle. Tu es sûrement une des cousines des Wolfe?

— Oui. Je m'appelle Sarah.

— Enchantée. Juliette m'a parlé de toi. Comment tu t'en sors, finalement?

— Eumm, finalement, bien!

— Tu as de la chance d'avoir Leonard comme cousin. Il doit bien prendre soin de toi, non?

— Oui!

— Ça va, Leonard?

Leonard : Très bien. Et toi?

Elle répond par un sourire.

— Bon. Je reviens du bureau de ma tante. Je vais aller prendre une douche. Vous croyez revenir pour le souper?

Leonard : Non. On a des rendez-vous. On va visiter

42

des maisons dans le même genre que votre condo. On veut emménager dans votre quartier.

— Oh! C'est chouette! On va recréer notre petit coin de pays par ici.

— Ouais! Prends soin de toi. Nous, il faut y aller.

Il baise doucement ses joues et elle lui signifie son accord par un hochement de tête léger.

On fait une première visite. Trop sombre. En déboulant sur le trottoir sans trop d'efforts de ma part, puisque les marches de l'escalier sont à refaire, j'atterris sur une grosse bête noire. Je pousse un cri de mort qui fait peur à la chose et fait se retourner tous les touristes de la rue, mais qui fait rire mon cousin à gorge déployée, ainsi que le promeneur du chien.

— Bon! Je suppose que vous vous connaissez. Tout le monde se connaît, ici.

Emmanuel: Bonjour. Je m'appelle Emmanuel. Tu dois être Sarah ou Rachel.

— Oui, Sarah. Tu es qui, dans l'histoire? Question que je ne fasse pas tous les liens par moi-même, aujourd'hui!

— D'abord, c'est Amaruk, anciennement Sirius, qui était le chien de Leonard.

— Ensuite?

— Je ne sais pas trop!

— Tu es le petit copain de la terrible Rosalie, je suppose?

— Terrible?

— À entendre les histoires sur son compte, tu es un chiffre chanceux ou malchanceux dans son parcours amoureux.

Il me fait un sourire plein d'arrogance.

— Je dirais chanceux, dans ce cas.

— Tant mieux !

Leonard : Et toi, ça va, Emmanuel ?

— Évidemment ! Vous faisiez quoi, ici ?

Il jette un regard vers la maison derrière nous.

Leonard : On visite. Sarah veut déménager pour se rapprocher de la nouvelle Cafetière. Comme je fais des démarches pour travailler dans un hôpital de Montréal, je t'avoue que ça fait mon affaire de jouer les colocs.

— Oh ! Tant mieux ! Vous voulez que je m'informe des lofts dans notre immeuble ?

— Non ! On cherche quelque chose avec des pièces fermées ; ça donnera aussi l'impression à Sarah d'habiter dans son ancienne maison d'Angleterre.

— Oui. Je comprends. Tu t'en sors un peu ? C'est… Je ne sais pas trop quoi dire.

Il me regarde avec ses yeux noirs comme des lochs et poursuit :

— C'est le genre de truc qui te jette à terre, de perdre…

Il baisse les yeux sans pouvoir terminer sa phrase.

— Disons que ma sœur a encore la face contre l'asphalte. Moi, j'ai relevé la tête et je m'apprête à me remettre debout lentement. Leonard est vraiment un bon soutien pour moi.

— Je n'en doute pas. On doit tous quelque chose à Leonard.

Il lui adresse un sourire reconnaissant et sincère.

Leonard : Bon ! Ce n'est pas faute de trouver la conversation flatteuse, mais on doit se rendre à deux rues d'ici avant cinq minutes. Je suppose qu'on aura la chance de se revoir avant longtemps.

Emmanuel : Évidemment. Si ça vous le dit, vous pouvez venir au fameux party pour la fête de Raphaël, dans un mois, au début de juin. On fait ça chez nous, sur la terrasse.

Leonard : Merci pour l'invitation.

— Au revoir, Sarah. Et désolé de t'avoir effrayée avec Amaruk !

Je hausse les épaules en souriant. On marche rapidement, sans mot dire. Quand j'arrive en face de la prochaine maison à visiter, je tombe amoureuse. Elle est parfaite. Une grande porte de bois peinte en bleu et des fenêtres immenses à guillotine avec de petites lucarnes sur le toit. Une dame nous ouvre la porte, un beau sourire illuminant son visage.

Elle nous accueille en nous appelant par nos noms et en nous tendant une main énergique. Les divisions sont comparables à celles de mon ancienne maison. Il y a deux grandes chambres à l'étage et une autre au grenier, selon ses mots à elle. Elle nous montre la salle de bain en nous avertissant que la maison a été construite bien avant la mode des salles de bain immenses. Mais elle est pareille à celle dont nous disposions en Angleterre. Elle nous montre la salle de lavage, aménagée dans une pièce ajoutée vers l'arrière de la maison et qui empiète sur une cour intérieure plutôt exiguë, juste assez grande pour faire pousser mes rosiers qui ont commencé à germer. Une partie de la maison a été rénovée à la moderne et une autre est restée à l'ancienne, mais le mariage des deux modes est une vive réussite. Je vois déjà mon bureau installé dans un coin, une des deux grandes chambres transformée en salon, ma chambre au grenier comme à Londres et celle de Leonard juste à côté du salon.

En quelques jours, les démarches d'achat sont terminées. Les proprios ayant une résidence secondaire, ils nous laissent la chance d'emménager dès que nous le souhaitons. Nous serons là à la mi-mai.

3

Londres et moi

Le vent ramène en rafale mes cheveux vers mon visage. Le soleil froid n'arrive pas à réchauffer mon nez. Je souris et repousse mes longues boucles derrière mes oreilles comme si j'allais arriver à les y faire tenir. Arthur est tellement drôle! Il fait deux millions de conneries à la minute pour essayer de me faire éclater de rire. Voyant mon combat perdu devant le dieu Éole, il vient m'enfoncer sa tuque sur la tête et en profite pour me voler un baiser. Puis il s'éloigne de moi en marche arrière, en essayant de me faire rire encore.

Nous formons un groupe qui détonne beaucoup par rapport à ceux de notre quartier. Matthew signe ses graffitis sur les murs des immeubles désaffectés des coins reculés de Londres sous le pseudonyme de St. Matthew. Scott fait des feux de fonds de poubelles; il aime offrir aux flammes de lécher le cuir de ses bottes en laissant monter des nuages vers le ciel. Arthur escalade tout ce qui se trouve sur sa route, traverse de justesse devant les trains en mouvement, provoque les chiens de garde, cherchant sans cesse un signe qui le laissera croire à une certaine admiration de ma part. Julianna porte des jupes déconcertantes, mais elle enlève rarement sa tuque de tricot; elle développe rapidement une passion pour le piratage informatique. Et moi.

Nous squattons les cafés de mon père après la fermeture. Scott allume les bûches regroupées sur la grande dalle dans l'âtre encore chaud. Les flammes diffusent longuement une lumière qui valse sur les murs. Nous buvons notre bière achetée plus tôt en soirée et fumons cigarettes et autres jouets en jurant que les volutes de fumée sortent toutes par la longue cheminée plusieurs fois centenaire. Si mon père a déjà repéré nos traces, il ne m'en a jamais fait part.

Matthew a été mon premier amour. Nous nous sommes rencontrés par hasard lors d'une nuit triste et froide comme il y en a des milliers dans ma ville. Je ne sais pas trop comment les choses sont arrivées, ni chronologiquement, ni dans les faits, ni fondamentalement. Les minutes se sont présentées à nous. Chacune d'elle nous servait de corde pour nous attirer l'un vers l'autre. Nous avons fini dans les draps gris d'un de ses amis. C'était ma première fois. Lui aussi. Comme ça, pour rien, sans préméditation, sans fondement, sans raison, sans amour. Mais, quand j'effleure ma peau, parfois, c'est encore à lui que je pense. Nous n'avons jamais été ensemble pour autre chose que ça. Il nous est même arrivé à plusieurs reprises de nous cacher une dizaine de minutes dans n'importe quel endroit clos, juste pour qu'il revienne en moi. Même, parfois, il arrive qu'Arthur m'embrasse et que je regarde encore Matthew directement dans les yeux. Ce n'est pas honnête, je sais. C'est pour cette seule et unique raison que je n'ai jamais accepté officiellement de me départir de ma liberté pour tomber dans les bras d'Arthur avec tout le tralala.

Matthew me gruge par en dedans. Personne n'est au courant, ni lui, ni Julianna, ni ma mère. Personne. Il est comme un cancer. Mais je suis tout à fait prête à en mourir. De toute façon, si ce n'est pas lui qui finit par me tuer, ce sera Londres, une espèce de maladie incurable tout aussi persistante. Je suis condamnée.

Debout dans le vent, je fais semblant. Ma main tient la tuque d'Arthur sur ma tête. Matthew gribouille dans son cahier à dessins et Arthur fait son possible pour me faire sourire. Julianna et Scott font des ronds de fumée, pendant que mon amie sautille sur place dans une tentative de se réchauffer la peau des jambes, cachée sous ses longs bas rayés…

4

Solstice et orage d'été

Dès la première nuit, je me sens chez moi. Les boîtes sont toujours empilées. Je n'ai que mon matelas, posé directement sur le plancher, mes draps et ma couette de plumes d'oie sans housse décorative encore. La grande enveloppe de plastique qui couvrait mon lit est dans un coin et les pots où poussent mes rosiers sont sur le bord de la fenêtre. J'y suis enfin. J'ai recréé ma petite bulle anglaise.

La chaleur n'a rien à voir avec ce qu'on connaît à Londres, par contre. Je me réveille collante de sueur, en étoile, de travers sur le matelas très grand format, un rêve impossible dans mon ancienne chambre. La lumière est vive, jaune, lumineuse, presque blanche. Le ciel est bleu pâle comme dans les dessins animés pour enfants. Je souris. Même que je ris, surprise de m'entendre. Je descends en posant le pied sur une marche sur deux, directement dans la chambre de Leonard, vêtue d'un t-shirt et de ma petite culotte. Je saute dans son lit.

— Tu restes par-dessus les couvertures !

— Mais oui ! Je sais. Tu es à poil.

— Et ?

— Hé bien, voilà ! Rien de plus, mon cher !

— Tu as bien dormi ?

— Comme un loir !

— Tant mieux !

— Et toi ?

— Je vais assurément investir dans un système de climatisation.

— Ah bon ! Moi, je trouve ça chouette, de ne pas grelotter, pour une fois.

— Bienvenue au pays des extrêmes, ma toute belle.

— Mais je te remercie.

— Tu as un air heureux.

— Oui !

— Ça fait du bien.

— Alors ? Tu es prêt à défaire quelques boîtes ? Je nous fais du super café frais acheté à la Cafetière, hier soir.

— La machine à café est encore dans une boîte.

— Alors il faudra commencer par défaire celle-là, mon chéri. J'y vais. Trouve quelque chose à mettre et pointe-toi dans la cuisine.

Mon cousin arrive vêtu de son kilt. Je lui saute au cou.

— Tu es l'Anglais le plus écossais que je connaisse.

— Et tu es l'Anglaise la moins anglaise que je connaisse.

— Hé bien! On devrait s'entendre à merveille. La machine est là. La Cuisinart, tu peux me la donner?

— Sans problème.

Je l'embrasse à la limite de la décence.

— Vous allez devoir relire votre manuel des bonnes manières, mademoiselle Sarah!

— Je me fous des bonnes manières. Je suis dans ma maison.

— Ne me dites pas que je vais devoir vous dresser, maintenant!

— Tu n'y arriveras pas, mon cher.

— Vraiment?

— Hen, hen! Vraiment, mais tu peux toujours essayer si ça te chante.

— Comme vous voulez, gente dame!

— Dans ce cas, bonne chance!

Je sors la cafetière de sa boîte et la branche dans le mur. Je mets de l'eau, un filtre, du café. En attendant que le breuvage soit prêt, je m'assois sur le comptoir pour lire le manuel. Leonard se fend la bouille d'un grand rire.

— Tu es incroyable, Sarah! Pourquoi lis-tu le manuel si le café est déjà en train de couler?

— Pour programmer l'horloge.

Nouveau rire réjoui.

— C'est une bonne réponse!

— N'est-ce pas?

On vide quelques boîtes pour libérer la surface de la table.

— Tu es du genre à laver toute la vaisselle, Leonard, ou on peut la mettre directement sur les tablettes?

— Lave-vaisselle !
— Bon. Si tu veux !

Je trouve que c'est une pure perte de temps, mais je dois tout de même me plier aux désirs de mon super cousin. Je mets tout dans la machine avec le savon en cube bleu flanqué d'une pastille rouge. Je démarre le lavage.

Pendant que les hélices tournent et que l'eau chaude gicle à l'intérieur, je m'applique à trouver une place stratégique à chaque article de vaisselle ou de cuisine : les assiettes le plus près possible de la table, les chaudrons à côté du four au gaz, les verres tout usage près de l'armoire et du frigo…

Leonard a manifestement beaucoup moins de plaisir que moi à planifier l'aménagement de nos affaires. Après quelques minutes, il abdique en déclarant solennellement que, comme représentante de la femme du foyer, j'ai plus de talent que lui pour prévoir et décider de la place ultime de chaque élément de la maison. Suite à quoi je l'affuble de plusieurs qualificatifs, tous moins glorifiant les uns des autres, pour souligner son côté conservateur et vieux jeu. Il me répond en engageant une terrible bataille, ponctuée de joyeux fous rires.

● ● ●

Fête de Raphaël Montcalm.

Je n'y vais pas. Il y a quelques semaines, une tragédie est passée au-dessus de nos têtes comme un coup de vent rapide et vicieux. Frédélie et Emmanuel ont sérieusement été impliqués dans un carambolage meurtrier. Raphaël et ses trois passagers s'en sont sortis indemnes.

Rosalie et les autres occupants de son camion ont assisté au spectacle, impuissants. Elle et sa sœur ont été transportées aux urgences de l'hôpital où Leonard travaille toujours. Elles en sont sorties rapidement, sans séquelles. Emmanuel se bat pour sa vie. Ses yeux noirs se sont fermés sans que le moindre signe nous indique qu'ils vont un jour s'ouvrir à nouveau.

Le fond de l'air est chaud. Je vais m'asseoir près de la belle tour blanche avec une horloge. Elle se fait appeler assez simplement la tour de l'Horloge. Le mécanisme interne est une réplique de mon Big Ben, en Angleterre. Elle est là en l'honneur des marins perdus en mer, à ce qu'on dit. Je suppose qu'elle est devenue inutile, avec l'apparition des GPS et de tous les machins technologiques…

Arielle : Hé, Sarah !

Dans ma tête, je cherche à mettre un nom sur la voix.

— Oh ! Arielle, c'est ça ?

— Oui. Tu es bonne ! Ça doit te faire beaucoup de noms à retenir en peu de temps, non ?

— Oui.

— Qu'est-ce que tu es venue faire ici ? Tu n'es pas à la fête de mon frère ?

— Eumm ! Non ! Je ne suis pas encore à l'aise au sujet de votre accident. Tout le monde en parle tout le temps et, moi, ça me fait chaque fois replonger dans celui de mes parents.

— Je te comprends.

— Mais toi, tu devrais te présenter à son anniversaire, non ? De plus, tu étais là, au moment de l'accident. Ça pourrait te servir de thérapie.

Elle hausse les épaules, sans donner de réponse. Nous

regardons le Saint-Laurent ensemble comme des milliers d'autres personnes doivent le faire en amont et en aval de nous. Arielle est la première à reprendre la parole :

— Comment tu trouves ça, habiter avec Leonard ?

— C'est tout à fait parfait pour moi. Je suis super bien.

— Hum !

— Quand nous sommes dans la maison, c'est un peu comme si j'étais chez moi, en Angleterre. Leonard est vraiment génial. Il n'est pas souvent là, mais, quand il y est, nous avons toujours beaucoup de plaisir.

Elle fait un imperceptible hochement de tête. Je poursuis :

— Et c'est vraiment sympa de travailler à la Cafetière. Les gens sont chouettes. Il y a des touristes de partout et souvent ils me parlent de leur coin, en Europe. Ça me fait du bien.

— Je ne sais pas quoi te dire, Sarah. Je ne peux même pas m'imaginer une parcelle de ce que tu dois vivre. Je te trouve tellement courageuse !

— Tu sais, Arielle, ce n'est pas une question de courage. C'est une question de combativité. C'est impossible de prendre ça de front. Je vis une journée à la fois, c'est tout. Et je trouve ça dur la plupart du temps. Une chance que Leonard est là. Vraiment. Il est comme un frère pour moi.

— Et ta sœur ?

— Elle ne s'en sort pas trop. Elle refuse ce qui nous arrive de bon ; elle se terre dans son malheur et sa mélancolie. La vie de ma sœur était tracée, déjà. Elle était sur le point de se fiancer à Jonathan, dont le père était l'associé du nôtre. Elle se destinait à une vie semblable à celle de ma mère : avoir des enfants, les éduquer, œuvrer pour diverses organisations bénévoles, chérir son époux et blablabla !

— Oh mon Dieu ! En plus de perdre ses parents, elle a perdu l'homme de sa vie…

— Oui.

— Et ses amis, sa maison, son pays, son école.

— Aussi.

— Ffff. Je me trouve tellement ridicule quand je me compare avec vous !

— Moi aussi, avant, je croyais que ma vie était pénible. Je ne pense pas que ce que nous vivons puisse changer quoi que ce soit à ce que toi tu vis. Tu as le droit d'avoir de la peine et de vivre tes émotions à toi. Tu as le droit !

— Tu as déjà été très amoureuse ?

— L'amour, c'est relatif.

— Alors, tu as déjà imaginé faire toute ta vie avec une personne et que cette personne sorte de ta vie ?

— Oui et non. Mais ça n'a plus aucune importance, maintenant.

— Comment y es-tu arrivée ?

— À quoi ?

— À faire en sorte que ça n'ait plus d'importance.

— Je n'en sais rien.

— Tu te souviens d'Emmanuel ?

— Oui. Je l'ai vu une seule fois, mais tout le monde parle de lui depuis… son accident. Tu l'aimes toujours, non ?

Arielle me fait d'énormes yeux incrédules et se colore de gêne.

— C'est ton premier mec, non ?

— Oui.

— Je pense que c'est celui qui nous reste le plus longtemps dans la peau.

— Oh, mais je ne pense pas que je puisse oublier Thomas, plus tard.

Je me mords la lèvre pour ne pas lui passer une autre remarque. Elle met ses mains sur ses yeux.

— Ça va aller, Arielle ! Ne t'inquiète pas… pour ce que tu viens de laisser entendre, du moins. Je vais être muette comme une tombe.

— Je prie tous les jours pour qu'il s'en sorte. Je pense que, si Emmanuel mourait, je voudrais presque… partir avec lui. Mais, en même temps, je suis avec Thomas et je sais que je n'ai même pas le droit de seulement penser à ce que je viens de te dire.

— Oui, tu as le droit de l'aimer encore et même toute ta vie. Et tu as le droit de choisir de continuer avec… Comment il s'appelle déjà ?

— Thomas.

— Voilà, Thomas. Tu peux vouloir continuer avec Thomas. Ce n'est pas parce qu'il y a quelque chose d'accroché à l'autre que tu dois massacrer ta relation avec Thomas.

— J'ai l'impression d'être encore infidèle.

— Eumm ! Pourquoi dis-tu « encore » ?

— Mais parce que j'ai trompé Emmanuel avec Thomas, et là, je serais prête à tromper Thomas avec Emmanuel. À donner ma vie pour Emmanuel.

— Bien, pousse un peu cette réflexion. Je crois que tu pourrais trouver plusieurs réponses.

— Hum ! Merci. Je suppose…

— Je n'en sais rien. Je ne sais pas trop ce que tu vas

trouver. Tu n'auras peut-être pas envie de me remercier. Mais au moins, tu vas faire face à ton miroir. Tu devrais aller les retrouver !

— À la fête de Raphaël ?

— Ouais. À la fête de Raphaël.

— OK ! Mais tu veux venir avec moi, s'il te plaît ?

— Je ne sais pas trop.

— Allez ! S'il te plaît !

— …

— Leonard sera probablement là. Et mon frère Mikaël.

— Et alors ?

— Il t'aime bien !

— Ce n'est pas vraiment une raison à considérer.

— Et pourquoi ?

— Tes frères sont super, Arielle, et toi aussi. Mais je trouve ça un peu trop compliqué de vouloir faire partie de votre cercle d'amis.

— Pourquoi ?

— Tout le monde connaît tout le monde.

— C'est normal, c'est ça, des amis. Bon, je te laisse. Mais j'espère vraiment que tu vas venir nous rejoindre plus tard. Mikaël n'est plus avec Léa. Si jamais…

Si jamais… Il me semble que le mode de vie relationnel de mon cousin pourrait me convenir pleinement pour le moment. Je n'ai pas la prétention de vouloir devenir le centre de l'univers d'un garçon. Surtout pas d'un garçon comme Mikaël aux yeux aussi impressionnants, mais malheureusement ancien petit copain d'une des amies d'Emily-Kim.

● ● ●

On a fait une super fête à la Cafetière le 21 juin pour souligner le solstice. On voulait inclure de nouveaux produits du terroir dans le menu et apporter une touche plus urbaine à la présentation des plats déjà populaires. On a gonflé un millier de ballons rouge cerise et brun chocolat et on a installé un super éclairage dans tout ça avec des tubes de plastique vert lime. C'était génial. J'en ai eu des petits sanglots, tellement c'était spécial. Leonard était à mes côtés. Grâce à Emily-Kim, il y avait des journalistes et des reporters de revues. On a fait déguster des bouchées des nouveaux produits aux gens sur la rue tout autour et, en un rien de temps, nous étions débordés. Il y avait des gens assis sur le bord de la chaussée. Même les clowns qui se tiennent habituellement place Jacques-Cartier sont venus faire de l'animation. C'était hallucinant. Des policiers sont passés pour assurer une sécurité et ils ont eu droit à leur tasse de café gratuite. C'était sympa. Non, en fait c'était carrément extra.

Frédélie et Victoria nous ont rejoints pour aider à faire le service de cafés et de bouchées. Elles étaient passées pour l'ouverture et, finalement, elles sont restées pour donner un coup de main.

J'adore Victoria. Tout est en ordre, avec elle. Elle donne l'impression de maîtriser tout l'univers. Elle est géniale. Elle travaille dans un pub ; elle a de l'expérience et ça se voit. Elle a mis des gens de mon équipe habituelle à sa main en quelques minutes et les choses ont tourné rondement. Elle m'a même demandé d'appeler Raphaël et Thomas pour qu'ils viennent donner un peu de temps aussi. Raphaël s'est spécialisé dans le service de bière de microbrasseries et Thomas s'est chargé de l'accueil avec son sourire de top-modèle.

Une copine à lui dont je ne me rappelle plus le prénom est venue prendre des photos de l'événement et de l'équipe, des clients et des plats, des décorations et de la rue tout autour. Elle a dit qu'elle «tripait bien raide». J'ai trouvé ça rigolo. Elle est chouette. Elle a fait venir son ami Zachary; il est passé pour me proposer de monter une campagne de marketing gratuitement en échange d'une tasse de café à remplir pendant un an. Je me suis dit que je ne perdais pas grand-chose à essayer.

• • •

Cinq jours plus tard, je suis assise avec Zachary et Mélodie, la photographe, et ils me présentent une idée originale pour faire la promotion de la Cafetière. Je suis séduite. Autant par leur travail que par Zachary. Les affiches publicitaires seront soit dans les dégradés de brun avec des ballons rouges à un endroit spécifique de l'image, soit en rouge, avec des ballons bruns. Il y aura des points de brillance verts dans les deux cas, l'écriture et le logo de la Cafetière. Les photographies sont superbes. On y voit des visages ou des groupes de personnes. Mélodie propose de faire imprimer une réplique de la soirée sur des toiles pour les mettre au-dessus de la terrasse comme pare-soleil. Je crois que ce sera le tape-à-l'œil parfait pour attirer les gens à notre petit restaurant.

• • •

Le mois de juillet arrive avec les fameuses journées chaudes dont Leonard se méfiait. Moins d'une semaine auparavant, les rénovations ont commencé. Ce n'est toujours pas terminé et surtout cela implique de repeindre plusieurs pièces et de faire replâtrer plusieurs endroits, mais on aura bientôt une maison rénovée LEED[1], grâce à l'expertise de la compagnie Martin, celle de la famille de Rosalie et Frédélie. On a refait l'isolation; on a changé les fenêtres pour des plus efficaces énergétiquement parlant, mais en conservant le cachet ancien; on a amélioré les portes en respectant, là aussi, les contraintes patrimoniales; enfin, on a installé un système de chauffage-climatisation à air forcé dans l'ensemble de la maison. Sur une partie du toit plutôt cachée, on a pu mettre la mécanique, de même que des panneaux solaires. C'est chouette, mais on vient presque de prendre une deuxième hypothèque sur l'immeuble. Par contre, comme je voudrais bien passer ma vie dans ma maison anglaise, je compte faire ce que je peux pour la rendre impec.

Mes rosiers sont encore tout petits, mais ils vont bien s'adapter. J'y ai ajouté des hémérocalles, de la lavande et des cannas. C'est très accueillant. Comme je ne voulais pas acheter un machin pour couper l'herbe, j'ai recouvert le centre du petit jardin intérieur d'une terrasse de bois et toutes les plates-bandes sont recouvertes généreusement de paillis à l'odeur de chocolat. J'ai aussi réussi à trouver un drapeau de l'Angleterre blanc avec la croix rouge de saint Georges, et un de l'Écosse avec la croix blanche de saint André sur un fond bleu comme

---

1. Certification écologique en construction d'habitation, acronyme pour Leadership in Energy and Environnemental Design.

celui du drapeau du Québec. Je les ai accrochés au bas des fenêtres de la chambre de Leonard qui donne sur la cour intérieure. C'est chez moi. Pour l'instant, on sort des chaises de l'ensemble de la salle à manger quand on veut aller s'asseoir dehors. Il faudra que je pense à acheter quelque chose que je puisse laisser dehors…

Zachary: Tu as pensé à mettre des meubles de patio un peu comme ceux d'un salon, avec des divans et des fauteuils?

— Je n'ai jamais magasiné ce genre de trucs pour l'extérieur.

— Je peux le faire avec toi, si tu veux.

— Oh! C'est gentil, Zachary, mais je ne suis pas certaine de ce que je veux et, en attendant, j'ai en tête des millions de machins à faire.

— Est-ce que tu veux que je t'aide à prendre en charge, disons, le premier million sur ta liste?

— Eumm! Tu es mignon.

Je lui souris et lui applique un baiser sur la joue.

— Non, Zachary. Je suis certaine que je peux m'en sortir toute seule; de toute façon, ça risque d'être moins long que si je dois tout t'expliquer.

— Comme tu veux, Sarah-Stella! Tu vas me mettre à la porte encore, je présume?

— Pas dans la minute, quand même!

— Tu as envie que je refasse une petite guerre à tes draps avant qu'on se lève?

— Si tu m'aides à les remettre en place quand le traité de paix sera signé…

— Marché conclu!

Zachary est charmant, mais il est bien trop égocentrique pour moi dans ses fixations artistiques. Il a tout le temps des idées de génie dans toutes sortes de moments, parfois absolument saugrenus, et je n'arrive pas trop à le trouver si brillant que ça. Mais, en attendant, nos guerres sont plutôt créatives et je m'américanise.

— Non, mais tu crois que tu pourrais arrêter de triper sur ton nombril à l'occasion ?

Zachary : Qu'est-ce qu'il a, mon nombril ? Il est carrément génial.

Il me fait un énorme sourire, confiant jusqu'à l'indécence.

— Zachary, tu es vraiment tout le blabla que tu souhaites que je te dise, mais j'ai besoin d'une longue pause. Tu peux même te trouver une autre fille que tu appelleras Machin-Stella si tu veux, je n'ai aucun problème avec le principe. Mais tu me lâches un peu les baskets pour le moment. J'ai l'impression de devoir pomper de l'air pour deux et je suis à des milles de vouloir faire ça.

— Oh !

— Quoi, oh ?

— Tu marches sur les brisées de ton cher cousin, c'est ça ?

— De quoi tu causes ?

— Zéro implication affective !

— Voilà ! Je vais me faire tatouer ZIA sur l'épaule : zéro implication affective ! Ça te va ?

— Je ne sais pas trop !

— Zachary, tu es un super copain, mais je n'ai pas envie d'avoir de petit copain. Je vois clairement que c'est ce à quoi tu t'attends de moi et je ne peux m'engager sur cette voie. Tu piges ?

— Je crois !

— Je ne peux rien t'offrir de plus que mon amitié. Si tu en veux, je suis super contente. Sinon, je peux comprendre.

• • •

Zachary vient au café une ou deux fois par semaine, parfois avec des filles, parfois en solo. Quand il est seul, je vais m'asseoir à sa table pour prendre des nouvelles.

• • •

Leonard : Tu ne t'attends à rien de lui, par contre.

— Leonard, putain, je sais ! Ça fait une heure que tu me repasses le même bout de discours. Je n'ai pas l'ambition de me trouver un mec.

— Fort bien !

— Je suis une grande fille. Tu n'as pas à me garder dans tes jupes toute ta vie.

— Non, mais je sais que pas mal de filles se sont pendues à son cou. C'est tout.

— Je sais ! Tu me le dis une fois de plus et je crois que je t'enferme dans ton armoire le reste de la journée.

• • •

On fait quelque chose qui s'appelle «pendre la crémaillère», mais sans crémaillère et sans rien pendre, surtout. On fait plutôt une petite réception à l'intention des copains de Leonard et des copains à moi, le premier groupe étant beaucoup plus nombreux que le second.

Raphaël et Victoria arrivent tôt. Arielle arrive avec son frère Mikaël et Thomas. Frédélie vient nous rejoindre avec Alexis et Emily-Kim, puis le fameux Nathan contre lequel j'ai très bien été mise en garde. Mes copines par alliance, Justine et Florence, arrivent enfin. Émile vient se joindre à son ami Mikaël, mais Juliette est demeurée avec Léa à leur appartement.

Si j'ai bien compris la situation, Léa vivrait une peine d'amour; Mikaël aurait mis fin à leur relation parce qu'elle insistait pour avoir des enfants avec lui; Mikaël aurait perdu confiance en elle; il craint qu'elle ne lui fasse un gosse dans le dos selon un plan qu'elle aurait confié, semble-t-il, à Juliette; il a donc pris ses jambes à son cou et s'est poussé. Voilà.

Arielle : Salut, Sarah.

— Bonsoir, Arielle.

— Comment ça va ? J'ai entendu dire que vous aviez fait une super soirée à la Cafetière, il y a quelques semaines.

— Oui. C'était sympa ! Thomas était avec nous.

— Hum, hum !

— Et toi, ça va ?

Elle hoche la tête de travers et hausse son épaule droite.

— Fais comme chez toi. Amuse-toi !

Je vais du côté de Victoria. Elle est resplendissante, comme toujours. Elle est simplement fantastique. Il y a des étoiles dans ses yeux quand elle parle et elle va sans cesse se coller sur son mec pour qu'il la prenne dans ses bras. J'aime bien son Raphaël aussi.

Il n'y a pas de grande surprise en ce qui concerne Nathan. Il est égal à lui-même, à tout le moins égal à l'image que j'ai eu le loisir de me créer de lui grâce aux avertissements de Leonard. Il fait quelques tentatives dans ma direction, mais sans plus. Nathan est le genre de mec qui accroche tous les regards et qui fait son choix par la suite. Sauf que, malheureusement pour lui, il est en terrain conquis. Aussi n'aura-t-il pas la chance de repartir avec un nouveau butin de guerre, cette fois.

Frédélie et Alexis me font penser un peu à Arielle et Thomas. Les deux filles sont chouettes, joyeuses, souriantes, indépendantes, intéressantes et intéressées. Les garçons sont attentifs, amusants, solides, sociables et extravertis. Par contre, je ne sais pas si Thomas tiendra la route ou pas dans les plans d'Arielle. Et je ne souhaite pas trop investiguer sur cette question.

Émile et Mikaël sont deux bons amis. Ils ont les mêmes répliques, le même humour, les mêmes expressions. On dirait deux frères jumeaux. Ils sont relaxes, posés, ils n'attirent pas trop l'attention sur eux, mais ils prennent la place nécessaire pour qu'on ne les oublie pas dans un coin.

Emily-Kim, Justine et Florence accueillent trois copains rencontrés dans la journée. Les petits rires à la volée, les approches hésitantes en éclaireur et les compliments ponctuent leur conversation.

Je me blottis dans les bras de Leonard.

— Je trouve que c'est dommage que tu sois mon cousin, parfois.

— Oh ! Est-ce que c'est là une façon pour toi de me faire un compliment ?

— Je n'en sais rien.

— Moi, je suis bien content que tu sois ma cousine. En fait, je préfère ce lien-là, même.

— Ha ! Tu essayes de m'insulter ?

— Non, c'est plutôt que, de cette façon, je suis assuré de ne pas te voir partir de ma vie en courant.

— Tu as sans doute raison.

— Nathan te laisse tranquille ?

— Oui !

— Bien ! Bien !

— Tu sais ce qui se passe entre Thomas et Arielle ?

— Pas clairement. Ce que j'ai appris à travers les branches, c'est que l'accident d'Emmanuel a remis beaucoup de choses en question.

— Tu crois que c'est juste à cause d'Emmanuel, ou il y a autre chose aussi ?

— J'ai ma petite idée, mais rien de fondé. Elle pourrait s'être fait une nouvelle idée au sujet de son couple…

— Elle est jeune encore. Comme moi. C'est normal qu'elle change d'idée et qu'elle vive toutes sortes d'histoires.

— Je suppose.

— Mais, toi, tu commences à être vieux. Il faudrait que tu commences à te placer les pieds, mon cher.

— Ne t'inquiète pas pour moi, cousine.

Je lui fais un sourire par-dessus mon épaule.

● ● ●

L'orage tant attendu arrive en soirée. Les gens ne parlent que de la canicule depuis des jours. Ça va apporter du changement. La nature est particulièrement violente. Le matin, nous allons apprendre que des arbres centenaires auraient été déracinés, que des voitures se seraient affaissées sous le poids des branches ou des arbres et que des maisons auraient été endommagées. Mais, depuis notre salon, nous comptons seulement les secondes entre les illuminations des nuages derrière les rideaux de pluie et le retentissement du tonnerre au-dessus des rues du Vieux-Montréal.

5

Petite Éléonore et
Massey Ferguson

On me reconnaît plusieurs cours universitaires. Je puis donc alléger mes sessions et continuer mon travail à la Cafetière. La campagne de marketing du café devrait s'attaquer aux étudiants des cégeps et des universités de Montréal tout l'automne. On leur offre des tasses qui donnent droit à vingt-cinq pour cent de rabais sur un petit déjeuner à chaque remplissage. Mélodie me fait remarquer que les étudiants ne sont pas très déjeuners. Ils dînent et soupent, mais souvent le matin ils vont à leurs cours en catastrophe, les yeux encore collés de sommeil. Par contre, nos tasses, offertes en trois couleurs, rouge cerise, brun chocolat et vert lime, font fureur. Aussi, nos coups de pub font rage, au grand dam des autres chaînes de cafés. Je serais très arrogante de dire que ça ne me fait rien. Je trouve ça super. Je recommande mes publicistes à tous. Ils ont même une énorme carte d'affaires en décalque sur la brique de l'entrée du café avec leur photo. J'ai donc mon cher Zachary qui me sourit tous les matins, quand je passe les portes.

Arielle : Hé, Sarah !

— Oh ! Bonjour, Arielle ! Je te sers un café, ou un muffin aux canneberges, aujourd'hui ?

— Mmm ! Les deux !

— Avec une touche de fromage à la crème avec sirop d'érable ?

Elle accepte en me faisant un grand sourire.

— Donne-moi une minute et je vais pouvoir venir m'asseoir avec toi, si tu veux.

— Mais avec plaisir, Sarah.

— D'accord.

Je prépare son café selon son mélange préféré, *Petite Éléonore*, et, plus que généreusement, je glace son muffin. Elle est de fort belle humeur. Le mois d'août est en harmonie avec elle, tout en ciel bleu.

— Tu es resplendissante, Arielle.

— Oh tu trouves ? C'est gentil !

— Est-ce qu'il se passe quelque chose de spécial ?

— Peut-être.

— Tu as envie d'en parler ?

— Oui ! Si je t'embête, tu me le dis ; d'accord ?

— Évidemment !

— J'ai revu un ami de mon collège.

— Ah ! Je vois.

— Il s'appelle William. J'ai fait un défilé de mode avec lui, il y a, oh mon Dieu ! tellement longtemps !

— Et alors ?

— Il me fait penser à Emmanuel !

Je ne peux m'empêcher de soupirer et de mettre ma main gauche sur mon visage en détournant la tête.

Emmanuel est sorti de l'hôpital après une convalescence qui aura duré près de deux mois. Il est en réadaptation fonctionnelle. Arielle s'empresse de me rassurer.

— Je sais. Je sais. Je ne tripe pas sur William. C'est que je me suis rendu compte que je pourrais aimer une autre personne qu'Emmanuel ou Thomas. C'est une ouverture sur le monde. Tu vois?

— Ce que j'espère ne pas trop voir c'est que tu tentes de retrouver un mec qui soit une copie d'Emmanuel.

— Oh non! Je ne veux pas de quelqu'un comme Emmanuel. Mais je ne sais plus pour Thomas non plus.

— Et qu'est-ce que tu leur reproches?

Je prends une grande gorgée de mon verre d'eau. Elle lève les yeux vers le ciel quelques secondes et répond à ma question comme si nous étions en examen scolaire.

— Emmanuel est trop intense, compliqué, à la recherche d'un sens profond à tout ce qu'il fait.

— Il est sans doute extrêmement cohérent avec lui-même. Ce n'est pas un défaut, au contraire, c'est tout à son avantage.

— Je sais. Mais, des fois, c'est agréable de faire un peu comme tout le monde, quand même.

— Oui. Tu as sans doute raison. Et Thomas, il a merdé en quoi?

— Oh je ne sais pas trop. Je pense que le problème se situe plutôt dans le fait que j'ai connu Thomas en parallèle avec Emmanuel. Je n'ai jamais aimé exclusivement Thomas, puisque Emmanuel était dans ma vie; par la suite, je n'ai plus aimé exclusivement Emmanuel, parce que Thomas était aussi dans ma vie. Alors, j'avais laissé Emmanuel dans un premier temps pour me consacrer à Thomas, mais Emmanuel ne me sortait pas de la tête. Avec l'accident, tout ça est devenu clair pour moi. Tu vois, c'est pathétique, mais c'est mon histoire. Tu arrives à me suivre ?

— Je crois. Tu dis, si j'ai bien compris, qu'après l'accident tu t'es rendu compte que tu aimais toujours Emmanuel et qu'il serait impossible pour toi d'aimer Thomas tout à fait parce que les deux relations sont interreliées, c'est ça ?

— Oui.

— Oh ! C'est assez embêtant, tout de même.

— Ouais.

— Et qu'est-ce que William vient apporter de nouveau ?

— Exactement, je ne sais pas. Mais je crois que ça me prouve à moi que je peux être heureuse avec une personne qui n'a de lien ni avec Emmanuel ni avec Thomas.

— Sauf que William ressemble à Emmanuel…

— Oui. Tu as raison, mais le point n'est pas là. Je veux dire que je pourrais aimer quelqu'un d'autre !

— Hé bien, je suis bien contente pour toi. Êtes-vous à la même université, Thomas et toi ?

— Non ! Moi, je suis retournée dans le système francophone et, lui, il est resté dans le système anglophone.

— Je vois.

— Tu aimes la lecture, Sarah ?

Je hausse les épaules.

— Si jamais ça te tente, passe me voir. J'ai toute une bibliothèque de livres que je peux te prêter.

— C'est très gentil ! J'y penserai.

— Oh ! Et si tu en as envie, on va aux pommes en fin de semaine.

— Ah bon !

— On va aller chez les Martin ensuite, puisque leur mère habite tout près des vergers. Tu veux venir avec nous ?

Moi : Et tu y vas avec qui ?

— Mon frère Raphaël, Rosalie, sa sœur, son frère et Charlotte, pour le moment.

— Je vais y penser aussi.

— Tu m'appelles, alors ?

— Sans faute !

— Super !

Elle me fait la bise.

— Bonne journée, Sarah !

— Je te souhaite la même chose. Et merci d'être passée.

— Oh, c'est un vrai plaisir, de venir ici.

— Tant mieux.

●●●

Aller aux pommes consiste à aller dans un endroit où il y a des pommes, donc dans un verger, être cahoté sur la remorque d'un tracteur vraisemblablement pré-retraité, remplir un sac de pommes chaudes et sucrées, en manger à satiété et revenir à la maison afin de se demander pourquoi on a pris dix livres de pommes qu'on n'arrivera jamais à bouffer…

C'est une belle sortie, en fait. Surtout quand elle fournit l'occasion de s'amuser comme des enfants. Arielle est souriante, un mélange entre son frère Raphaël un peu trop confiant et son frère Mikaël un peu trop sévère. Frédélie et Rosalie sont vraiment gentilles. J'avais des appréhensions à propos de cette dernière, dues à sa relation écourtée avec Leonard, mais elle est très attachante. Raphaël semble la trouver tout aussi séduisante que mon cousin, par contre. J'observe souvent leur jeu de loin, silencieuse et lunatique, cherchant à comprendre où cela est supposé les mener.

Mikaël : Ne t'inquiète pas. C'est leur façon d'être amis depuis longtemps.

— Oh ! Ça ne me regarde pas, tu sais, Mikaël !

— Non. Mais tu as l'air de chercher un sens à ce que tu vois, par contre. Est-ce que je me trompe ?

— Heu ! Non ! Mais, heureusement, Ludovic et Charlotte semblent filer le parfait bonheur.

Il me sourit en forçant sur ses mâchoires et poursuit :

— Oui. Tu savais que Ludovic a fréquenté ta cousine ?

— Oui, mais, franchement, je ne porte plus trop attention aux ex-petits-copains d'Emily-Kim. Je crois que je n'ai pas assez de mémoire pour me souvenir de tous les noms.

Il éclate de rire.

— C'est vrai qu'elle a un certain sens de la recherche.

— Crois-tu vraiment qu'elle cherche quelque chose en particulier ? J'ai plutôt l'impression qu'elle meuble son temps !

Mikaël prend une grande inspiration :

— C'est possible ! Charlotte n'a jamais été aussi bien que depuis qu'elle est avec Ludovic. Il n'y a plus rien qui l'intéresse en dehors de lui. Et ça fait longtemps qu'on se connaît. Depuis toujours, en fait, parce que nos parents sont copains.

— C'est déconcertant comme tous ici ont des liens

entre eux. C'est la sœur de l'un, la copine de l'autre, l'ancienne copine d'un dernier… Je trouve ça aberrant.

— Il ne faut pas. Moi, je trouve que c'est notre force. On se connaît tellement qu'on sait comment aider les autres.

— Oui. Et je suppose que tu trouves ça simple de te retrouver avec une des meilleures amies de Léa chaque fois que tu es avec ton copain Émile ?

Il serre les mâchoires, mais sans aucun sourire. Il porte son regard au loin, à plusieurs kilomètres de nous. Ses yeux ont exactement la couleur du ciel; ils sont bleus avec des pointes de blanc-gris. Après un moment, il plante son regard dans le mien, ce qui me retourne complètement.

Mikaël : Non.

Je fixe le sol.

Mikaël : Je connais Léa depuis l'école primaire. Juliette est arrivée beaucoup plus récemment.

Je roule mes lèvres entre mes dents.

— Tu n'as pas à être mal à l'aise, Sarah. Ta remarque est légitime. Je peux te poser une question aussi ?

— Sans problème !

— Comment t'arrives à t'en sortir ?

Je plante mes yeux à des kilomètres de là. Ensuite, je les referme et je les ouvre dans les siens. Il ne bronche pas. Je fronce les sourcils.

— Je ne peux pas répondre à ça, Mikaël.

Je fais de petits non rapides en montant mes épaules et en frissonnant au même moment.

— J'ai eu ma réponse déjà.

— Alors ?

Mikaël : Tu as une force intérieure qui t'oblige à te

tenir debout aux yeux des autres et tu es beaucoup trop orgueilleuse pour avouer que tu as besoin d'un peu d'aide ou d'écoute.

— Mais j'ai Leonard !

— Oui, tu as Leonard. Mais, à part lui, qui est là pour toi ?

Je fixe le sol, à nouveau, avouant ainsi malgré moi qu'il a raison.

— Qu'est-ce que tu comptes faire, maintenant ?

— Un peu comme avant et un peu autrement aussi. Mais je vais d'abord retourner au petit groupe en attente du tracteur pour revenir vers la voiture. J'ai froid !

— On peut marcher. C'est pas si loin. À moins que tu préfères l'attrait du vieux Massey Ferguson.

— De qui ?

— Du tracteur !

— Oh ! Je n'y tiens pas.

— Et, si tu veux, tu peux enfiler ça. Moi, je n'en ai pas besoin tant que ça.

Il me propose son pull.

— Oh ! Merci. Je crois que je vais accepter ton offre.

— Voilà !

Il me tient le tricot pour que je puisse y passer la tête sans lâcher mon sac de pommes.

— Merci.

Je change mon sac de main pour pouvoir enfiler les manches.

— T'as besoin d'aide, pour les pommes ? Je peux les porter pour toi !

— Oh non ! Comme ça, l'année prochaine, je vais me souvenir d'en prendre moins.

Je fais un sourire rentré. Lui, il a un magnifique et très grand rire.

— Ce n'est pas nécessaire, Sarah. Donne !

La chaleur emmagasinée dans son pull est bonne. Son odeur l'est tout autant. De même que son énergie, comme si on me prenait dans de grands bras rassurants et connus. Je suis aussi bien qu'aux côtés de mon cousin et cette remarque m'atterre absolument.

6

Sarah-Londres

Il y a eu des années plus faciles et d'autres moins, à travers lesquelles nous avons passé. J'ai l'impression parfois que mes parents ont involontairement été poussés à prendre des trains différents quand ils sont montés à bord des montagnes russes du monde des affaires. Les premières années étaient extra. Papa et vava travaillaient ensemble dans le premier café acheté par mon père. Quand j'étais petite, j'avais fait un drôle de lien. Je croyais que mon père avait papa comme surnom, un diminutif de Patrick. Et, puisqu'elle se nommait Valérie, j'ai appelé maman vava jusqu'à ce que je commence l'école. Vava nous faisait prendre notre petit déjeuner, Rachel et moi, au comptoir, sur les hauts tabourets rouges. Nous pouvions manger tout plein de trucs disparates dans la même assiette. Ma mère bourrait mon bol de fruits, d'œufs, de fromages et de porridge. Ma sœur trempait ses croûtons dans son porridge auquel elle avait ajouté un peu de sucre. Après, nous pouvions passer des heures à dessiner près du foyer, au centre du café. Nous avions des cahiers de mathématique, de français, d'anglais, de géographie, d'histoire… Ma mère prenait le temps de venir nous voir régulièrement pour nous moucher, nous recoiffer, voir ce que nous avions fait et nous faire la bise. Elle repartait, les joues roses de travail et de bonheur.

Les trois autres cafés sont ensuite arrivés dans notre vie. Papa a embauché des employés. Vava est devenue formatrice et elle tenait la comptabilité des commerces de papa. Papa négociait les bâtisses, les permis commerciaux, les contrats des entrepreneurs en rénovation, les prix des équipements de restauration et tout. Les quatre premiers cafés sont devenus autonomes en quelques années. Ma vava commençait à souffler. Nous avons commencé l'école, Rachel et moi.

Mon père a ouvert son premier pub avec Robert, le père de Jonathan. Martha, la mère de Jonathan, a commencé à trimballer la mienne dans des regroupements voués à des œuvres de charité. Ma vava perdait son sourire quand les gens cessaient de la regarder. Sauf que, moi, j'ai remarqué le changement dans son regard où les étincelles ne brillaient plus, le flétrissement du bonheur, de la douceur, de la joie de vivre. Ma vava écartelait ses énergies et ses amours.

Le soir, quand nous avions enfilé notre robe de nuit, vava nous racontait des histoires. Au début, elle nous lisait des contes écossais, irlandais et anglais. Après un bout de temps, nous avons vu entrer des livres et des collections de livres français. Elle nous parlait de son pays d'origine, de la France et de ses régions magiques. Rachel aimait le côté pratique que comportait l'apprentissage de cette langue. Moi, j'aimais sa sonorité, sa couleur, le vent qui soufflait dans les mots, l'amour que les lettres créaient ensemble, les larmes qu'elles faisaient naître au coin des yeux de ma mère. Le français est devenu tout ce qu'il y avait de plus beau dans le cœur de ma vava.

Et j'aimais quand mon papa me racontait des bribes de sa journée en faisant claquer sa langue anglo-saxonne et en épiçant ses phrases de gaélique. Tout semblait facile, mais très sérieux. Il ne riait plus, lui non plus. C'était un homme d'affaires débordé. Ma mère nouait ses cravates sous les collets pressés de façon impeccable. Elle observait attentivement ses vestons et ses pantalons, ses chaussures et ses cirés pour que les poussières n'y restent pas accrochées et que les cuirs soient toujours bien teints et brillants.

Mon père embrassait alors ma mère, avec amour, avec douceur, avec soin. J'ai conceptualisé l'image de l'homme et de la femme en regardant mes parents lors de leurs échanges matinaux, juste avant le départ de mon père, juste au moment où il se crée une fraction de panique parce qu'on veut arrêter le temps afin d'empêcher le départ de l'être aimé, au moment où on baisse les bras devant l'incontournable séparation, le dernier baiser, le sourire triste et l'au revoir. Le clin d'œil d'éternité entre le moment où ma vava refermait tristement la porte derrière mon père et celui où elle faisait jaillir un nouveau sourire avant de se retourner vers Rachel et moi.

7

La fille géniale

Helena vient vers moi, la main tendue, le sourire aux lèvres et, à la dernière seconde, elle me serre très fort contre elle pour me faire la bise. Cela a pour effet de me glacer. Helena recule respectueusement de quelques pas, croyant qu'elle a enfreint la limite de la courtoisie. Je corrige la situation en bafouillant maladroitement :

— C'est que vous m'avez prise par surprise. Je suis désolée.

— Mais je peux comprendre, Sarah. Nous ne nous connaissons pas depuis si longtemps. Alors, comment as-tu aimé ton expédition aux pommes ?

— Oh ! J'ai adoré. Surtout à cette heure-ci. La lumière de la fin du jour est magnifique dans les vergers, tout comme sur le lac. Vous avez une vue extra.

— Alors, tu es installée tout près de chez Rosalie, à ce qu'elle m'a dit !

— Oui. À quelques pâtés de maisons.

— Et tu t'y plais ?

— Absolument.

— Tu habites avec notre cher Leonard. Quelle chance !

— Vous êtes sérieuse, ou si vous rigolez ?

— Je suis on ne peut plus sérieuse. J'aime beaucoup Leonard.

— Oui. Hé bien, il est très rarement à la maison, mais, quand il fait preuve de présence, c'est sympa.

— Et tu as pensé avoir un deuxième colocataire ?

— Oh ! Je ne sais pas. Ma sœur n'est pas intéressée et je préfère être seule que de partager mon toit avec n'importe qui.

— Et alors, on fait quoi avec toutes ces pommes ?

Rosalie : Moi, je dis tartes aux pommes et au chocolat.

Frédélie : Bonne idée ! Je te suis à la cuisine. Tu veux venir aussi, Sarah, ou si tu préfères aller te balader ? On peut ouvrir du cidre. J'en ai pris une caisse pour laisser ici. Et la terrasse est chauffée.

— Eumm ! J'en sais rien. Je n'ai jamais fait de tartes aux pommes et au chocolat.

Rosalie : Alors, suis-nous. On va te montrer.

— Oui. Si la recette est facile, je pourrais essayer de la faire à la Cafetière. C'est mon prochain projet, d'adapter le menu selon les récoltes de l'année.

Frédélie : Oh ! Je te prédis un succès sans précédent.

Je leur fais le plus beau sourire jamais homologué au fil des siècles.

Mikaël : Moi, je vais dehors avec Ludovic. Quand vous aurez besoin d'aide pour préparer la table ou le souper, dites-le. C'est ce qu'on va faire pour gagner notre repas.

Rosalie : Bonne idée ! Charlotte et Arielle, vous faites quoi ?

Helena : Moi, j'ai besoin d'aide pour faire ma crème de poireaux aux pommes. Est-ce que ça vous tente ?

Arielle : Mais oui ! On vous aidera avec plaisir.

Charlotte : Emmanuel arrive quand, au juste ?

Rosalie : Vers dix-huit heures. Il vient avec Sacha. Il ne sentait pas qu'il aurait la force de se balader dans le verger toute la journée.

J'apprends à faire des tartes aux pommes et au chocolat. J'apprends la recette de la crème de poireaux aux pommes et je me dis que je pourrais bien recueillir les meilleures recettes de mes clients et organiser un concours. Je monterais ainsi une autre campagne de pub pour la Cafetière.

Quand Emmanuel arrive, Rosalie se fond en lui. Ils sont un peu comme une seule personne. Ils sont tellement semblables que je ne sais pas comment je pourrais faire pour les imaginer l'un sans l'autre. Franchement, je ne vois pas comment Arielle peut croire un seul instant que ce gars-là en vienne à s'intéresser à elle à nouveau. D'ailleurs, je ne sais pas trop comment ils ont réussi à se retrouver ensemble auparavant. Rosalie est magnifique, avec son ventre rebondi. Ils sont tellement faits pour aller ensemble ! J'espère qu'Arielle décrochera et que Thomas découvrira s'il doit ou non rester dans sa vie.

● ● ●

Au café, le mois de septembre est le mois des pommes. Nous donnons des pommes gratuites à ceux qui achètent du café en vrac. Nous organisons un concours de recettes aux pommes et cela soulève des passions. Nous faisons une dégustation des meilleures recettes sous forme de tapas. Nous sommes débordés une fois de plus.

● ● ●

Nous achetons l'immeuble juste à côté de la Cafetière. Nous y emménagerons en décembre. Nous occuperons les trois étages.

● ● ●

Octobre va se passer sous le thème de la plus célèbre des cucurbitacées, dame Citrouille.

Rachel : Tu as quelques minutes pour moi, Sarah ?

— Mais bien entendu, Rachel. Je viens m'asseoir avec toi dans moins de cinq minutes. Ça te va ?

— Oui. Tout à fait. Merci.

Je vais voir si tout tient toujours debout dans les cuisines et je viens rejoindre ma sœur avec un gâteau aux pommes et des cafés.

— Oh ! C'est un petit délice.

— Merci.

— Comme je n'ai pas l'intention de t'épargner, je vais aller droit au but. Je retourne en Angleterre terminer mes études. Je ne sais pas encore si je vais revenir au Canada par la suite.

Je hausse les épaules.

— Tu dois dire au Québec. C'est mieux si tu veux avoir des amis, ici.

— Je ne veux pas d'amis, ici. Je veux retourner chez

nous. Oncle William va m'accompagner à Londres où je compte m'installer. J'espère trouver quelque chose dans notre ancien quartier. Tu vois ?

— Oui.

— Voilà !

— Et tu as des nouvelles de Jonathan ?

— Oui.

— Il est heureux que tu retournes là-bas ?

— Mais évidemment !

— T'es certaine ?

— Bien entendu ! À quoi veux-tu en venir ?

— J'en sais rien !

— Je n'en sais rien, Sarah ! De grâce, tâche de garder un peu de ton éducation.

— En tout cas, toi, il n'y a pas de danger que tu renies tes origines. Je suis même surprise que tu daignes encore m'adresser la parole en français.

— Oh, mais ça, ma chère, c'est la politesse indispensable, quand on veut s'adapter au milieu. Si tu te présentes à ma porte à Londres, j'espère que tu seras toujours en mesure de discuter dans un anglais convenable.

Je compte jusqu'à sept dans ma tête pour éviter de lui envoyer une réplique en pleine tronche. Elle poursuit, la bouche pincée :

— Voilà ! C'est essentiellement ce que j'avais à te dire. J'espère que tu te plais à travailler dans ton café et qu'oncle William saura t'épauler quand tu voudras faire quelque chose de ta vie.

Elle se lève de table.

— Je te prie de bien vouloir m'excuser, mais je vais regagner ma voiture, maintenant.

J'opine du chef.

— Tu pourrais au moins te lever, Sarah, pour saluer mon départ !

Je me lève.

— Je regagne Londres dans la semaine. Je ne crois pas avoir le loisir de te revoir avant de quitter.

Dans ma tête, l'étuve semble sur le point d'éclater et de jeter sa vapeur brûlante partout alentour. «Tais-toi, Sarah !» Elle me fait la bise froidement. Mon esprit se refroidit.

— Bon retour à la maison, Rachel. Je veux dire la vraie, à Londres. J'espère de tout cœur que tu trouveras une demeure aussi… extra que toi ! Et offre mes salutations à Jonathan, si tu le veux bien.

Rachel se satisfait d'un acquiescement pour toute réponse.

— Merci pour ta visite, Rachel. Merci d'avoir pris le temps de passer me voir avant ton départ.

— C'était la moindre des choses.

— Je sais que c'est probablement pour toi une pure question de convenance, mais j'apprécie sincèrement.

Elle baisse la tête et attrape mes deux mains sans relever les yeux.

— Je n'arrive pas à passer au travers, Sarah. J'espère te revoir à Londres. Donne-moi du courage, si tu le veux bien ! Une dernière fois.

Je serre ses deux mains très fort. Elle reste droite et la tête haute.

— Je t'aime Rachel. J'aurais tant voulu que tu m'aimes un peu, toi aussi !

Toujours le regard planté dans les tuiles du sol, elle réplique :

— Tu es la personne la plus chère à mes yeux.

Je sens mon cœur se fendre en deux.

— J'espère que Jonathan voudra encore de moi.

Je hoche la tête, mais elle n'en voit rien. Elle repart sans me regarder dans les yeux, les cheveux attachés en un gros chignon. Son manteau boutonné tombe à la perfection au-dessus du genou et laisse voir ses jambes longues à la démarche fière. Rachel est belle, grande et terriblement malheureuse.

Je dessers notre table et vais m'asseoir, loin des regards. Je cache mes yeux dans mes mains. Et je pleure. Je pleure ma sœur comme si je n'allais plus jamais la revoir. Je me sens seule, mais, étrangement, je suis bien.

Quand je relève la tête, j'apprécie ce que je vois. Je me lève et vais arroser les boîtes à fleurs pour qu'elles débordent d'eau dans la belle chaleur de l'été indien. L'eau coule sous les bacs de bois et éclabousse le trottoir. Je respire un grand coup et retourne à l'intérieur du café, là où toute une équipe compte sur moi.

• • •

Léa : Ça a l'air qu'il aurait rencontré quelqu'un déjà.

Juliette : Oh, mais attends, Léa ! Ce n'est pas l'amour fou, non plus.

— Juliette, il a rencontré une fille géniale.

— Mais voyons ! D'où tu tiens ça ?

— C'est ce qu'il a dit à Vincent. Vincent l'a dit à Jean-Nicolas et Jean-Nicolas l'a dit à Emily-Kim !

Moi : Tu ne trouves pas que ça peut ressembler au jeu du téléphone arabe ?

Léa : Je ne pense pas. Je ne sais pas, Sarah. Ça va finir

par lui arriver, je veux dire, de rencontrer quelqu'un, mais je trouve que c'est rapide.

Juliette: Oh, Léa! C'est évident, qu'un de ces quatre, on va apprendre qu'il est avec une autre fille. Mais, pour l'instant, ça n'a aucune importance. Moi je dis que ça ne veut rien dire. Ne perds pas espoir.

Moi: Mais c'est n'importe quoi! Léa, ne reste pas accrochée à ce gars-là. Vous avez été ensemble un beau bout de temps. Mais il faut que tu prennes le prochain train. Ne reste pas à la gare. Je t'en prie!

— Il n'y aura jamais personne comme lui à nouveau dans ma vie.

— Ne dis pas ça.

— Mais tu ne peux pas savoir, Sarah. Il est tellement…

Juliette: Mais Sarah a raison quand même.

Émile: Bon.

Il revient s'asseoir avec nous sur la terrasse chauffée de la Cafetière. Il poursuit avec un sourire en m'adressant un clin d'œil:

— Qu'est-ce que vous allez faire subir à Mikaël comme nouvelle torture, maintenant?

Juliette: J'ai dit à Léa que Sarah avait raison.

— Oh! On a eu droit à une déclaration de Mademoiselle Wolfe?

Moi: Ouais… Pas grand-chose par contre.

— Et ça ressemblait à quoi?

— Je lui ai dit de voir ailleurs, de passer à autre chose. Le genre de truc qu'on dit à une copine en peine d'amour, mais qui pue le putain de bon sens.

Emily-Kim: Et toi, Émile, tu sais qui c'est, la nouvelle fille de rêve de Mikaël?

— Ouais !

— Elle est comment ?

— Je ne suis pas certain de vouloir me lancer dans le sujet !

Léa : Tu l'as vue ?

Il reste silencieux.

Léa : Dis-le-moi, Émile ! Comme ça, je vais sûrement me convaincre que je dois nécessairement passer à autre chose.

— Je vais te dire une seule chose, Léa. Passe à autre chose au plus vite si tu ne veux pas avoir à leur faire face avant longtemps.

— Ils sont déjà ensemble ?

— Passe à autre chose, un point c'est tout !

Léa exhale un grand soupir.

Juliette : Il vient parfois ici, Sarah ?

— Eumm ! Non. Je ne crois pas. Si oui, je ne l'ai jamais remarqué. Il n'aime peut-être pas l'odeur du café.

Emily-Kim : C'est impossible. Il y a un paquet de filles qui sont tombées dans les bras de mon frère parce qu'il sentait la brûlerie, justement.

Je me lève pour aller faire une tournée express.

— Je reviens tout de suite.

Juliette : Tu devrais prendre congé, des fois, Sarah.

— Oh ! C'est comme ma famille. J'ai toujours du plaisir à retrouver mon équipe.

Emily-Kim : Sarah, tu permets que je les mette au courant, pour la décision de ta sœur ?

— Sans problème !

Le chef de ce soir est génial. Il a une étonnante créativité et, comme chaque mois aura maintenant son thème, je lui ai dit de ne pas se gêner et de préparer des trucs à la hauteur de ses inspirations. Je dois avouer bien humblement qu'il s'en sort brillamment.

Jacob : Comment tu trouves les plats de ce soir, Sarah ?

— C'est génial, Jacob ! C'est beau et c'est bon. C'est exactement à ton image !

— Hum ! Et mon image est rendue où, dans tes projets externes au café ?

— Viens te joindre à nous, si tu as deux minutes.

Il éclate d'un grand rire.

— J'ai un boss tellement hot que son resto est toujours plein à craquer. Je ne pourrai jamais me libérer !

— Je vais donc tenter de garder mes invités très tard ! Tu peux nous mitonner de petits plats à ta façon. Avec ton aide, je suis certaine d'arriver à les séduire.

— Oh ! Mais je n'ai envie de séduire qu'une seule personne, ici !

— Alors, séduis-la, mais ne t'attends pas à grand-chose de plus qu'une nuit de temps à autre.

— C'est exactement ce qui ferait mon affaire.

— Voilà ! Fais-lui plaisir, donc.

— Avec grand bonheur !

Je retourne à la table avec un petit sourire resté collé sur les lèvres.

Emily-Kim : Hé bien, ma chère, c'est vrai que tu sembles beaucoup aimer ton équipe !

— Je viens de nous négocier un festin de séduction auprès de notre chef. J'espère que vous êtes en appétit, mesdames.

Émile : Si vous voulez, je peux vous laisser entre filles.

Juliette : Oh non, mon amour ! Je veux que tu restes avec nous.

— Si ça peut te faire plaisir…

94

Il embrasse sa Juliette galamment.

Emily-Kim : On veut toutes avoir notre Émile.

Elle nous fait sa plus jolie moue.

Émile : Je veux bien me diviser, mais vous devrez avoir l'accord de ma Juliette avant !

Juliette : Oh, jamais !

— Désolé, mesdames !

Emily-Kim : Alors, Sarah, parle-nous de ton chef !

— Oui ! Très bien. Il s'appelle Jacob et il est très talentueux. Compte tenu de notre nouvelle approche, il a pleine liberté pour préparer des plats nouveaux et il réussit à nous impressionner à toutes les fois. Ce soir, il va déployer tous ses talents pour tenter de nous ravir le cœur, les filles.

Emily-Kim : Moi, je dis qu'il a déjà le tien dans sa poche, ma belle Sarah-Love.

— C'est possible. Mais, comme je ne suis pas le seul cœur ouvert sur le monde, je crois que vous devriez essayer de vous laisser charmer.

Je jette un coup d'œil vers Léa.

Les verrines et les assiettes se mettent à défiler, parfois sur un rythme à peine soutenable, parfois avec une lenteur qui laisse place au vin et à l'ivresse. Quand les desserts commencent à se poser sur la table, discrets comme des ailes de papillons, les filles sont totalement épanouies et rosies de bonheur.

J'espère que Jacob va saisir sa chance auprès de Léa et je passe le voir en cuisine une dernière fois, avant son apparition non préparée. Mes explications le laissent d'abord hésitant puis, toujours aussi frondeur et témé-raire, il me dit que je vais sûrement le regretter le restant de mes jours en imaginant la nuit d'amour insensée que nous aurions vécue. Je l'embrasse sur la joue et il attaque le jeu.

Le moment venu, il s'approche de la table avec désinvolture, dessert lui-même le plateau de service et pose devant nous des crèmes brûlées en duo avec des crèmes glacées au sirop d'érable fondant sur une marmelade de citrouille confite au miel de fleurs sauvages et au cidre. Léa a les yeux rivés sur Jacob. Je suis comblée. Il m'adresse un clin d'œil magnifique et s'incline poliment en baisant tendrement la main de Juliette, d'Emily-Kim et, plus longuement, de Léa. Jacob est parfait. Il aurait deux oscars pour sa performance de ce soir, si je pouvais me permettre de lui remettre une récompense pareille.

À la fin de la soirée, Léa repart avec lui. La suite de l'histoire leur appartient.

• • •

L'Action de grâce québécoise n'est pas du tout en même temps que l'américaine. Elle est déjà à nos portes et je ne l'ai pas vue arriver.

Arielle : Tu ne peux pas passer toute ta fin de semaine de l'Action de grâce à travailler. Viens avec nous, Sarah.

— Je ne sais pas trop, Arielle.

— Allez. Nous n'avons pas eu de vacances d'été pour toutes sortes de raisons et c'est là qu'on se reprend. Viens avec nous. Ma famille sera là et celle de Victoria aussi. Et Cendrine, la blonde de Christopher, et Maëna, la blonde d'Alexandre.

— *Oh God* ! Je n'aurai pas ma place. Arielle, tu n'as

pas besoin de me prendre en charge comme un bébé. Je me débrouille très bien.

— Et tu vas faire quoi? Leonard travaille. Tu vas pouvoir jouer les chaperons entre Emily-Kim et Jean-Nicolas.

— Je suis tellement contente pour Emily-Kim!

— Tu devrais ouvrir une agence de rencontres.

— Oui. J'avoue que j'ai eu un deux en deux.

— Léa a l'air tellement bien avec Jacob, elle aussi! Ton chef a un peu la même allure que mon frère Mikaël, je trouve.

— Je sais. C'est ce qui m'a fait allumer sur la possibilité qu'il puisse plaire à Léa.

— Et pour Emily-Kim?

— Je n'en sais rien. Jean-Nicolas regarde Emily-Kim avec tellement de douceur depuis toujours!

— Hum!

— Et toi? Ça va?

— J'ai plutôt l'impression que mon cœur est vide. Thomas et moi, on prend une pause depuis les pommes. Même, officieusement, depuis un peu avant. Je lui ai dit que j'avais besoin de faire du ménage, mais il était au courant. Il m'a même demandé carrément, après l'accident d'Emmanuel, si je l'aimais encore… Je veux dire: si j'aimais encore Emmanuel. Il m'a vue paniquer sur place, sur le bord de l'autoroute, et faire un genre de camisole de force autour de moi pour ne pas courir vers la voiture d'Emmanuel, quand il était encore coincé à l'intérieur. Je ne suis pas allée le voir pendant qu'il était à l'hôpital, mais je faisais du harcèlement à Raphaël en cachette pour qu'il me dise tout, et dans le détail. Quand il est retourné à son loft, avec Rosalie, je me suis retenue à deux mains pour ne pas aller le voir et tout lui dire. En fait, pour lui dire que Rosalie n'est peut-être pas la bonne et tout. Et, un peu après, on a appris que Rosalie était enceinte. Tu imagines ? C'est ridicule ! Ils sont bien trop jeunes pour avoir des enfants.

— Si tu avais été enceinte de lui, tu l'aurais gardé, toi, le bébé ?

Elle baisse la tête, a une hésitation et continue sa tirade.

— Mais ensuite j'ai commencé doucement à décrocher. C'était comme si ça créait un interdit. Tu vois ce que je veux dire ? Tu sais, le fait que sa blonde soit enceinte, c'était comme si je me disais que je n'avais plus le droit de faire quoi que ce soit avec lui... Mais bon ! Je ne pense plus tout le temps à Emmanuel. Je pense souvent à Thomas, mais je ne sais pas trop ce que ça me fait. Je l'aime toujours, ça c'est certain. Mais j'ai peut-être besoin de rencontrer quelqu'un d'autre. Je ne sais pas. J'ai de la peine, mais je sais qu'il doit être mieux, lui aussi. Enfin, j'espère. Il doit être débarrassé de moi. Ça doit être sérieusement embêtant de vivre avec une fille qui reste prise sur son ex comme avec de la Krazy Glue. Qu'est-ce que tu en penses ?

Il est passé durant la semaine avec une jolie Pénélope. Je réponds du mieux que je peux sans mentir, mais sans tout dire non plus :

— Oui. Il est peut-être un peu mieux dans sa vie, un peu comme toi.

— Je le lui souhaite.

— Et tu ferais quoi, si tu savais qu'il voit des filles ?

— Je ne veux pas le savoir. Tu l'as vu avec une fille ?

— Écoute, je dois retourner travailler. Mais merci pour l'invitation à la fin de semaine avec ta famille. Tu es très avenante de penser à moi.

— J'aimerais tellement que quelqu'un prenne soin de moi si j'étais… toi !

— Ça va ! Je vais bien.

• • •

Mikaël : Hé, Sarah ! Ça va ?

— Hé bien, voilà le vilain bourreau des cœurs qui se présente à la porte de mon café ! Comment ça va, Mikaël ?

— Bien.

— Super. On avait émis l'hypothèse que tu n'aimais pas l'odeur du café puisque tu n'avais jamais mis les pieds ici. Tu es le dernier de la famille Montcalm à oser franchir la terrasse… Même tes parents sont venus faire leur tour, il y a un mois.

— Ouais.

Il semble inutilement embarrassé.

— Je rigole, Mikaël !

— Hum !

— Hé bien, prends la table que tu veux. Je t'apporte le menu.

— OK !

— Je t'apporte un café en même temps ?

— Euh ! Oui. S'il vous plaît.

— Hé bien, tu as oublié de prendre ton petit côté frondeur sous ton oreiller, ce matin ?

— C'est possible.

Je fronce le front. Quelque chose ne va

vraisemblablement pas. Je confie la relève à Mathilde et Delphine et je retourne vers Mikaël.

— Tu permets que je m'asseye avec toi ?

— Euh, oui !

— Est-ce que tout va bien ? Je veux dire : Arielle est correcte ?

— Arielle ? Ça doit…

— Alors, qu'est-ce qui se passe ? Tu m'en veux parce que j'ai présenté Jacob à Léa ?

— Non ! Pas du tout !

— Mais parle !

— Je suis venu t'inviter pour la fin de semaine.

— Oh ! Merci, mais non, merci. Ta sœur est passée hier. C'est gentil. Mais ça va aller. Je n'ai pas besoin de fêter l'Action de grâce. Le café est ouvert tous les jours. Si je m'ennuie, je n'ai qu'à venir ici.

— Alors, tu vas m'aider ! Je dois inviter une fille. Elle est géniale. Tu vois ?

— Oui.

— Elle ne veut pas trop venir avec nous et je ne sais pas trop pour quelles raisons. Mais j'aimerais vraiment beaucoup qu'elle vienne avec nous. En fait, avec moi.

— Rappelle-la !

— Et je lui dis quoi ?

— Ça !

— Je le lui ai déjà dit.

— C'est donc qu'elle n'est pas intéressée, Mikaël. Peut-être qu'elle a envie de passer la fin de semaine avec quelqu'un d'autre. C'est la fille géniale dont tu as parlé à Vincent qui en a parlé à Jean-Nicolas qui l'a dit à Emily-Kim qui n'a pas pu s'empêcher de le dire à Léa ?

Il fait un formidable sourire en coin.

— Si je peux me permettre, Mikaël, la prochaine fois, tais-toi ! Sinon, toute la ville va être au courant avant même que la fille le soit !

— Alors, je n'arriverai pas à te faire changer d'idée ?

— Je ne pense pas. Vous êtes une famille vraiment extra et celle des Saint-Charles aussi, mais je ne serais pas à l'aise d'accepter que vous me traîniez avec vous juste pour me tenir compagnie.

Il me fait une paire d'yeux incrédules inimaginable.

— Quoi ?

— Ce n'est pas ça du tout, Sarah. J'ai vraiment envie que tu sois là, Arielle aussi, Victoria aussi. Ce n'est pas un genre de bénévolat forcé. En tout cas, pas pour moi. Et pour personne d'autre. On aimerait vraiment ça !

— Eumm ! OK ! Je… ne sais pas trop. C'est parce que je n'ai pas de lien avec vous, non plus. Ce sont juste les familles et les conjoints.

— T'as qu'à faire semblant d'être ma blonde. Ou celle d'Arielle, si tu préfères.

Il réussit vraiment à me faire rire, avec l'idée de jouer les petites copines de sa sœur.

— Tant qu'à y être ! Tu crois que ça ferait plaisir à Arielle ?

— Faut voir ! Tu veux que je te refile son numéro ?

— Je l'ai déjà.

— J'ai donc réussi à te convaincre ?

— Seulement si Arielle accepte notre entente.

— Hum ! Et tu vas jouer ton rôle de blonde à fond ?

— Faut voir !

Je lui adresse un sourire malicieux. Il semble sceptique :

— Vous allez où, toi et ta surprenante famille ?

— En Estrie !

— Oh ! C'est loin !

— Moins de deux heures de route en roulant relax. Tu veux venir avec moi ?

— Oh non ! Je dois en parler avec ma blonde avant !

J'ai tâché d'être la plus sérieuse possible. Mikaël nie l'idée de la tête et fait un grand sourire.

— J'ai hâte de voir si Arielle va jouer le jeu.

— Vous partez quand ?

— Ce soir.

— Oh ! Il y a un problème !

— Tu vois ta maîtresse ?

— C'est possible !

— Je peux voir et attendre à demain pour partir, si tu veux !

Je frotte mes yeux de mes paumes et m'étire de tout mon long. Je regarde dehors quelques secondes, après quoi je retombe dans ses yeux. Elle est chanceuse, cette fille géniale. Je souris.

— Donne-moi cinq minutes. Je vais voir avec les filles si elles peuvent prendre la relève. Oh ! Et le retour est prévu quand ?

— Lundi soir.

— Tu as le temps de m'attendre encore, ou si tu dois partir ?

— J'ai pas mal de temps.

— Et tu veux quelque chose à manger ?

— Euh !

— Est-ce que tu as faim ?

— Euh ! Est-ce que c'est mieux que je dise oui ?

— Oui !

Je lui fais un autre grand sourire.

Mikaël : Alors, oui !

— Parfait, je vois avec mon chef…

Je fais une assiette pour deux avec tous les trucs que je trouve. Un peu comme ma vava le faisait pour moi quand j'étais petite. Mathilde et Delphine avaient tellement hâte que je leur offre l'occasion de prendre la Cafetière en charge qu'elles ont des étoiles dans les yeux.

— Bon ! Voilà. C'est pour toi, Mikaël !

— Je ne veux pas être impoli, mais je ne vais pas pouvoir manger tout ça.

— Oh ! J'en ai mis pour moi aussi, si ça te va !

— Sans problème.

— Et je vais pouvoir me libérer pour la fin de semaine.

— Parfait !

— Parfait, hein ?

— Je crois que tu vas bien aimer où on va !

— Sûrement.

— C'est un ancien manoir anglais. On va apporter des motomarines et la combinaison de plongée, puisqu'il fait super beau. On va avoir un chalet privé les trois jours.

— J'ai hâte de voir.

— Le soir, on va au pub. Je suis certain que tu vas aimer ça. Je suis tellement content que tu viennes !

— Tant mieux.

— Tu veux que je passe te prendre chez toi, demain ?

— Oui. Attends, je vais te donner mon adresse.

— Oh ! C'est pas nécessaire. Je sais où tu habites. Je suis venu lorsque vous avez pendu la crémaillère.

— Ah oui, c'est vrai ! Tu n'auras qu'à entrer. Ma porte n'est jamais verrouillée.

— Jamais ?

— Pas quand je suis réveillée. À quelle heure ?

— Dis-moi quand tu veux que je sois là. Je vais dormir au condo. En moins de cinq minutes je peux être chez toi.

— Tu es matinal ?

— Ça m'arrive !

— Parfait, je me lève à six heures.

— Je serai là à six heures et demie. C'est bon ?

— Oui. Ne déjeune pas. On passera prendre quelque chose et on mangera dans la voiture, en route.

— Hum ! Non. Je suis le seul de la famille à ne pas avoir eu d'accident de voiture… On prendra le temps de déjeuner avant de partir.

— Tu as raison !

Je pense à mes parents qui mangeaient régulièrement dans leur voiture, entre deux rendez-vous, et qui sont allés percuter un mur sans aucune raison apparente.

— J'ai dit quelque chose, hein ?

Je fais un hochement de tête affirmatif, mais je réponds :

— Non !

— Je suis désolé d'avoir parlé d'accident.

— Hum ! Ça va ! Ça fait partie de ma vie, maintenant.

— Je vais être prudent en allant à North Hatley.

— Je sais.

— Je suis désolé

— Non, ça va. En fait, je vais aller te rejoindre au condo vers sept heures. Je vais passer prendre un petit quelque chose au café et je viens manger avec toi. Ça te va si je te laisse, maintenant ? Je dois faire un tas de trucs pour organiser les prochains jours.

— Tant que tu es avec moi toute la fin de semaine…
Involontairement, je fronce un peu les sourcils.

— Avec toi, hein ?

Il baisse les yeux et serre les mâchoires une fraction de seconde. Mon cœur donne quelques coups de pompe de travers. Je l'embrasse sur la joue et mets fin au supplice en montrant la table.

— C'est offert par la maison.

Il me répond d'un hochement de tête et d'un sourire, les mâchoires toujours aussi serrées.

Mathilde et Delphine sont deux sœurs ; elles ont quelques années de différence d'âge. Mathilde fait un baccalauréat en tourisme et hôtellerie. Je la vois très bien à la tête d'un grand restaurant comme copropriétaire, par exemple. Delphine étudie en administration générale. Elle aussi pourrait bien avoir sa place dans ma comptabilité, quand je vais avoir autant de commerces qu'oncle William. Elles sont un peu ce que j'aurais aimé être avec Rachel. Elles sont toujours complices et se soutiennent. Elles sont serviables, compréhensives, douces, mais fermes. Elles sont capables de gérer des situations d'urgence, de faire des modifications au menu et d'épauler l'équipe. Elles sont géniales.

Mais qui est la fille géniale de Mikaël ?

8

Où Mikaël s'accroche les pieds

Avant de quitter, je prends des muffins frais cuits pour le lendemain matin, un sac de bagels au sésame, ainsi que quelques meules de fromage trop entamées pour être servies et je rentre chez moi. Le vent de la nuit est doux ; quelques étoiles brillent dans le ciel au-dessus de la ville. Le gros chat noir des voisins est couché sur mon balcon. Je lui donne des bouts de fromage et je passe la porte.

Je fais un lavage de vêtements pêle-mêle pour avoir ce que je veux en fin de semaine. Je mets ce que je peux à la sécheuse, après avoir fait un peu de ménage et jeté des trucs dans mon sac de voyage blanc avec une grande croix rouge anglaise.

Je me couche dans le lit de Leonard comme je le fais chaque fois qu'il est parti travailler. Je mets les draps par-dessus ma tête. À six heures, mon corps se réveille automatiquement. Je m'assois dans le lit en poussant la couette vers le pied. Je prends lentement conscience que je pars pour ma première fin de semaine de vacances depuis mon arrivée en Amérique et que je pars avec Mikaël.

Le prince Mikaël d'Amérique ! Je souris malgré moi. C'est chouette !

Je ramasse ce qui se trouve sur le sèche-linge, au-dessus des trappes de ventilation. Je fourre tout dans mon sac. Je mets le café frais fait avec ma machine dans deux tasses thermos de la Cafetière. Je ramasse notre petit déjeuner dans le frigo et je sors par la cour intérieure. Je laisse un bol de lait dehors à l'intention du gros chat noir, arrose mes rosiers et pars vers le condo des Montcalm, dans la noirceur et la fraîche de la nuit.

Je sais qu'il est encore trop tôt, mais je me dis que je risque de le prendre au lit et que c'est le moment parfait pour aller rejoindre Mikaël Montcalm.

J'appuie sur la petite lumière brillante rattachée au carillon d'entrée. Moins d'une minute plus tard, il m'ouvre la porte. Seulement vêtu de ses jeans, il a les cheveux en bataille.

— Bonjour, le prince au bois dormant !

— Salut.

Il m'adresse un sourire, les yeux collés. Je passe sous son bras qui se tient haut sur la porte en lui demandant :

— Tu as bien dormi ?

— Oui. Et toi ?

— Très bien, merci. Tu dois prendre une douche, ou si tu es prêt pour le déjeuner ?

— Je suis prêt. Mes yeux vont finir par se décider à ouvrir un peu.

— Tu bois du café ? Ça va aider !

— Merci.

Il attrape la tasse que je lui tends.

— Mais de rien !

— Tu es allée au café, déjà ?

— Non, j'ai pris nos trucs avant de partir, hier soir.

— Fiou ! Je te trouvais un peu trop intense pour… oh ! six heures vingt-six !

— Le café n'est pas encore ouvert à cette heure-là, le samedi matin.

Il s'assoit à la table, une belle vieille table patinée par les années.

— C'est très beau, votre condo.

— On n'a pas changé grand-chose, en fait.

— Eumm !

— La dame qui habitait ici s'appelait Evelyn. Elle est retournée vivre avec sa fille en Angleterre.

Je prends une grande inspiration. Je n'ai toujours pas de nouvelles de Rachel. J'ai le cœur gros. Il passe sa main dans ses cheveux.

— Je suis désolé. Je ne voulais pas te faire de peine en parlant de l'Angleterre.

— C'est rien ! J'ai hâte d'avoir des nouvelles de Rachel.

— Je peux te poser une question, ou si c'est trop tôt ?

Je plonge mes yeux dans les siens. Il fait de même et ça dure trop longtemps.

— Vas-y !

— Tu vas peut-être m'en vouloir pour ça, mais qu'est-ce qui a merdé, avec ta sœur ? Tout le monde dit que c'est une…

Il s'arrête brusquement, serre les mâchoires et fixe le sol. Il se reprend :

— Vous êtes tellement différentes, ta sœur et toi !

Je baisse les yeux.

— Tu as raison. Je ne peux pas te répondre, je ne connais pas ma sœur. C'est terriblement difficile pour moi. Je pourrais te parler davantage de Leonard que de Rachel avec qui j'ai grandi. Je pense que son expérience ici l'a laissée très amère.

— Il pourrait difficilement en être autrement. Elle a été tellement…

Il fait un petit non de la tête et regarde son nouvel ami, le plancher.

— Je sais Mikaël ! Je sais !

Il fixe son regard dans le mien. Je mets mon index tout près de mon pouce pour évoquer une très courte distance.

— Est-ce que tu peux… essayer d'imaginer, que tu es à ça de vivre la vie de tes rêves. Tu as la famille que tu souhaites, tu es sur le point de te fiancer avec quelqu'un de parfait pour toi et pour ton plan de vie, tu as un avenir financier plus que prometteur et, en quelques heures, tout s'écroule. Tu perds tout d'un seul coup, ta… famille, l'amour de ta vie, ta vie. Et on t'arrache à ta maison, à ton pays, à tes amis…

— Moi, je m'accrocherais à mes frères et à ma sœur comme un malade mental. Je me battrais pour leur bonheur et le mien. Je ragerais comme un con et j'engueulerais tous ceux qui se mettraient sur mon chemin sans ma permission. Peu importerait où se trouve l'amour de ma vie dans l'univers, je te jure que j'irais la rejoindre et que je referais ma vie avec elle exactement sur le centimètre carré où je l'aurais retrouvée.

Je reçois ça comme une tonne de briques sur la tête et je m'effondre sur la chaise la plus proche de moi.

— Sarah, jamais ta sœur n'aurait dû te traiter comme ça, même si elle est malheureuse comme les pierres. Elle est retournée chez elle et c'est tant mieux. Je te jure qu'il y a un tas de gens qui sont prêts à prendre soin de toi ici, mieux qu'elle.

Je ferme les yeux :

— Tu as raison. En partie.

— Je sais !

— J'ai dit en partie seulement. Les gens se désintéressent vite, tu vois ? Leonard se démène comme un diable dans l'eau bénite. Arielle est prise dans sa tête, Emily-Kim est toujours avec son homme, Victoria et Rosalie ont aussi une vie et des mecs superbes. Je ne sais pas, mais il n'y a pas une file d'attente devant ma porte non plus. Je me sens encore moins à la tête d'un fan-club.

Il pousse un long soupir et prend sa tête dans ses mains.

— C'est pas ce que je voulais dire. Je suis certain qu'il y a quelqu'un qui voudrait prendre soin de toi, tout spécialement. Je suis tellement con ! Je suis tellement désolé !

— Bien voyons ! Même toi tu vas finir par être avec cette fille géniale si tu joues bien tes cartes et Sarah Wolfe ne sera plus dans les pensées de toutes ces chouettes personnes.

— Là, tu te trompes !

— Laisse tomber. Faut partir, parce que j'ai plutôt envie de retourner chez moi, maintenant.

Mikaël hoche la tête avant de faire des non. Il s'assoit sur une chaise en appuyant le menton sur le haut du dossier et en me regardant franchement.

— Je n'ai pas envie que tu te sentes prisonnière toute la fin de semaine. Je ne vais pas te catapulter dans la Subaru juste pour être satisfait de ma victoire, d'être fier de t'avoir convaincue de venir avec nous. C'est pas un enlèvement. Si tu n'as pas envie de partir, on ne part pas. C'est tout !

— Arrête. C'est toute ta famille qui est là-bas !

— Et alors ? Si on part, c'est seulement si tu le veux !

Je reste muette quelques secondes.

— Sarah ?

— Oui ?

— Est-ce que tu veux bien m'accompagner à North Hatley ?

Je lui accorde un sourire discret.

— Il n'y a pas une fille géniale que je souhaite inviter davantage que toi.

Je le regarde dans les yeux.

9

La Provence contre l'Angleterre

Plus papa travaillait fort, plus vava dépérissait. Plus le temps passait et plus ma mère appelait souvent ma mamie. Nous avons fait nos valises et sommes parties sans papa une première fois. Destination la Provence. Nous y sommes restées un mois. Tout un long mois qui a été très court avec le soleil, la lavande, le jus de raisin, les balades en voiture sous la chaleur, le retour des sourires de ma vava, les éclats de rire et le bonheur. Tout ça avec une déconcertante nonchalance.

Je me promenais dans les champs, simplement vêtue d'une jupette fleurie ou de denim, sans rien dessous ni rien au-dessus, nu-pieds. Rachel était outrée par ma tenue, mais mamie me trouvait charmante. Je cueillais des fleurs de lavande que j'entortillais dans mes nattes. Je commençais à lire ; j'arrivais à écrire de courts messages à ma vava, des mots d'amour, et à faire des dessins pleins de soleil qui représentaient des petites filles marchant main dans la main avec leur maman…

Après notre retour en Angleterre, les sourires de ma mère se sont estompés au même rythme que le soleil est disparu de notre pigmentation.

10

Où Mikaël se remet les pieds dans les plats

Mikaël : Alors ?
— Je vais te suivre là-bas.
Il me gratifie d'un demi-sourire.
— Tu es prêt à partir, maintenant ?
— Oui. Et toi ?
— Oui.
— Parfait. Je ferme tout. On va passer par-derrière.
La voiture est dans le stationnement du condo.

Il a une Subaru bleu foncé et pleine de machins ajoutés dignes des voitures de rallye, mais de bon goût. Il m'ouvre la portière après avoir recueilli mon sac de voyage. Il pousse doucement la porte de la voiture pour la refermer derrière moi, s'assoit au volant et réveille le moteur. Je croyais que j'étais sur le point d'entendre un dragon rugir, mais rien. Il démarre tout en douceur. L'aurore fait place au lever du soleil pendant que nous traversons le pont Jacques-Cartier. Mikaël est tout orangé dans la lumière du matin.

— Est-ce que ça va toujours, Sarah ?

J'acquiesce d'un mouvement de tête pendant la fraction de seconde qu'il regarde dans ma direction. Ses cheveux sont épais et foncés, d'un brun intense comme ceux d'Emily-Kim, parcourus de mèches plus pâles, probablement un souvenir des beaux jours d'été. Sa peau est laiteuse comme celle des roux, mais avec un léger fond caramel. Ses cils sont longs et se couchent sur ses joues quand il regarde vers le sol. Il est plus carré que Raphaël, dans mes souvenirs. Il doit être à peu de chose près de la même taille, légèrement plus grand, sans doute, mais son ossature est plus lourde, plus forte. Sa main gauche est accrochée sur le haut du volant, faisant légèrement blanchir ses jointures sous la flexion.

Je porte mon attention sur la route et sur des paysages que je n'ai jamais vus. Dans ma tête passe son visage lors de notre fameuse expédition dans les vergers de pommes près d'Oka. Je revois son sourire et ressens l'effet de chaleur de son chandail… Je frissonne.

— Tu peux mettre de la chaleur, si tu as froid.

Simultanément, il actionne la chaufferette de la Subaru pour moi.

— Merci, Mikaël. C'est gentil.

— Tu as envie de parler de quelque chose, où non ?

— Tant que c'est toi qui parles, je suis ravie de t'écouter.

— Parfait. Lance la conversation, alors !

— Euh ! Tu fais quoi ? Tu étudies, ou tu travailles ?

— J'ai terminé l'université. J'ai fait un baccalauréat en agronomie et des cours spécialisés en agrotourisme.

Tu te souviens de l'endroit où nous sommes allés aux pommes, en septembre?

— Oui!

— C'est ce que je rêve d'acheter. J'aimerais posséder un verger et un vignoble matures, bâtir une auberge sur le terrain, pouvoir organiser des réceptions et de gros partys avec de la musique et de la bouffe du terroir, des vins, des cidres et des bières du Québec, ainsi que des produits de ma terre, évidemment.

— Tu as commencé à visiter des endroits comme celui-là?

— Je n'ai pas assez d'argent pour acheter ça. Je vais devoir commencer par quelque chose de plus petit ou de vierge, peut-être, mais de propice à l'agriculture.

— Tu en as parlé avec des gens qui sont en affaires?

— Non. Pourquoi je ferais ça?

Je laisse s'échapper un grand rire:

— Mikaël, tu es un rêveur ou un homme d'affaires?

— Mais de quoi tu parles?

— Écoute, moi je dis que tu devrais approcher les gens d'affaires que tu connais, comme Helena, comme le père du gars qui a des restaurants et qui habite dans les lofts de Rosalie, comme mon oncle et moi, et monter un projet global. Acheter une terre, ça n'est pas un problème s'il y en a une qui te convient. De construire une super bâtisse là-bas avec l'expertise de la compagnie Martin et même en partenariat, ce serait super intéressant. Tu vois? Quelque chose de LEED, d'écologique, d'attirant, de moderne et de chaleureux. Pour les conseils en restauration, il y a deux hommes d'affaires que tu peux approcher. Ou il y a moi, tout simplement. Tu peux essayer d'avoir du financement d'eux, le temps que tu mettes ton auberge en place et, plus tard, tu reprends tout en mains, quand tout est sous contrôle et que tu es capable de rembourser. Je pourrais même voir avec toi si tu veux avoir un café. Ça pourrait être la Cafetière de Marie-Victorin au verger. C'est un botaniste d'ici. C'est chouette, non ? De cette façon, tu pourrais attirer toutes sortes de clients et te faire connaître. Zachary et Mélodie pourraient mettre la main à une campagne publicitaire et tu pourrais exposer en permanence à ma Cafetière. Qu'est-ce que t'en penses ?

Il s'arrête sur le bord de la route et prend ma tête dans ses mains pour m'embrasser, comme si c'était la dernière seconde de notre vie. Je reste figée d'incrédulité. Il fait un demi-sourire.

— Tu es géniale ! Tellement !

— Merci, mais on laisse faire tout le reste. De me dire que je suis géniale, c'est assez. Je comprends que tu es content de l'idée. Pas besoin d'autres démonstrations.

Il reprend la route doucement.

— Euh ! Tu voudrais être ma première partenaire ?

— Avec plaisir, Mikaël !

— Cibole, j'ai juste le goût de virer de bord pour aller visiter des terres !

Je fais un large sourire à son adresse et il en fait autant pour moi. Je l'entends soupirer.

— Je sais ce qu'on va faire. On va aller rejoindre ta famille.

J'attendais son approbation pour continuer.

Mikaël : Ensuite, je te kidnappe, je te fais tomber en amour avec moi et on ouvre l'auberge ensemble.

J'éclate de rire.

— Non ! On va faire un début de plan d'affaires. On va cibler le marché qui t'intéresse et lancer des idées. On va définir la région touristique la plus pertinente pour ton projet. On va écrire tes rêves et les subdiviser, établir un échéancier sensé et justifiable, dresser un budget le plus près possible de la réalité selon ce qu'on sait et le plus précis. On va contacter des gens qui vont nous conseiller au sujet des étapes pour lesquelles on n'a pas d'expertise…

— Tu crois que j'aurais besoin de faire un stage à ta Cafetière pour avoir une expertise ?

— C'est n'importe quoi !

— Non ! Je n'ai aucune idée de la façon dont fonctionnent tes machines à café !

— Mais t'as pas besoin de savoir ça maintenant. Ce qui presse c'est d'établir un budget, de trouver un moyen de financement, de trouver ta terre, et ensuite des partenaires. Ce n'est pas de savoir comment faire un double expresso !

Il fait un autre magnifique et grand sourire vers moi.

— Quoi ?

— Sarah, si tu veux que je reste concentré sur la route, tu vas devoir me parler de choses beaucoup moins intéressantes.

— Comme quoi ?

— Parle-moi du gouvernement britannique, par exemple.

Je m'étends sur les idéologies politiques, les partis, la monarchie, l'histoire de mon pays, les révoltes, les clans écossais, l'histoire de ma famille… J'évoque mon adorable traître d'ancêtre qui a engrossé une pauvre femme de ma lignée généalogique, qui en est tombé amoureux et qui l'a arrachée à sa famille à elle. Je résume la révolution industrielle, l'appauvrissement du peuple et la montée de la bourgeoisie. Je fais revivre quelques-uns de mes arrière-grands-parents pour en arriver à mon père et mon oncle; je finis par le départ de mon oncle pour le Québec.

— Pourquoi ton père n'a-t-il pas suivi William?

— Parce que mon père était beaucoup plus comme Rachel; moi, je ressemble à mon oncle.

— Est-ce que tout le monde en Angleterre est aussi fier de son histoire que toi, ou si tu es une exception?

— Je ne sais pas. Ici, il y a encore une guerre sans merci avec les Anglais. Il y a un tabou dans lequel on ne doit pas prendre parti. C'est comme si les francophones étaient honteux de leur histoire. C'est vrai que les premiers colonisateurs reconnus étaient des Européens, mais il y avait aussi des Africains, les Premières Nations, des Américains qui voulaient s'emparer de votre colonie et qui détestaient les Anglais, les loyalistes qui ont fui la révolte pour chercher la protection anglaise, des Irlandais, des Écossais et quoi encore. Il n'y a aucun mal à avoir survécu à tous ces grands empires et à garder la fierté de sa langue. Je suis tombée en amour avec votre petit pays barbare, presque fortifié, peuplé de gens qui ont toujours envie de se battre et qui sont souvent mal engueulés. Vous êtes vraiment des gens extraordinaires. Vous ne vous enfargez pas dans les foutus protocoles et les imposantes et oppressantes bonnes manières. Vous êtes tellement vivants, intenses, colorés, bornés, mais joviaux, accueillants.

— Tu crois que tu retourneras en Angleterre un jour?

Je n'ai pas besoin de réfléchir longuement à la réponse.

— Certainement, mais en visite seulement.

Il conclut avec un sourire malicieux à mon intention :

— Hé bien, je vais pouvoir dire que j'aurai vraiment eu une journée instructive !

— Tant mieux ! Tu savais qu'on arrive déjà ?

— Ouais.

— Il faudrait arrêter acheter du papier et des crayons pour commencer à travailler sur ton projet.

— Si tu vois quelque chose, dis-le-moi, parce que le dernier bout de route est assez perdu.

Nous trouvons un magasin à grande surface à Magog. Après y avoir fait des emplettes, nous gagnons le lac Massawippi et le manoir. Nous arrivons pour le dîner, c'est-à-dire mon déjeuner européen. Nous rejoignons les familles au chalet privé de l'auberge. Tout le monde est de bonne humeur. Maëna et Victoria se baignent dans le lac avec Alexandre et Raphaël dans leur combinaison étanche. Arielle se mouille les pieds. Marianne joue sur le bord de l'eau avec Hugo et Gabriel. Cendrine se fait caresser le ventre par Christopher dans un hamac à l'ombre des grands arbres. Les parents des deux familles placotent sur le quai, confortablement installés dans les grandes chaises de bois. Arielle se met à gambader vers moi quand elle m'aperçoit.

— Salut ! J'avais hâte que vous arriviez.

Mikaël : On n'a pas traîné en route, Arielle !

— Bon ! Sarah, viens, je vais te montrer ta chambre. Tes bagages sont toujours dans la Subaru ?

— Eumm ! Oui.

Mikaël : Attends, Arielle. Je vais m'occuper de nos affaires dans quelques minutes.

— On a gardé la dernière chambre fermée pour Sarah. Toi, tu es relégué au salon pour une troisième année consécutive, mon cher frère.

— Où dorment Gabriel et sa famille ?

— Dans une chambre de l'auberge. Et il semblerait que c'est la dernière année que Christopher dort au chalet aussi.

Elle lui adresse un sourire complice. Mikaël se fige sur place, la bouche grande ouverte sur un sourire heureux. Il nous abandonne pour aller féliciter les futurs parents en sautant les marches en pierres quatre à quatre. Je ne peux m'empêcher de le suivre des yeux, un sourire dessiné sur mon visage quand il donne une grande poignée de main à Christopher.

Arielle : Cendrine a trois mois de faits. Christopher est tellement heureux !

Elle a un grand sourire et laisse planer le suspense avant d'ajouter :

— Gabriel et lui vont acheter un duplex ensemble.

Elle semble attendre une réaction de ma part.

— Eumm ! C'est chouette !

Grand rire d'Arielle.

— Et toi, tu dois te faire passer pour ma blonde, hein ? Tu ne préfères pas jouer le jeu avec Mikaël, à la place ?

Spontanément, je dirige à nouveau le regard dans la direction de son frère.

— Non. Mais je crois que j'ai trouvé une raison d'être ici sans être la blonde de l'un d'entre vous.

— Ah oui ?

Elle garde son grand sourire, en attente de précisions.

— Je crois que je vais aider ton frère à se lancer en affaires !

— Cool ! Cool, cool, cool !

— Mais tu le laisses en parler le premier. Tu crois que tu peux garder le secret ?

— Mais bien entendu !

Je la remercie d'un signe de tête.

— Tu viens voir les autres ?

— Hen, hen !

— Tu connais tout le monde ?

— Non. Je ne connais pas le père des Saint-Charles !

— Viens, je vais te présenter.

Elle attrape ma main comme si nous étions des fillettes. J'inspire profondément avant de sauter dans l'action familiale.

Les heures s'égrainent lentement. Les coloris des arbres sont magnifiques. Je suis un peu perdue dans ma bulle quand Mikaël arrive derrière moi silencieusement.

— Tu savais que c'est la quantité de sucre bloquée dans la sève des feuilles des arbres qui leur donne leur couleur, quand la chlorophylle se dégrade ?

Je lui fais non en regardant toujours la forêt.

— Les plus concentrées en sucre ont des couleurs rougeâtres ; les plus âcres sont jaunes.

— C'est logique.

— Les conifères qui perdent leurs aiguilles sont des mélèzes.

— Les arbres avec des pommes sont des pommiers et les vignes avec des raisins forment des vignobles.

Je lui adresse un grand sourire en me retournant dans sa direction. Lui se contente d'un plus léger.

— Tu as envie de travailler un peu, Mikaël ?

— Non. Mais j'irais bien marcher avec toi.

— Si tu veux !

— C'est idéal ! Ça fait déjà deux trucs que j'adore faire que je fais avec toi.

— Embrasser une fille sur le bord de l'autoroute et répondre à la porte en se faisant réveiller ?

Il me répond en me donnant une légère poussée à l'épaule avec le haut de son bras :

— Hum ! Trois. Embrasser une fille sur le bord de l'autoroute, se promener dans un verger et se promener en forêt à l'Action de grâce.

— Vous venez ici chaque année, lors de cette fin de semaine ?

— Jamais. On vient ici juste avant le retour en classe, habituellement. Mais on a oublié de réserver, cette année, et on a dû repousser la date.

— Oh !

— Est-ce que tu aimes le manoir ?

— Oui ! Mais ce n'est pas un manoir anglais.

En chuchotant, je l'invite à taire mon secret. Il baisse la tête et la voix.

— Et tu es toujours contente d'être ici ?

— Oui !

Quelques minutes de silence passent.

— En fait, Mikaël, je ne trouve pas ça facile, facile. Mais c'est bon de voir des familles comme les vôtres.

Il passe son bras autour de mes épaules.

— Je suis désolé.

Je me fabrique un grand sourire et le repousse comme s'il s'agissait d'un copain de foot.

— Bon, dis-moi dans quel coin tu comptes acheter ta terre.

— En fait, tu tiens ça mort pour le moment, mais le voisin d'Helena, monsieur Jobin, vient de célébrer son quatre-vingtième anniversaire. Il veut vendre le verger, mais il ne sait pas encore s'il va le diviser ou non. Il croit qu'il pourrait bien être possible de faire construire une auberge dans la région, parce qu'il n'y en a pas beaucoup de la catégorie qui m'intéresse. C'est ce que monsieur Jobin m'a dit, quand nous sommes allés là-bas, en septembre.

— Oh ! Et tu as déjà parlé avec madame Martin ?

— Non. Mais je n'ai jamais pensé lui demander d'être partenaire d'affaires avec moi.

— Il y a aussi un vignoble ?

— Non !

— Alors, ce n'est pas la bonne place.

— Je peux le créer, le vignoble.

— C'est tellement long avant d'avoir une récolte suffisante pour faire des produits dérivés du raisin ! Je ne sais pas trop.

— Sarah ! Ce qu'on a en tête n'existe pas toujours exactement avant qu'on y ait investi du temps.

— Tu as raison.

— J'ai du temps devant moi. Et c'est toujours possible d'acheter d'autres terres, plus tard.

— Oui.

— J'en ai pour quelques années à apprendre à bien m'occuper de tout ce qui touche aux pommes. Et je veux aussi produire des courges.

— Quoi ?

— En fait, je devrais dire des citrouilles.

— Une culture de citrouilles ?

— Oui. On pourrait accueillir des groupes de garderies ou des classes de maternelle et faire des activités avec les enfants ; on leur donnerait une citrouille à leur départ…

— Tu es mignon, Mikaël ! Mais tu vas devoir cibler clairement ce que tu veux. Si tu souhaites des installations pour les enfants, ce n'est peut-être pas l'endroit idéal pour vendre du vin.

— Je sais. C'est pour ça que je te dis que je pourrais avoir plusieurs terres.

— Oui ! Et plusieurs vies ! Déjà, conjuguer agriculture et tourisme, c'est très exigeant. Si en plus tu veux ajouter un volet scolaire, tu as du pain sur la planche.

— Tu crois que je pourrais avoir un comptoir de boulangerie aussi, avec la Cafetière ?

— Tu vas te jeter à terre si tu ouvres trop large au départ.

— Pas si j'ai de bons partenaires.

— Mikaël ! Seulement la Cafetière, ça peut te vider de toute ton énergie, si tu ne fais pas attention.

— Mais qui te dit que ce ne sera pas toi qui vas gérer celle du verger ?

Je montre des yeux horrifiés.

— Non ! Je ne vais pas m'expatrier à la campagne.

— Attends de voir si le projet t'intéresse et si c'est, je ne sais pas, à moins de trente minutes de chez toi…

Je vais monter mon plan d'affaires. Ensuite, je reviens m'asseoir avec toi pour voir si nos rêves se croisent à certains endroits.

Il sourit de travers.

— Tu es un méchant manipulateur, Mikaël Montcalm !

— C'est possible.

Je fais quelques pas pour m'éloigner de lui. J'ai l'impression que son grand bras est sur le point de se poser à nouveau sur moi.

Nous revenons au manoir à la brunante. J'échange mon chandail de laine contre un manteau d'automne et revêts mon chandail mince gris avec une poche kangourou sur le ventre. Je suis dans les goûts des familles. Le souper est des plus savoureux et je fais de belles découvertes. Quand les desserts arrivent à la table, j'ai une lourde boule dans l'estomac. J'offre ma portion à Arielle, qui est ravie de l'engloutir à ma place.

La soirée est froide. Les filles m'emmènent directement au pub. Les garçons retournent tous au chalet. On commande de la bière et on se met à parler de tout et de rien. Arielle est comme une toupie sur sa chaise ; elle jette des regards vers l'extérieur aux cinq secondes. Victoria semble sur le point de voir arriver tous les étudiants de sa promotion, tellement elle est fébrile. Maëna m'explique de quoi il retourne.

— C'est la première fois cette année qu'on y a pensé. Depuis que ton cousin Leonard a instauré la tradition des kilts pour la Saint-Sylvestre, les six garçons ont maintenant le leur, ainsi que bébé Hugo. Mais Hugo ne viendra pas ici ce soir. Il se fait garder par ses grands-parents. Sauf que tous les autres sont allés mettre le leur. C'est pour ça qu'Arielle et Victoria sont aussi stressantes. C'est Emily-Kim qui a acheté les kilts manquants quand elle est allée vous chercher, en janvier.

— Oh!

— Tu aimes les mecs en kilt, ou pas?

— Eumm! Ça dépend!

— Hé bien, tu ne devrais pas être déçue, ma chérie. Nos Écossais n'ont rien à envier à ceux du nord de l'Angleterre.

J'exécute un hochement lent; je sens mes yeux paniquer.

Gabriel, Raphaël et Christopher arrivent les premiers, nonchalants, invisibles, invincibles. J'ai un sourire pour moi et une pensée pour mon cher Leonard qui m'a préparé, sans le savoir, un moment magique. Raphaël vient vers moi.

— Mademoiselle Wolfe, j'espère faire honneur à vos souvenirs!

Il s'incline légèrement et je réponds dans un sourire:

— Monsieur Raphaël, vous êtes, par certains points, semblables à ce que j'ai pu admirer de plus honorable dans certains pubs de mon pays.

Il m'embrasse sur la joue.

— J'espère que ça va aller pour toi, ma belle Sarah-Love.

— Pourquoi m'appelles-tu comme ça?

— Parce que Leonard t'appelle comme ça, quand il parle de toi.

Je lui propose une expression entre le sourire et la moue.

— Si je peux faire quoi que ce soit, ma chérie, tu peux venir me voir.

Je me contente de hausser les épaules.

— Moi ou quelqu'un d'autre, mais ne reste pas toute seule si tu as besoin. D'accord?

Je lui fais oui de la tête.

Alexandre et Mikaël arrivent ensemble, comme s'ils venaient de faire les coups les plus pendables de leur existence. Ils rigolent et agissent comme s'ils avaient toujours porté le kilt. Quand Mikaël me voit, il essaye de tirer sur son plaid pour l'allonger et mord sa lèvre inférieure, comme s'il regrettait de porter mon symbole écossais. Il regarde le sol, passe sa main dans ses cheveux et tourne les talons pour repartir dans la noirceur. Je prends une grande inspiration.

Arielle: Alors, Sarah? Comment tu trouves nos hommes?

— Chouettes!

Je n'en dis pas plus.

— C'est tout?

— Je… je vais aller faire un petit tour dehors. Ne me cherche pas, je risque d'aller me coucher tôt.

Elle est déçue.

— Ah!

— Je suis fatiguée, Arielle! J'étais à ton condo à six heures trente, ce matin.

— Je comprends!

Je lui fais un sourire de consolation et je quitte le pub. Je marche le plus vite possible pour rejoindre Mikaël. Tout en me dirigeant vers le chalet, je l'appelle. Soudain, il répond à ma voix.

— Je suis là, Sarah. Sur le quai!

— Je ne vois pas grand-chose.

— J'arrive !

Je vais droit devant moi. Il arrive presque aussitôt. Je lui décoche un sourire hyper rapide.

— Je voulais te dire que tu peux retourner au pub. Je vais me coucher.

— Oh ! Hé bien, j'ai encore réalisé que je ne t'aidais pas du tout à penser à autre chose qu'à chez toi, quand je t'ai vue au milieu du pub avec les gars en kilt… Et moi habillé comme eux.

— C'est rien. Tu t'amuses avec ta famille. C'est… oublie ça. Va rejoindre les autres !

— Hum ! Alors, bonne nuit, Sarah !

Il passe devant la lumière des fenêtres du manoir et fait quelques pas vers moi.

— Bonne nuit, Mikaël !

Il ferme ses bras autour de moi. J'agrippe son chandail derrière ses épaules et colle mon visage contre sa poitrine. Il pose son front sur le dessus de ma tête. Comme je ne veux pas lui donner une chance de plus de se sentir coupable de ma peine, je me compose un sourire de petite fille à la Noël et je me recule.

— Tu portes très bien le kilt, Mikaël. Tu es très séduisant.

Il baisse la tête, comme intimidé. Je ne vois pas très bien ses yeux noirs, dans la nuit. J'hésite entre lui procurer un sentiment de fierté ou un sentiment de défaite.

— Profite de ta soirée. Demain matin, je m'enferme avec toi pour travailler un peu. Bonsoir, Mikaël !

— Bonne nuit encore, Sarah !

Je puise très loin au fond de moi pour le laisser partir de son côté et pour regagner ma chambre sans broncher.

MIKAËL

Je tourne dans mon lit pendant des heures, jusqu'à ce que je les entende revenir. Jusqu'à ce que j'entende Victoria dire à Raphaël qu'elle ira vivre en Écosse le jour où elle en aura assez de lui. Jusqu'à ce que j'entende Arielle dire à Mikaël qu'elle l'aime et qu'elle lui souhaite une bonne nuit. Alors seulement je ferme les yeux.

11

Se faire dire ses quatre vérités par Cartier

Je me réveille à six heures en engueulant intérieurement mon horloge intégrée, à qui je commande de me laisser me rendormir. Et ça fonctionne pour la première fois depuis janvier.

Quand j'ouvre les yeux la deuxième fois, il est neuf heures onze. Je m'assois toute droite dans mon lit, comme si je venais d'enfreindre une loi. J'écoute les bruits du chalet. À part les oiseaux à l'extérieur, tout est silencieux. J'enfile mon chandail blanc ajusté, mes jeans et mes bottes de concert alternatif et je pars avec la ferme intention d'aller respirer de l'air frais sur le quai. Mais mes yeux s'accrochent à la tête foncée de quelqu'un qui dort dans le salon, à plat ventre sur le sofa rouge, le drap descendu à gauche sur sa fesse, à droite sur sa cuisse, laissant voir le kilt qu'il n'a pas enlevé et le chandail auquel je me suis accrochée la veille. Ses longs cils cachent complètement ses yeux magnifiques. Je penche la tête sur le côté pour mettre mon visage dans le même angle que le sien. Je souris. Maëna entre dans mon champ de vision. Elle porte son bol de café à ses lèvres, me sourit, replace ses lunettes et murmure :

— Fais-toi un café et viens me rejoindre dehors.

En donnant un coup de menton vers la porte, elle poursuit :

— C'est plus frais qu'hier, mais j'ai de grosses couvertures.

Je vais à la cuisinette. Le café est dans un sac, sur le comptoir. Je souris. Il vient de la brûlerie de mon oncle, celle qui est la plus près de chez les Montcalm, et les Saint-Charles aussi. Je fais exactement comme Maëna. Je remplis un bol à soupe de café noir et sors sur la pointe des bottes.

Je marche vers le bout du quai. Maëna tapote la chaise à côté d'elle. Elle tire sur ses cheveux bouclés et épais :

— Tu as bien dormi ?

— Oui. C'est la première fois que je dors aussi tard depuis…

— Depuis la mort de tes parents ?

La spontanéité de Maëna et la surprise que me cause sa franchise m'incitent à prendre une grande respiration.

— Tu peux en parler ou me dire de fermer ma gueule. Tu as tous les droits sur ce sujet-là !

— Non. Tu as raison. C'est la première fois depuis leur putain d'accident.

— Et Mikaël te plaît beaucoup, non ?

Je m'esclaffe.

— Tu es une boîte à surprise, toi ! C'est incroyable !

— Oh ! C'est un minuscule échantillon !

— Vraiment, tu ne dois pas trop avoir de gants blancs dans tes tiroirs !

— Hé non ! Ça se salit facilement et ça fait juste étirer les peurs, le malheur, l'inconnu… On se fait des accroires et des peut-être, quand on prend trop de détours. Faut aller droit au but. Droit où ça fait mal comme droit où ça fait plaisir. La vie est parfaite, il faut juste s'en rendre compte assez tôt pour en profiter !

Je lui souris au-dessus de mon bol.

— Alors, tu comptes le lui dire quand ?

— Dire quoi ?

— Dire à Mikaël ce que tu penses de lui.

— Oh ! Je n'en sais rien ! Je pense qu'il a déjà quelqu'un, de toute façon ! Une fille…

— Ah oui ? Et tu la vois où, cette fille ?

— Je pense qu'elle ne pouvait pas être ici. Je ne suis pas tellement au courant, en fait.

— Tu sais pourquoi tu n'es pas au courant ?

— Non !

— Parce qu'il n'y a personne d'autre.

— Ffff ! Emily-Kim a dit qu'il avait rencontré une fille géniale ou un machin du genre.

— Ah oui ! C'est sûr ! Et il l'a rencontrée quand ?

— Je n'en sais rien. Possiblement en septembre. Je ne sais pas, Maëna !

— Septembre, hein ?

Je hausse les épaules.

— C'est quand, la première fois que vous vous êtes franchement parlé ?

Je gratte la racine de mes cheveux.

— Aux pommes.

— Ah ! Et c'est quand, les pommes ?

Elle me fixe longuement et poursuit :

— C'est ça, en septembre. Maintenant, est-ce que tu veux un dessin, Blanche-Neige, ou si tu vas attendre que ton prince fasse tout le travail pour toi ?

Je m'étouffe solide dans ma tasse et recrache tout sur le quai.

— Fais attention, tu as un chandail blanc ! Tu veux des kleenex ?

J'acquiesce silencieusement.

— Tiens ! J'en garde tout le temps sur moi pour laver mes lunettes. Mais, là, c'est une urgence, je crois.

— Merci !

— Maintenant que Léa est casée grâce à toi, ma géniale, la voie est plus facile à emprunter pour se rendre directement à lui. Non ?

— Dis donc, Maëna ! Tu es toujours aussi intense ?

— Je suis une Cartier, ma chérie. Je dis ce que je pense et ensuite je ne pense plus à ce que j'ai dit.

Je fais des yeux incrédules.

— Ma théorie, c'est que, quand tu dis ce que tu penses pour de vrai, tu ne dois jamais le regretter, même si tu ne le penses plus deux jours plus tard. La vérité est toujours en progression, de toute façon. Que ce soit en sciences physiques ou en sciences humaines, en sciences écologiques ou peu importe. Comme on fait partie du lot, moi je dis qu'on a le droit de faire comme nos grands savants cinglants. Non ?

— Eumm ! Oui !

— Alors, je répète ma question. Quand est-ce que tu vas déballer ton sac et dire à Mikaël que tu es folle de lui ?

— Ha, ha, ha! C'est comme ça qu'on fait ici?

Je me lève et je fais semblant que Mikaël est devant moi. Je dis bien haut pour les oreilles du lac :

— Mikaël, je suis folle de toi!

Elle éclate de rire à son tour.

— Ouais, on peut faire ça comme ça.

Quelques secondes font retomber un silence agréable. Mikaël arrive derrière nous.

— Bon avant-midi, les filles!

— *Oh God* !

— Je viens juste de me réveiller. Le salon, c'est pas l'endroit idéal pour dormir tard. Victoria et Raphaël sont en plein débat sur un petit quelque chose et c'est un peu le bordel.

Il fixe surtout Maëna en formulant ses explications.

Maëna : Alors, mon beau bonhomme? Tu as bien dormi quand même?

Je prie intérieurement pour que Mikaël n'ait pas entendu ce que je viens de dire et pour que Maëna ferme sa gueule.

Maëna : Tu as compris ce que Sarah vient de faire comme déclaration au lac Massawippi?

Il regarde par terre.

— Euh! Peut-être un peu…

— Bon! Donne-moi ton bol, ma chérie. Je vais aller te faire un autre café. Celui-là, essaye de ne pas le cracher partout. Il me faut des kleenex, aussi. Pour mes lunettes.

Elle passe à côté de Mikaël. Je m'assois sur le large bras de la chaise de bois.

Mikaël : Euh! Tu as bien dormi?

Hochement de tête rapide de ma part. Je suis mal à l'aise.

Mikaël : Tant mieux !

— Et toi ?

— Non !

— Ah !

— Le sofa n'est pas super large et les couvertures sont… je ne sais pas trop, mais elles glissent tout le temps.

— Oh !

— Mais c'est comme ça chaque fois qu'on vient ici. Cette année, c'était ma chance parce que Gabriel est à l'auberge, mais, comme j'ai laissé tomber Léa, je me suis retrouvé avec le rôle du célibataire de service. Alors, Arielle, célibataire numéro un, a eu droit à la chambre de Gabriel et tu as eu celle d'Arielle qui est plus petite, mais qui a une porte.

— Je peux demander à ta sœur si elle veut que je dorme avec elle. Comme ça tu auras ma chambre et j'aurai ma blonde !

— Non. Ça va aller. Il reste juste une nuit !

Il me fait un grand sourire.

— Tu sais quoi, Mikaël ? Tant qu'à y être, je peux te poser une question qui met mal à l'aise, moi aussi ?

— Oui !

— C'est qui, la fille géniale ? C'est que, selon Maëna, soit elle n'existe pas, soit elle est arrivée dans ta vie possiblement en même temps que moi. Je ne veux pas me mêler de ce qui ne me regarde pas, mais…

— Elle existe.

— Oh ! Et c'est celle que tu n'as pas réussi à convaincre de venir ici ?

— Euh ! En fait… Je… Vraisemblablement, j'ai réussi.

Ça fait son chemin peu à peu au fin fond de mon cerveau. Je baisse la tête en cherchant mon air :

— Je suis désolée !

Je plante mes yeux dans les siens pour voir des portes de sortie.

Mikaël : Qu'est-ce qui te désole ?

— Même si… Mikaël, je ne peux pas. Je ne suis pas capable de… Écoute, je veux tellement faire tout ce qui est en mon pouvoir pour que ton projet fonctionne ! Je te jure ! Mais pas tout de suite pour le reste.

Il incline la tête à plusieurs reprises. Moi, la tête dans mes mains, je ferme les yeux. J'entends les planches craquer, et puis plus rien. J'ai réussi à le faire disparaître.

Je me fonds dans la chaise, sous les grosses couvertures de Maëna.

Maëna : Tu vas me dire comment il s'appelle, alors !

— Quoi ?

— Ton ancien mec anglais.

Elle me tend un nouveau bol sur le point de déborder. Je prends une profonde inspiration. Je ne comprends pas trop où elle veut en venir, mais je préfère lui parler de n'importe quoi d'autre que de Mikaël. Et, comme j'ai le choix entre une histoire d'amour terriblement douloureuse et une autre plus joyeuse :

— Arthur.

— Oh ! Le roi Arthur !

— Oui. Pendragon en personne. Le roi et grand guerrier celte. Le chef de la table ronde.

— Ouais. Et le prince du cœur de Sarah-Love !

En guise de réponse, je me contente d'un long soupir qui ne m'engage à rien.

— Et tu avais l'intention de t'en séparer, ou si tu nous prépares un retour à Londres vite fait comme ta sœur ?

— Je ne pars pas. Et je ne partirai pas, pas dans mes plans présents, du moins.

— Et le roi Arthur risque de débarquer en Amérique pour faire la guerre à Mikaël ?

— Non. Même si c'était le cas, je ne suis pas certaine que j'arriverais à redevenir Sarah-Londres. Sarah-Montréal est beaucoup plus près de Sarah-Love que l'autre.

— Arthur ne pourrait pas survivre à Sarah-Montréal ?

— Je ne sais pas. Arthur est tellement frondeur, il n'a pas froid aux yeux, il fait dix mille conneries en même temps pour voir laquelle fera le plus merder ses affaires et laquelle l'élèvera au rang de dieu créateur.

— Hum !

— J'avais besoin de ça, avant, mais ce n'est plus exactement le genre de mec que je recherche intentionnellement.

— Qu'est-ce qui merde avec Mikaël, alors ?

— Rien !

— Oh, alors, tu vas me faire plaisir et lui courir après pour le lui dire.

— Non !

— Non ?

— Ce n'est pas parce que Pendragon n'est plus mon roi que la place est libre.

— Je répète ma question. Qu'est-ce qui merde avec Mikaël, alors ?

— Rien, putain de bordel ! C'est juste pas maintenant.

— Dis-le-lui, dans ce cas.

— Mais je le lui ai dit. Qu'est-ce que tu crois ?

— Va le lui redire !

— Maëna, tais-toi ! Je suis désolée, mais tu pousses trop !

— Ouais. Et qui vient de dire à tous les riverains *massawippidiens* qu'elle est folle de Mikaël ?

— C'était pour rire, au cas où tu ne l'aurais pas compris !

— À d'autres, ma chérie ! Le train est en gare, maintenant. Il faut voir si tu pars avec celui-là ou si tu mises sur le prochain en espérant qu'il se présente.

— Si c'est le bon train, il reviendra.

— Et il sera peut-être plein. Tu n'es pas dans un livre d'histoires pour enfants. Tu n'es pas une princesse pour laquelle le prince attendra patiemment des jours et des jours sans aucune promesse.

— J'y vais. Je vais lui parler. Ça te va ?

— Oui.

— Parfait.

Mikaël est sur le sofa, hypnotisé par les flammes. Il a remis ses jeans. Je m'assois à ses côtés. Il ne parle pas. Je plie les genoux sous mon menton.

— Je peux te parler ?

— Oui !

Je laisse filer une minute avant de gonfler mes poumons à bloc.

— Pour l'instant, tu dois choisir entre une partenaire d'affaires ou une petite amie. Mais je ne suis pas certaine de pouvoir jouer les deux rôles en même temps et je ne suis pas certaine d'être assez solide pour m'embarquer dans une histoire… pour que tu me trouves vraiment géniale.

Il se tourne vers moi et prend une goulée d'air à son tour :

— Parfait !

Une autre minute de silence s'abat lourdement sur nous :

— Parfait ! Quoi, Mikaël ?

— Si je veux les deux !

Je ferme les yeux.

— Je suis certain que, partenaires d'affaires, ce sera facile entre nous deux. L'autre possibilité aussi. Je ne vois pas pourquoi on doit se limiter à un des deux choix !

— Ffff !

— Tu sais quoi, Sarah ? Je ne peux pas passer une heure sans penser à toi depuis qu'on est allés aux pommes, parce que je me suis dit, là-bas : « Voilà, je suis en plein milieu d'un rêve : un verger de dieu avec une vue débile et la fille de mes rêves, parfaite et géniale. » Tu ne peux pas me demander de choisir. C'est à toi de le faire.

— Bordel, Mikaël !

— Sarah, je veux te garder dans ma vie. C'est tout ! C'est pour ça que je préfère que tu choisisses. Je ne veux pas faire les capricieux et te jouer dans le dos. Je trouve tes idées géniales et je pense que tu me dis exactement ce qu'il faut que je fasse. Mais, comme mon kit de rêve t'inclut au point que tu en es un des piliers, je vais être patient, parce que je t'ai mise au centre de tout ça, juste à côté de moi.

— Oh, Mikaël !

— Au moins, tu sais à quoi t'en tenir.

— Je vais essayer d'être aussi honnête que toi. Moi aussi je pense que ton projet est extra. Je crois aussi que j'aurai beaucoup de plaisir à travailler pour le monter et le réaliser. Et que surtout je vais être très heureuse de te voir vivre ton rêve. Ça, c'est ce que je suis en mesure de raisonner. Pour le reste, je ne peux rien dire ni rien faire. Tu es d'accord pour commencer par ça ? Juste être amis, travailler sur ton projet et voir comment ça se développe entre nous deux ?

— Oui ! Si je peux agir de façon naturelle et te dire les choses comme je les pense.

— Ça me semble une bonne idée. Tu es malheureux à cause de moi, non ?

— Non. Pas tant que ça. Je suis en rééquilibrage pour pouvoir rouler droit. Ça prend quelques minutes, mais, après, il n'y a plus rien qui paraît. Alors, c'est quoi, la première étape du projet ?

Je lui souris.

— Je vais chercher le papier et les crayons. Ne bouge pas.

Il attrape ma main au passage et me tire vers lui. Je me retrouve assise sur lui.

— Merci, Sarah !

Il enroule ses bras autour de moi et dépose un long baiser sur mon épaule.

— Est-ce que c'est ce que tu voulais dire par agir de façon naturelle ?

— Oh ! Pas complètement, non !

Je love ma tête dans son cou. Il a le petit quelque chose de Leonard, le petit quelque chose d'Arthur, le petit quelque chose de Matthew. Peut-être qu'il y a un petit quelque chose d'amour, aussi.

— Tu maintiens l'obligation du statut d'ami ou si…

Il baise ma tête et caresse mon bras.

— Mikaël, je n'en sais rien !

— Je te laisse aller chercher les trucs pour commencer le plan.

— Merci !

Je me lève et vais trouver les feuilles géantes dans ma chambre, ainsi que les feutres Crayola. Je m'installe à la table de pique-nique sur la terrasse du chalet. Mikaël vient me rejoindre avec les cafés. Il s'assoit sagement de l'autre côté de la table.

— Je suis prêt.

— Alors, tu vas te vider la tête. Tu me dis tout ce que tu veux être et tout ce que tu veux avoir par rapport à ton projet.

— Tout, tout ?

— Vas-y !

— Je veux être heureux quand je serai debout en plein milieu de mon terrain, juste avant de rentrer à la maison pour souper avec toi et nos enfants.

— Pfff !

— Tu as dit tout, tout !

— Hen, hen ! Continue !

— Je veux triper au printemps quand les pommiers vont être en fleurs et que ma fille se prendra pour une princesse des histoires de Disney. Et je veux que mon garçon apprenne à grimper dans les arbres l'automne pour aller arracher des pommes en cachette.

Je fais un sourire pour moi en pensant à Arthur.

— C'est la première chose qui m'est passée par la tête.

— Voyons la deuxième, maintenant.

— Des pommiers, des pommiers et des pommiers
à perte de vue. Des vignes, en belles rangées qui débordent de raisins. Un champ de citrouilles. J'aime bien la
canneberge, aussi.

— Eumm! Pommes, raisins, citrouilles, canneberges. C'est ça?

— Hum, hum!

— Ensuite?

— L'auberge. Bois, béton, métal et fenêtres. J'ai vu
le style des constructions des Martin. Ce serait vraiment
super.

— Oui.

— Tu les as vues, toi?

— J'ai vu les plans que Charlotte a dessinés pour un
chalet d'un demi-million. C'est tout. Je ne sais pas de
quoi ça a l'air, non. Ça ressemble un peu à la maison
d'Helena?

— Oui. Et je vais t'en montrer d'autres en revenant à
Montréal.

— Ensuite?

— Ensuite, on ira au restaurant. Je te raconterai des
voyages imaginaires que nous pourrions faire ensemble
et...

Il m'adresse un sourire auquel je réponds par une
légère négation en inclinant la nuque, mais avec un
grand sourire:

— Tu veux aussi avoir un spa, des tables de massage
et tout?

— Quel est ton avis?

— Je pense que c'est une mode qui va durer encore
un bout de temps. Je ne sais pas trop ce qui viendra par
la suite. Mais, tout ce qui est écolo et qui rapproche les

gens de la nature, je te dirais que c'est un plus. Un bon plus !

— Et pour la partie alimentation ?

— Ton idée est bonne. L'adaptation aux saisons et aux produits régionaux, une certaine diversité… Surtout, vise un service à tous les repas et une sorte de sandwicherie pour les touristes qui voudraient acheter leur goûter avant de partir en balade. Quand tu voyages, tu ne veux pas te casser la tête. Quand tous les services sont sur place, c'est rassurant et ça permet de profiter de chaque journée. Plus tu as de choses intéressantes à offrir, plus tu gardes les gens chez toi. Dans ce cas, ils dépensent avec joie.

— Alors, dis-moi. Si tu connais autant la psychologie humaine, comment je fais pour qu'une fille veuille rester chez moi toute la vie ? Pas juste une fin de semaine ou une semaine, mais toute la vie ?

— Je crois qu'elle ne doit pas le savoir d'avance. Tu vois, tu t'organises pour lui faire poser ses bagages chez toi et, plusieurs années plus tard, tu lui rappelles la journée où elle s'est pointée dans l'intention de s'amuser seulement quelques jours.

— Je t'aime ! Je ne sais pas quoi faire, Sarah !

— Alors, continue jusqu'à ce que tu saches.

Je souris, la tête appuyée dans la paume de ma main.

• • •

On travaille sur son projet une partie de la journée. À la fin, j'ai la tête lourde et un nuage encercle mon cerveau. J'accepte l'offre d'Arielle et j'enfile sa combinaison de plongée pour aller faire de la motomarine.

J'adore. Je pars avec Victoria et nous nous arrêtons en plein milieu du lac. On profite du silence, des forêts multicolores tout autour du lac, de l'eau encore tiède pour la période de l'année et on laisse les minutes se transformer en dizaines. Nous revenons vers le bord et attachons nos embarcations à la partie du quai protégée par les bouées.

Victoria : Tu sais, Sarah, il n'y a pas beaucoup de monde de qui je te dirais ça sans aucune crainte de me tromper, mais, si jamais tu vas vers Mikaël, fais-lui confiance ! Il va essayer de trouver des solutions à chacun des problèmes qui pourraient se présenter à vous. Il va te soutenir. Fais-lui confiance et prouve-lui qu'il peut te faire confiance. Dis-lui ce qui ne va pas. Je te jure que c'est un des meilleurs gars que je connaisse. Comme je le connais depuis toujours, ce n'est pas rien qu'une impression. C'est fondé sur toute sa vie. Mikaël, c'est un grand cœur patient, compréhensif, calme, généreux et tripant. Lui et son copain Émile sont simplement... je sais pas... deux grands nounours, forts, réconfortants... Tu comprends si je te dis qu'ils sont comme de vieux chandails rassurants qui gardent des traces d'odeurs agréables et qui sont encore chauds.

— Oui.

— Je ne te connais pas, mais c'est exactement ce dont j'aurais besoin si je perdais tout ce que tu as perdu. Je n'aurais pas eu l'énergie nécessaire pour tenir tête à Raphaël. Je me serais retournée vers Mikaël, j'aurais ouvert les bras et j'aurais attendu qu'il me dise que tout est beau avant de sortir de là. Tu comprends un peu l'idée que je veux te donner de lui ?

— Oui.

— Laisse-le prendre soin de toi. Il va prendre soin de lui en même temps, si quelqu'un compte sur lui.

12

Un temps de chien

J'ai une impression de déjà-vu. C'est comme un retour en arrière de vingt-quatre heures, ou tout près. Les garçons se présentent en kilt dans la chic salle à manger. Puisque les familles Montcalm et Saint-Charles sont des clients fidèles et que les autres convives sont amusés et non offusqués, ils ne se font pas avertir d'adopter une autre tenue. Je visualise Mikaël comme Victoria me l'a si affectueusement décrit. Chaque minute, je m'enlise un peu plus dans les mailles de son gros pull gris foncé.

Mikaël est suave. Je ne sais pas trop quel mot pourrait le décrire mieux. Il fait attention aux autres, il est doux, il ne fait pas de mouvements nerveux ou d'une envergure menaçante, il a de grandes mains chaudes et posées, il ne parle jamais plus fort que les autres, ce n'est pas une machine à blagues comme son frère

Raphaël. Mikaël est simplement là, ouvert aux autres et au bonheur des autres.

Nous choisissons le menu dégustation avec les vins harmonisés aux différents plats. C'est… parfait. Les deux couples de parents ont les yeux brillants en regardant leurs quatre enfants chacun. Marie, la mère de Mikaël, vient s'asseoir à mes côtés le temps qu'Arielle passe à la toilette et qu'à son retour elle aille se coller contre son père comme une fillette amoureuse de son héros.

Marie : Comment ça va, ma puce ?

— Bien, je vous remercie !

— Je veux t'offrir ma présence, si jamais. J'ai tendance à adopter les amis de mes enfants comme s'ils étaient mes propres enfants. Ne le prends pas comme une insulte ou comme si je te prenais pour un bébé. Tu vois, j'ai perdu ma mère quand j'avais douze ans et une partie de mon père pendant plusieurs années. Je sais que j'aurais eu besoin de quelqu'un pour m'écouter, quelquefois. C'est la mère de mon premier copain qui a joué ce rôle-là auprès de moi et je lui en serai toujours reconnaissante.

Sourire.

— Je me souviens encore de plusieurs conversations que j'ai eues avec elle pendant que son fils dévalait les pentes en ski ou jouait au soccer. On avait même parlé de la signification des souliers qu'on porte.

Hochement et sourire.

— Si un jour tu veux me parler de choses qui te tiennent à cœur, tu es la bienvenue et je t'écouterai avec joie.

— Merci, Marie. Vous êtes… L'expression fée-marraine existe déjà, mais vous seriez plutôt une fée-maman. Les Montcalm sont chanceux de vous avoir pour veiller sur eux.

— Tu es très gentille, ma belle Sarah. Vraiment !

Arielle : Bon, je suppose que tu viens de te trouver un autre poussin à protéger, ma maman ?

— Exactement, ma chouette !

— Alors, dis oui, Sarah !

• • •

Ce sont les Montcalm. Alex, leur père, est tout aussi sympathique que ses enfants. Il n'est pas du genre à se mêler de ce qui ne le regarde pas, mais il est toujours là pour eux, sans les juger. J'observe Gabriel, aussi. Il s'occupe bien de son petit Hugo et de Marianne, un peu comme Christopher le fait avec Cendrine et sa bedaine. J'adore cette façon de nommer le ventre des femmes enceintes.

Raphaël et Victoria sont toujours intenses, que ce soit quand il s'agit de s'embrasser à pleine bouche ou de se rabrouer l'un et l'autre avec vigueur. Maëna Cartier est ultra-intense, mais Alexandre Saint-Charles est plus flegmatique et terre-à-terre ; le résultat offre donc une certaine stabilité passionnée. Arielle est vivante et pétillante. Elle a toujours plein de trucs à raconter. Elle est drôle et charmante.

Intérieurement, je finis mon tour de table par Mikaël. Il discute avec son père, Alex. Il parle avec entrain, un joli sourire aux lèvres, pendant que sa sœur me raconte quelque chose dont je ne me souviendrai pas le moins du monde la minute d'après.

Arielle : C'est incroyable, non ?

Je fais un léger hochement de tête et un sourire, vu que je n'ai aucune idée du sujet sur lequel je me prononce. Elle rit de bon cœur.

— Tu ne m'écoutes pas du tout.

Elle dit ça très fort et s'amuse véritablement de sa déclaration. Elle attire tous les regards vers nous. Moi, je baisse les yeux, mal à l'aise.

Mikaël : C'est ma faute, Arielle. J'ai pris trop de son énergie, aujourd'hui.

Victoria : Et je l'ai achevée en l'emmenant se promener sur le lac.

Elle regarde Mikaël avec un air de connivence. Je leur adresse un sourire rusé et tous les deux réussissent à me décocher un clin d'œil au même moment.

Nous allons au même pub que la veille, mais cette fois nous y passons tous directement au sortir de table. Plus la soirée avance, plus la fatigue me gagne et plus je me sens chez moi, en Angleterre. Les gens autour de nous parlent anglais, sûrement des touristes américains reconnaissables à leur accent, les verres de scotch et de bière foncée se vident doucement mais sûrement, et je finis par croire vraiment que je suis de retour dans un vieux pub de mon père et que je tombe sous le charme de l'Angleterre.

Je suis bien. J'imagine Arthur débarqué depuis peu et je sens ses bras qui s'enroulent autour de moi, ses lèvres et sa langue agressives… Et les yeux de Matthew.

Un peu plus et je parlerais anglais moi aussi. Mon cerveau s'est mis en mode anglophone et j'ai presque de la difficulté à écouter les conversations en français. Tellement que je m'assois aux côtés d'Arielle et que je la laisse répondre à toutes mes questions. Elle me dit qu'elle fera peut-être un voyage dans les pays francophones de l'Europe. Je lui parle de ma mère qui venait de la Provence, je lui dis de me tenir au courant si elle pense faire une visite dans cette région. Je voudrais qu'elle aille voir ma grand-mère. Je lui parle des champs de lavande, des vins, des domaines, dont celui de notre famille, et de tout ce qui me manque de la Provence. Je me vois instantanément courir dans un grand vignoble, toute petite, vers les bras ouverts de mon père agenouillé dans les herbes courtes, alors que ma sœur Rachel est dans les bras de ma mère. Mon père se laisse tomber sur le dos, fixe une fleur de lavande dans mes cheveux et me donne un baiser dans le cou.

— Je vois un baiser dans ton cou. Oh! Un autre! Oh, il y a un million de baisers, là!

— Papa! Ça chatouille.

— Je sais, mais je ne peux pas laisser les baisers s'envoler.

● ● ●

Mikaël, les yeux brillants et le sourire doux aussi bien qu'heureux: Comment ça va, Sarah?

— Oh! Est-ce que le scotch commencerait à faire effet?

— Hummmh! Je pense que oui.

— Je me suis souvenue de quelque chose, en discutant avec ta sœur, tout à l'heure.

— Raconte-moi!

Il me prend dans ses bras pour nous asseoir

doucement tous les deux dans un des gros fauteuils de cuir du pub. Je lui décris le domaine de ma famille maternelle en Provence, avec le vignoble et la lavande, et lui raconte le jeu de mon père qui consistait à faire apparaître des baisers en posant ses lèvres derrière mon oreille, sur ma nuque, dans mon cou, sur mon épaule sur mes joues... Mikaël a un beau sourire.

— Je te fais pousser de la lavande aussi, alors !

— Quoi ?

— Dans le verger, je vais te faire pousser de la lavande, pour que tu t'ennuies moins de la Provence.

— Je vais demander à ma grand-mère qu'elle nous envoie des graines. J'essayerai de les faire germer pour toi et j'irai t'aider à faire quelques belles allées de lavande. J'ai réussi avec les graines de rosiers de ma mère, je suppose que la lavande n'est pas beaucoup plus difficile à faire pousser.

— Tu veux essayer de me faire pousser quelques rosiers anglais, aussi ?

— C'est beaucoup, beaucoup de soins et de patience, par contre. Ma mère devait passer une bonne demi-heure tous les jours dans ses roses.

— Hum ! Je n'ai aucun problème à te partager une demi-heure tous les jours avec des rosiers.

— Tu pourras venir voir si les rosiers font ton affaire. J'en ai dans ma cour intérieure. Ils sont minuscules, mais ils ont un super potentiel. Comme ils sont plantés serré, je verrai si je peux te donner ceux que je devrai enlever.

— Oh, parce que maintenant j'ai droit seulement à ce qui est de trop ?

— Mais ça reste un privilège !

Mikaël, tout bas : Tu sais quoi ?

— Non !

Il approche la bouche de mon oreille pour me dire :

— Je vais aller me coucher, parce que je suis sur le point de t'embrasser.

Il pose son front dans mon cou.

— Je suis désolé.

J'enroule mon bras autour de sa tête.

— Je vais aller me coucher aussi. Je suis fatiguée. Ça fait plus d'une heure que je dors debout.

— Hum !

Il relève la tête et me regarde droit dans les yeux.

— Alors, tu es très belle quand tu dors.

— Allez, hop, on y va !

— Je vais dire à Gabriel et à Raphaël qu'on part !

— Ça va.

Nous revenons au chalet main dans la main et allumons un feu dans le foyer du salon. C'est facile : le foyer intérieur est au gaz. Nous refaisons son lit sur le sofa et j'accepte de regarder les flammes avec lui, sous les couvertures. Je m'endors là, dans ses bras. Je me réveille quelques heures plus tard, couverte de sueur, avec un urgent besoin d'aller aux toilettes.

Quand je ressors du cabinet, Mikaël est assis devant le feu. À voix basse, je lui dis :

— Je suis désolée ! Je ne voulais pas te réveiller, mais j'avais vraiment besoin d'aller au petit coin.

— Je n'ai pas encore réussi à dormir, Sarah. Ça va.

— Oh ! C'est encore pire !

— Non !

— Mais déjà que tu n'as pas dormi la nuit dernière…

— Hum ! C'est pas grave !

— Je vais aller dans ma chambre. Comme ça, tu vas avoir tout le sofa pour toi, au moins.

— Merci !

— Si tu veux, tu peux venir dans ma chambre aussi.

— Merci, mais non, merci !

J'exhale un soupir de soulagement discret.

— Super ! Alors, dors bien !

— Bonne nuit !

Je n'arrive pas à refermer l'œil de la nuit.

La pluie est au rendez-vous en cette dernière journée. Je remets toutes mes affaires dans mon sac, sauf mon manteau d'automne, et je vais dans le salon. J'interpelle Mikaël tout bas. Ses yeux s'ouvrent à moitié et se referment :

— Oui ?

— Tu veux aller dans ma chambre ? Moi, je ne dors plus et je vais venir m'installer à la table. Tu as besoin d'aide ?

— Non. Sarah ?

— Oui ?

— Il est quatre heures du matin !

— Je sais.

— Qu'est-ce que tu fais debout ?

— Je n'arrive pas à dormir.

— Tu as froid ou quelque chose ?

— J'en sais rien.

Il s'assoit et frotte ses yeux et ses cheveux.

— Tu veux que je fasse quelque chose pour toi ?

— Oh, non ! Va dormir !

J'allume le foyer. Je fais du café et m'installe dans ses couvertures encore chaudes et parfumées de l'odeur de son cou. Une petite boule éclate dans mon ventre.

Je sors le papier et les crayons et j'écris tout ce qui me passe par la tête au sujet de la Cafetière.

Je me dis que je pourrais faire une fête spéciale à l'Halloween. Je dessine des lanternes en forme de citrouilles. Pour novembre, je travaille le thème des crèmes, des potages et des soupes. Pour décembre, j'envisage le thème des canneberges.

Je m'effondre. Mes parents ne seront pas présents. Ce sera mon premier Noël sans eux. Je sens mes larmes couler lentement sur mes joues. J'ai une pensée pour Leonard, tellement loin de moi à ce moment.

Maëna : Bonjour, Sarah. Tu es matinale !

— Ah ! Bonjour, Maëna.

— Qu'est-ce qui se passe ?

— Rien !

— Je vais me faire un café. Toi, tu penses à la manière dont tu vas m'expliquer comment un rien peut faire pleurer…

Maëna : Alors ?

— C'est stupide. J'étais en train de réfléchir aux thèmes des prochains mois pour la Cafetière et j'ai réalisé que je n'aurai ni mes parents ni vraisemblablement ma sœur à mes côtés, cette année.

— Et les Wolfe font quoi ?

— J'en sais rien ! Leonard ne s'arrêtera pas de travailler pour ça. Emily-Kim risque de passer Noël avec Jean-Nicolas et ses parents…

— Alors, viens chez moi. Québec, c'est la plus belle place pour fêter Noël.

— On verra ! Je vais aller marcher. J'ai besoin d'être dans ma bulle.

— Oh ! Je peux aller dans ma chambre. Reste ici ! Ne va pas dehors par ce temps de chien !

— Non, j'en ai besoin. Je m'ennuie de l'Angleterre ; ça me fera apprécier d'être au chaud quand je rentrerai !

— Si tu veux…

— Merci !

Je mets mes bottes et mon manteau et je sors dans la noirceur du matin. Je reste longtemps dehors, à marcher dans les sentiers qui sillonnent la forêt. Finalement, mon manteau donne sa démission. L'eau de pluie se met à couler entre mon cou et le col. Le cuir de mes bottes se met à absorber l'eau des flaques. Des gouttes froides dégoulinent de mes cheveux. Je vais faire le pied de grue sur le bout du quai jusqu'à ce que les lueurs du soleil pâlissent l'épaisse couche nuageuse. Je remonte enfin vers le chalet.

Victoria m'ouvre la porte, une grande serviette dans les mains. Elle m'aide à me sécher sommairement et à enlever mes vêtements d'extérieur. Puis elle me dit de filer prendre une douche. Je passe plusieurs minutes sous le jet d'eau chaude et j'utilise le shampooing de la savonnerie Bella Diva qu'Arielle m'a tendu dans le cadre de porte. Je fouille dans mon sac pour y trouver mes derniers sous-vêtements propres, mes jeans et mon dernier chandail. Je sors, la serviette entortillée sur la tête. Victoria tire une chaise pour m'y faire asseoir. Elle sort une brosse de son sac et démêle mes cheveux en les essorant de temps en temps. Puis elle va chercher son séchoir à cheveux et me sèche tout à fait. Je suis bien. Je crois que je pourrais dormir. Raphaël me prépare un café bien chaud. Personne ne me parle directement, mais tout le monde m'a à l'œil. Mikaël s'est réveillé à cause du bruit du sèche-cheveux. Il vient vers moi.

— Hé !

— Hé !

Victoria va se blottir dans les bras d'un Raphaël extrêmement doux et calme. Maëna colle sa tête dans le cou d'Alexandre. Cendrine, Christopher et Arielle partent déjeuner.

Mikaël se place derrière moi et dépose un baiser dans mes cheveux. Il continue ensuite son chemin pour aller au petit coin.

Victoria : Est-ce que tu viens manger avec nous, Sarah ?

Je fais oui d'un mouvement de tête.

— On va attendre Mikaël. Il devrait être prêt dans deux minutes. Hé, Montcalm, tu as deux minutes !

Elle va frapper à la porte de la salle de bain. On entend la réponse, étouffée.

— C'est bon !

Victoria me regarde.

— Tu as besoin de quelque chose de chaud pour te couvrir, toi.

Raphaël : Je vais voir avec Mikaël. Il a sûrement un chandail de trop, et je vais faire l'aller-retour pour obtenir des parapluies au manoir. Donnez-moi le temps d'y aller et de revenir.

— Merci, mon chéri !

— Ça me fait plaisir, mon amour !

Je gratte la racine de mes cheveux. J'ai rarement vu Victoria et Raphaël aussi détendus en même temps. Alexandre Saint-Charles s'approche.

— Ça va, Sarah ?

— Oui !

— Tu as l'air fatiguée !

— Oui ! Il faut croire que je n'ai pas assez dormi.

Maëna : Bon ! On ne fera pas durer le plaisir pour rien, Sarah !

Mikaël sort du cabinet. Elle continue :

— On s'inquiète pour toi et on est tous tristes à mourir parce qu'on ne sait pas quoi faire pour t'aider.

— Oh ! Ça va aller, Maëna. Ça a été difficile pendant quelques minutes. Ça va, maintenant.

— Mais non, ça ne va pas. On est tous devant une situation inconnue pour laquelle on n'a pas vraiment de solution. On veut tous te trouver une vie joyeuse à te coller pour que tu sois heureuse. On déteste tous que quelqu'un qu'on aime soit malheureux. Ça nous dérange, ça nous tue. Ça fait en sorte que notre propre bonheur nous paraît inapproprié.

Je me lève spontanément.

— Pfff ! Je suis désolée.

— Non ! Tu n'as pas à être désolée. Je te dis ce qui se passe. Assieds-toi !

— Mais tu me rends responsable ou coupable de je ne sais pas quoi ! Je ne veux pas de ta pitié. Je ne veux pas que tu trouves une solution à ma vie. Je suis en train de refaire mon bonheur. Ça passe peut-être beaucoup par le travail. Mais je cherche… bordel !

— Et tu crois que c'est en ajoutant encore sur tes épaules et en prenant le projet de Mikaël en charge que tu vas vivre d'autre chose que du travail ?

Mikaël : Qu'est-ce qui se passe, Maëna ? Pourquoi lui tombes-tu dessus comme ça ?

— Dis-moi ce que tu ferais pour lui rendre tout le bonheur auquel elle a droit !

— Maëna, pour une fois, je suis loin d'être d'accord avec ta façon de faire. Ce n'est pas en garrochant tout ce qu'on pense et en croyant que tout le monde est capable de le prendre qu'on doit dire les choses. Tu crois peut-être que tout le monde arrive à assumer les choses comme toi, mais ce n'est pas le cas. Et c'est pas parce que tu ne trouves pas une solution en moins de cinq minutes que tu dois faire sentir aux autres qu'ils n'y arriveront pas.

Victoria : Wow ! Hum ! Je suis d'accord avec Mikaël, même si j'ai souvent tendance à être comme toi, Maëna. Mais je ne veux pas que tu penses que je veux aussi choisir pour toi, Sarah. Je t'ai dit hier ce que je croyais vraiment être pour toi un barreau de l'échelle qui pourrait te rendre heureuse. En fait, vous rendre heureux…

Elle jette un coup d'œil vers Mikaël et ouvre la porte à Raphaël qui arrive avec les parapluies. Cela fait, elle regarde Mikaël à nouveau

— Mais ne le prends pas comme une solution garrochée.

Raphaël : Les limousines sont là pour vous, mesdemoiselles !

Des limousines noires.

Moi : Allez-y sans moi. Je n'ai pas beaucoup faim.

Maëna : Je suis désolée !

— Non, ça va ! J'ai pas besoin que tu te désoles pour moi.

Alexandre : Viens, Maëna ! Merci Raphaël !

— De rien !

Il lui tend un des manches de bois.

Alexandre : Ça va aller, Sarah. J'ai confiance en toi.

Il referme la porte sur une Maëna à la mine basse.

Raphaël: Qu'est-ce qui vient de se passer?

— Je vais vous dire de long en large ce qui se passe. Quand Maëna s'est levée, ce matin, elle est arrivée au moment où je venais de prendre conscience que mes parents et Rachel allaient me manquer à Noël. Même si nous n'avons jamais eu de Noël extra, au moins nous étions ensemble. Je suis désolée, mais ça la rend dingue de penser qu'elle puisse être heureuse pendant que, moi, je ne le serai peut-être pas. Elle croit peut-être que je dois me grouiller les fesses afin de déborder de joie pour que sa dinde de Noël ne lui passe pas de travers dans la gorge… Je vous demande pardon. Je ne devrais pas parler d'elle comme ça.

Je baisse les yeux. Victoria vient vers moi. Elle me prend dans ses bras et se met à pleurer:

— Sarah, je ne peux pas…

— Ça va Victoria!

— Jure-moi que tu…

— Ça va!

— Je ne peux tellement pas m'imaginer que je perds ma famille d'un coup!

— Mais ça ne t'arrivera pas! Tu n'es pas obligée de t'imaginer un truc pareil.

Elle pointe les deux frères d'un doigt sévère, hésitant à changer de sujet.

— Vous, gardez ça pour vous deux, compris!

Mikaël répond par un hochement de tête, Raphaël en fermant les yeux. Je reste immobile. Victoria puise du courage en plantant son regard dans celui de Raphaël qui reprend contact avec elle pour la soutenir, heureux.

Victoria: J'ai perdu un bébé, le mois passé.

Mikaël: Oh non!

— Il serait arrivé en même temps que celui de Christopher et je ne suis pas capable de me réjouir pour eux. Quand je pense que mon bébé aurait pu… Wouah !

Raphaël : Ça va, Victoria !

Moi : Non, ça ne va pas, Raphaël ! Je ne sais pas pourquoi on a toujours tendance à faire semblant qu'on est heureux et qu'on passe à travers tout, la tête haute. Victoria s'en est pris plein la gueule.

Mikaël : Ça fait un bout de temps que vous voulez un petit ?

Victoria : Depuis qu'on sait pour Rosalie et Emmanuel !

Raphaël : C'est seulement qu'on n'a jamais eu à attendre après grand-chose dans notre vie. Et là, ça ne se passe pas exactement comme prévu. Ça peut prendre un petit bout de temps. Comme il y a eu des grossesses autour de nous, on a un peu l'impression de prendre du retard. Là, ça y était. Les tests étaient positifs. Et on a perdu le bébé. Comme on ne voulait pas en parler, on vit ça un peu dans l'anonymat. Mais je suis content, ma chérie, que tu en parles un peu, aujourd'hui.

Victoria approuve en inclinant la tête.

Moi : Je te remercie de ta confiance, alors !

Victoria : Hum !

Mikaël : Et toi, Raphaël ? Comment tu prends ça ?

— Ça va pas si mal ! Mais j'ai hâte de vivre… toute la patente !

Victoria : Toute la patente ?

— Oh que je t'aime ! Je t'aime tellement quand tu es comme ça !

Il prend sa douce sauvagesse dans ses bras.

Mikaël : Partez devant nous. On va aller vous rejoindre.

Raphaël lui donne une poignée de main propre aux Montcalm et lui fait une accolade. Nous les regardons partir sous l'ondée, réfugiés sous leur parapluie, collés, à la limite de s'enrouler l'un sur l'autre.

— Tu peux aller manger, Mikaël. Je n'ai pas faim.

— Tu veux qu'on regagne Montréal tout de suite ?

Je hausse spontanément les épaules.

— Donne-moi cinq minutes, je ramasse nos bagages et je vais les porter dans la Subaru. On roulera jusque chez toi.

Je fais la fameuse petite grimace qui annonce que je vais peut-être pleurer. Il fronce les sourcils et s'approche de moi. Je mets ma main entre nous deux. Il l'attrape, la retourne et y pose les lèvres.

— Je prépare mes affaires. Si tu veux vérifier que tu as toutes les tiennes…

Moins de cinq minutes plus tard, nous sommes à la table de sa famille pour dire au revoir et remercier. Sa mère me prend dans ses bras.

Marie : Si tu le veux bien, je vais passer à ton café, cette semaine ou la suivante.

— Cela me fera plaisir !

— Il y a des moments plus calmes ?

— Delphine ou Mathilde sont toujours là et, doucement, je me libère de la gérance pour m'occuper exclusivement du déménagement du 1er décembre. J'aurai donc autant de disponibilité que je le souhaite.

— Parfait, mon ange !

Elle m'embrasse et j'ai les larmes aux yeux. Elle me fait un clin d'œil.

164

Marie : Pars tout de suite ! On se revoit bientôt.

Alex : Au revoir, ma belle Sarah ! On se revoit bientôt ?

— J'en sais rien, mais j'espère bien !

Alex : Bon retour ! Et sois prudent, Mikaël !

— Comme toujours, papa !

Il me tend la main, je glisse mes doigts vers sa paume et nous partons en courant entre le manoir et la voiture.

— Ma mère va aller te voir, tu peux en être certaine ! Tiens !

Il me tend son chandail de la veille.

— Tu peux le mettre en boule pour te faire un oreiller. Tu devrais dormir. Tu es toute pâle !

Je ne me souviens même pas d'avoir vu le village de North Hatley. Il me réveille doucement quand nous arrivons dans le Vieux-Montréal. Il trouve une place tout près de la maison où il peut laisser sa voiture. Il monte avec moi dans la chambre de Leonard. Il me borde et me dit de dormir :

— Donne-moi des nouvelles, tu veux ?

— Oui !

— Tu vas me manquer, Sarah !

— Passe me voir au café.

— Je ne suis pas du tout dans le coin, d'ici les premières neiges.

— Tu es où ?

— Dans Charlevoix. C'est un peu loin d'ici pour venir prendre un petit déjeuner. Mais je devrais revenir vers la mi-décembre ou au plus tard pour Noël.

— Merci pour tout, Mikaël ! Je ne sais pas comment te remercier.

— Dis-moi que tu me réserves une journée pendant les vacances de Noël…

— Sans problème !

— Profite de ta journée de congé ! Je barre la porte derrière moi.

— Merci !

Je traduis lentement « barrer la porte » par « verrouiller ».

— C'est un plaisir, crois-moi !

Je dors toute la journée. Puis toute la nuit. Le lendemain, je suis épuisée. Mathilde prend le café en charge deux autres jours, finalement.

Le soir de l'Halloween, nous plaçons des dizaines de citrouilles découpées de manière à représenter des visages. Celles sur le trottoir indiquent la direction du café depuis la colonne Nelson, place Jacques-Cartier. Nous proposons un souper au goût de courges, de pommes et de citrouilles, suivi d'un bal qui se terminera à minuit sonnant. Je revêts un costume formidable, un des plus simples et gracieux d'Amidala, l'ambassadrice de *Star Wars*, un de mes personnages préférés. Quand on ferme les portes, sous le gong géant loué pour l'occasion, je m'effondre dans une chaise. Delphine vient me voir, les yeux brillants et le sourire jusqu'aux oreilles :

— C'est le plus beau bal d'Halloween que j'ai vu de toute ma vie !

— Tant mieux !

— Vous êtes fatiguée, hein ?

— Je crois que oui.

— Vous devriez prendre quelques jours avant de vous lancer dans le déménagement.

— Je crois que tu as raison.

— Vous pouvez compter sur Mathilde et sur moi.

— Je vais prendre trois jours.

— Parfait. Voulez-vous prendre des crèmes pour les manger pendant votre congé ?

— Oh ! C'est une bonne idée !

J'ai envie de partir. Je me décide à aller visiter la ville de Québec. J'arrose mes fleurs, ferme toutes les fenêtres et programme le chauffage à dix-huit degrés. Je mets un gros bol de lait pour le chat noir du voisin et je pars pour la fin de semaine. Je m'attends à revenir le lundi suivant.

La ville de Québec est très belle. Je marche tout le sentier pédestre qui longe le Saint-Laurent depuis la Basse-Ville jusqu'aux ponts de Québec et Pierre-Laporte et je reviens sur mes pas. Je mange une queue de castor près du Château Frontenac et je vais faire dodo dans un bel hôtel près de la place d'Youville où j'ai retenu une chambre. J'ai marché plusieurs dizaines de kilomètres et je suis à bout de forces.

Le lendemain matin, toute la ville est blanche, recouverte de quelques centimètres de neige. C'est magnifique. Je vais marcher sur la terrasse Dufferin et dans le quartier Petit Champlain. J'entre dans quelques belles boutiques et je vais manger dans un restaurant charmant dont l'enseigne représente un cochon rose et qui propose une magnifique carte de desserts. Je marche ensuite dans le Vieux-Port en m'attardant au Saint-Laurent qui coule paresseusement vers l'Atlantique.

Toute la neige a fondu, mais les blanches lumières de Noël sont tout de même allumées, égayant les petits sapins ainsi que les tours de portes et de fenêtres des commerçants.

Le samedi matin, je me rends aux chutes Montmorency. Je fais une longue marche encore et je vais faire le tour de l'île d'Orléans en voiture. Je m'arrête à certains endroits pour acheter des produits du terroir. J'appelle à la Cafetière pour prolonger mon escapade de quelques jours encore.

Le dimanche matin, je retourne dans le Petit Champlain, le quartier que j'ai préféré, avec l'idée de remonter sur les célèbres plaines d'Abraham, là où un parent éloigné, général de l'armée anglaise, a trouvé la mort aux côtés de Montcalm…

Mon cœur s'arrête de battre. À une centaine de pas de moi, je reconnais une stature carrée, grande, à la tête foncée, qui enlace une jeune femme en marchant dans les rues romantiques. Je reconnais son rire. Je ne peux pas me tromper. De gros flocons blancs, longs comme des plumes, se mettent à tomber du ciel. J'en reçois un, puis deux et un autre directement dans le cou. Je frissonne.

Mikaël : Sarah ?

— Salut !

— Wow ! Qu'est-ce que tu fais ici ?

— Mathilde et Delphine m'ont convaincue de prendre quelques jours avant d'entamer le déménagement de la Cafetière et je suis venue visiter Québec. Je n'en avais pas eu la chance encore.

— Tu aurais dû m'attendre. Québec est une ville magnifique, à deux. Et j'aurais pu t'emmener dans des endroits charmants que j'ai découverts.

— Heu! Oui. Mais tu...

Mikaël : C'est Clothilde!

— Enchantée!

Je lui tends la main.

— C'est ma cousine!

— Oh!

— C'est Sarah! Voilà, tu sais c'est qui, maintenant!

— Enchantée, Sarah! Mikaël me parle de toi chaque fois qu'on se voit depuis septembre. C'est vrai que tu vas lui donner un coup de main pour son auberge?

— Euh! Oui!

— C'est chouette! J'ai hâte d'aller vous visiter. Vous allez faire un malheur.

Mikaël a toujours son grand sourire. Il s'élance vers moi sans prévenir et me prend dans ses bras en serrant les mâchoires et en souriant en même temps.

— Tu me manques!

Moi : Je croyais que tu étais dans Charlevoix! Pas à Québec!

Mikaël : Je suis à Cap-aux-Corbeaux. C'est à une heure et demie de chez mon oncle Xavier. Je viens une fin de semaine sur deux chez lui. Je devrais pouvoir revenir à Montréal au début de décembre, finalement. Je voulais te faire la surprise à l'ouverture de la nouvelle cafetière. Raphaël m'a dit que ça risquait d'être génial.

Clothilde : Si tu veux bien, j'irai aussi. Arielle n'arrête pas de m'en parler. En même temps, je vais explorer les apparts ; je commence le cégep à Montréal dans un an.

Moi : Oh! Il n'y a pas de problème.

Clothilde : Mikaël, je vais aller chez nous. Tu viens me rejoindre, si tu veux. Sinon, bonne fin de séjour ! Au revoir, Sarah ! Je suis contente de t'avoir rencontrée.

Elle part en empruntant l'escalier Casse-Cou. En quelques minutes de grosse neige mouillée, le sol est à nouveau recouvert.

Mikaël : Alors ?

Je fais un sourire carré.

— Alors quoi ?

Il me prend dans ses bras avec un grand sourire.

— J'en sais rien ! Comment tu vas ?

— Eumm ! Bien ! Toi ?

— Je ne porte plus à terre.

Je mets les sourcils en triangle et finis par sourire. Il reprend :

— Je compte les dodos avant de revenir à Montréal. Je travaille sur notre projet tous les jours et je fais des recherches à n'en plus finir pour le plan d'affaires. Je m'informe à gauche et à droite. L'agriculteur chez qui je travaille, à Cap-aux-Corbeaux, me met au courant aussi de subventions et d'autres moyens de financement qui pourraient être intéressants pour nous.

— Mikaël ?

— Oui ?

Je prends une grande inspiration.

— C'est super !

— C'est pas du tout ce que tu voulais me dire, par contre !

Je hausse mon épaule gauche en faisant la moue.

Mikaël : Je sais que c'est mon projet, mais, comme je veux que tu puisses avoir toute la liberté possible pour prendre des décisions et même ajouter des trucs qui te feraient plaisir, je préfère dire que c'est notre projet.

J'acquiesce.

— Tu me manques tellement, Sarah! Je pense à toi tout le temps.

— J'ai été en couple quelques semaines avec Zachary, Mikaël. Tu le savais?

Il se fige.

— Avant l'Action de grâce. Si ça a une importance pour toi…

Il a les mâchoires serrées.

— Et je lui avais dit en blaguant que j'allais me faire tatouer ZIA sur l'épaule: zéro implication affective.

Il ne bouge pas.

— Tu vas faire quoi, Mikaël, si ça ne marche pas pour nous deux?

— Dans ce cas, on verra pour la garde partagée de nos enfants. Mais ça va marcher.

Il enchaine aussitôt:

— Impossible que ce soit autrement. Fais-moi confiance, Sarah!

Il devient plus grand et plus large instantanément, comme s'il se préparait à essuyer une défaite devant mon silence et·mon immobilité.

— Tu as quelqu'un d'autre, Sarah?

Je penche la tête sur le côté et fronce les sourcils.

— Mais non! Je n'aurais pas le temps. J'ai envie de pleurer quand je pense à tout ce qui m'attend, le déménagement et la réouverture dans moins d'un mois. Et la petite Cafetière fonctionne encore pour le moment, aussi.

— Tu en as parlé à ton oncle William?

— Non !

— Peut-être que tu devrais le faire !

— Il vient tout juste de rentrer d'Angleterre. Rachel est installée. Il a vendu une partie des commerces de mon père et le père de Jonathan, le fiancé de Rachel, a acheté sa part des entreprises qu'ils avaient en copropriété. Mon oncle en a déjà plein les bras. Je vais faire une grande fille de moi et aller jusqu'au bout du projet d'agrandissement toute seule.

— Mais si tu avais quelqu'un avec toi, est-ce que ça t'aiderait, ou pas ?

— Je n'en sais rien ! Pas s'il faut que j'explique tout ce qu'il y a à faire et que ça prend autant de temps.

— Et Delphine ou sa sœur ?

— Elles ont déjà la petite Cafetière à gérer.

— Tu veux que je vienne te donner un coup de main ?

— Tu travailles bien trop loin, Mikaël !

— Je risque d'écourter mon séjour là-bas, de toute façon. Si l'hiver prend vite, on ne pourra pas faire plus. Je crois que monsieur Saint-Gilles va me laisser partir. Il est au courant de ma rencontre avec toi. C'est assez simple.

J'ai envie de l'implorer de venir m'aider autant que de faire mon indépendante. Mais comme en affaires il faut laisser transparaître le moins de sentiments possible…

— Mais non, Mikaël ! Je ne veux pas de ton aide.

Les paroles de Victoria se répercutent dans tout mon être.

— C'est pas vrai ! *Oh God* ! C'est tellement pas vrai !

— Qu'est-ce que tu veux que je fasse pour t'aider ?

— Tout !

— Bon ! Tu me laisses une semaine. Je vais voir comment monsieur Saint-Gilles va s'en sortir sans moi et je te donne des nouvelles. Ça te va ?

Minihochement de tête de ma part.

— Tu m'accompagnes sur les plaines, général Montcalm ?

— Avec plaisir, général Wolfe !

Il attrape ma main qui se tord dans ma mitaine depuis plusieurs minutes.

Nous remontons sur les plaines d'Abraham avec sa voiture, qu'il stationne près du Musée de Québec. On marche un peu en ne parlant que de choses sans importance. Il m'emmène à la fameuse tour Martello du cap Diamant et il me fait un exposé sur sa construction, ainsi que sur l'existence des autres tours du même genre à Québec :

— Tu savais que la tour Martello a été construite sans l'autorisation de Londres ?

— Non.

— Et tu ferais quoi si je t'embrassais sans l'autorisation de l'Angleterre ?

— Je n'en sais rien !

Il m'adosse à la pierre mouillée, enlève ses mitaines avec ses dents et prend ma tête dans ses grandes mains chaudes. Il appuie son front contre le mien. Ses cils viennent caresser mes joues. Ses lèvres se posent sur les miennes et il m'embrasse à la française.

Ses épaules sont légèrement voûtées vers moi. Ses moufles sont coincées sous son bras et, comble de bonheur, il goûte le chocolat à la menthe. Je mets mes mains sur ses hanches, juste au bas de son ventre. Et je refais l'histoire de la Nouvelle-France en laissant gagner le général Montcalm…

13

Les copines de Rachel aux quatre coins de Londres

J'avais huit ans. Ma sœur et ses copines se trouvaient infiniment plus vieilles, avec leurs dix ans à peine entamés. Elles s'enfermaient dans leur chambre avec des revues auxquelles elles s'abonnaient toutes; elles trimballaient chacune leur exemplaire et répondaient simultanément aux questionnaires portant sur leur personnalité ou qui leur révélaient si une relation pouvait être viable avec les mecs qu'elles avaient en tête. J'avais déjà mon opinion concernant les résultats complètement barges obtenus par la somme des réponses.

Ces mijaurées, graduellement, elles en sont venues à m'isoler de ma sœur. Quand nous avions de nouveaux secrets, Rachel se retournait vers son club de lectrices de revues stupides. Peu à peu, elle m'a caché ses découvertes, ses rêves, ses pensées secrètes, ses plans, ses amours…

J'avais dix ans quand, un bon matin, j'ai croisé

ma sœur qui tenait la main de Jonathan, sans qu'elle daigne m'accorder une microparcelle de son attention. Jonathan m'a saluée, ma sœur, non. Elle, la belle et magnifique grande blonde de l'école avec son visage parfait, ses nattes parfaites, ses longues jambes, ses dents pareilles à un collier de perles, ses magnifiques lèvres toujours un peu brillantes…

Sa nouvelle attitude me giflait profondément jusqu'au centre de l'âme. J'en pleurais, seule dans ma chambre. Ma sœur et ses copines, j'aurais voulu saboter leur garde-robe, brûler leurs revues, tuer leur amitié, les expédier par UKMail dans des coins dangereux et sanguinaires de la planète. Je les détestais. Je la détestais.

J'ai eu onze ans, j'étais toujours trop jeune pour ma sœur qui, elle, régnait du haut de ses treize ans. Ma mère a commencé à me traîner avec elle dans ses trucs pour désœuvrés. Je détestais les gens qu'elle essayait d'aider et qui ne foutaient rien pour s'en sortir. Je levais le nez sur ma ville et ses habitants. J'ai commencé à avoir un sentiment de gastroentérite envers Londres ; elle me donnait le goût de vomir et d'envoyer promener tout le monde.

Le matin de mes douze ans, Julianna est tombée dans ma vie avec ses grandes ailes d'ange corrompu, ses ongles noirs, ses lèvres bleues. Je suis tombée amoureuse d'elle. Elle m'a donné un *French kiss* devant tout le monde. J'ai souri. On s'est dit nos noms et nous avons tout de suite été les meilleures amies du monde, comme ça, pour rien. Parce que j'avais besoin d'elle et qu'elle avait besoin de quelqu'un qui avait besoin d'elle. Elle m'a dit de colorer mes lèvres en bleu pour que je ne lui vole pas son rouge à lèvres chaque fois que nous nous embrasserions. C'était la première fois, la première chose, le premier sentiment incroyablement enivrant que j'avais de toute ma vie.

Pour la fête de mes treize ans, Julianna a organisé une surprise-party. Elle m'a prise en otage, m'enlevant de l'école et me faisant rater mes classes. Nous nous sommes retrouvées dans un cimetière. St. Matthew nous y attendait, ainsi que Scott et Angus. À partir de cette journée bien précise, Julianna ne m'a plus jamais embrassée comme elle seule le faisait depuis un an. Son dernier baiser sous les yeux de Matthew m'avait levé le cœur. Julianna avait eu le plus magnifique éclat de rire de sa vie.

— Je croyais que tu allais te laisser faire toute ta vie. Ne gerbe pas, surtout ! Je pourrais le prendre mal.

Elle s'était retournée et avait embrassé Scott de la même façon. Je n'ai plus jamais porté de rouge à lèvres bleu.

14

L'issue de la nouvelle bataille des Plaines

Mikaël : Salut !

Ça fait trois jours que je n'arrive plus à rien faire du premier coup. J'ai accumulé les bourdes une à la file de l'autre. Je ne comptais pas seulement les dodos, je comptais les heures et j'en étais même venue à compter les minutes avant son arrivée. Quand il se pointe dans la porte de ma maison, presque aussi large que cette dernière avec son manteau de neige, je l'assaille littéralement.

— *Oh God* ! que je suis contente que tu sois là !

Il me soulève doucement du sol.

— Tu ne peux même pas t'imaginer ! C'est effrayant comme je suis anxieuse. Je n'arrive plus à savoir par où commencer. J'ai deux millions de trucs en tête et je suis sur le point de devenir cinglée.

Il me pose par terre et incline l'échine pour me saluer.

— Hé bien, je suis là, et à ton service.

Lorsqu'il relève la tête, il arbore un magnifique sourire. Je lui saute dessus en serrant les dents pour me retenir de lui imprimer mes ongles dans le dos.

Moi : Tu m'as tellement manqué ! C'est tellement loin, Cap-aux-Oiseaux !

Il a un grand rire.

— Cap-aux-Corbeaux !

— C'est encore plus loin !

— Tu ne peux même pas t'imaginer comme ça me fait plaisir, Sarah !

— Tant mieux ! Tant mieux, tant mieux !

— Est-ce que je peux entrer ?

— Oui. Oui, pardon. Pardon !

Il m'adresse un sourire narquois et passe dans la salle à manger, ouverte sur la cuisine.

Mikaël : Ça sent bon !

— C'est rien. Je fais réchauffer une crème de carottes à la coriandre et une baguette de pain. Je me suis dit que, après plus de quatre heures de route, tu aurais faim.

— Je ne sais pas. J'ai tellement de choses en tête. Je ne suis pas affamé. Mais je sais que ça va faire du bien.

— Alors, va t'asseoir. C'est correct si je laisse le foyer au gaz allumé, ou si tu as trop chaud ?

— Si ça ne te fâche pas, je vais enlever mon gros chandail.

Je tourne la tête dans sa direction pour le voir se déshabiller et découvrir un t-shirt turquoise foncé tiré de travers par-dessus ses jeans gris. Je souris.

— Je suis très fâchée !

Il a un moment d'hésitation.

— C'est pas vrai ! Tu veux un gros bol ou un très gros bol de soupe ?

D'un geste, il m'indique que ça lui est égal. Je lui remplis un immense bol, vu que j'ai fait réchauffer assez de crème pour toute une armée et que j'ai l'estomac tout retourné.

— Plein d'hommes de métier vont venir à partir de demain et il faut absolument que je termine tous les plans. C'est pas grand-chose, mais je ne suis même plus capable de réfléchir.

— Je suis là, Sarah. Où sont tes papiers, tes dessins ?

— Sur la table du salon !

— Bon, je me dépêche de manger et on va regarder ça ensemble. Tu m'expliques comment tu vois ça et je vais te dire ce que j'en pense. Ça pourrait peut-être aider.

L'après-midi est occupé à tout compléter et à préparer un devis pour chacune des pièces. À l'heure du souper, je suis prête pour le lendemain.

Mikaël : Écoute, je te propose de m'occuper des hommes de métier sur place. Tu m'as expliqué tout ce qu'il faut savoir. Comme ça, tu pourras faire autre chose.

— Toi, est-ce que ça te va ?

— Oui.

— Je vais m'avancer dans les couleurs et voir à retenir certains fournisseurs dont je n'ai pas encore eu le temps d'analyser la soumission.

— Parfait.

— T'es merveilleux, Mikaël !

— Merci ! Pour la suite des choses, tu veux que je fasse quoi ?

— Il y en a pour plusieurs jours déjà. Les comptoirs, les toilettes, les cuisines, les planchers, les trucs de

SARAH

bois pour les murs… Demain, les luminaires devraient arriver. Faut penser à un endroit pour stocker ces choses et noter exactement où on les place pour les retrouver rapidement.

— Dans le grenier, t'es allée voir s'il y a de la place pour ça ?

— Eumm, je pense que je n'y suis pas allée, non !

— J'irai demain. Bon, tu calcules combien de jours, pour tout ça ?

— Idéalement, cinq ou six.

— Et il reste combien de jours avant l'ouverture ?

— Dix-huit.

— Et les dix jours restants servent à quoi ?

— À tout placer en cuisine, les verres, les ustensiles des chefs, les chaudrons, les assiettes pour les clients, la bouffe dans les frigos… C'est un peu immense comme travail.

— Qui est ton meilleur chef ? Le plus efficace !

— Jacob !

— C'est le mec de Léa, c'est ça ?

Je hoche la tête en appréhendant la suite.

— Dis-lui de s'occuper de ça et trouve quelqu'un pour le remplacer à la petite Cafetière pendant ce temps-là. C'est le mieux placé pour optimiser les cuisines, non ?

— Bien oui ! Tu as raison.

— Qui est ta meilleure serveuse ?

— Pour l'équivalent du travail de Jacob, je vais demander à Mathilde.

— Super ! Et qu'est-ce qu'il restera à faire, ensuite ?

— Placer les meubles, les tables, les chaises… Faire que ça donne en vrai ce que ça donne en dessin.

— Demande à Mélodie et à Zachary de venir.

— Pourquoi ?

— Sarah ! Ils ont l'œil ! En plus, tu leur diras qu'ils peuvent placer certaines choses et prendre de belles photos pour tes pubs de Noël.

— Ffff ! Tu as raison ! Comment tu fais pour penser à ça ?

— C'est toi qui m'as dit de demander de l'aide aux experts pour mon projet. Je fais pareil pour le tien. C'est tout simple, non ? Tu permets que je me fasse couler un bain ?

— Oui. Les serviettes sont dans l'armoire en bois. Celles du haut, ce sont les draps de bain. Prends-en un, ils sont plus grands. Les savons sont au centre de l'armoire. Tu as besoin de quelque chose de spécifique ?

— Oui !

— Quoi ?

— Ton savon pour le bain préféré, c'est lequel ?

— Cannelle et orange, à ce temps-ci de l'année. Ça sent Noël !

Le bain n'est pas pour lui. C'est pour moi. Ça me fait le plus grand bien. Quand j'en ressors, Mikaël est penché sur les papiers et révise notre travail.

— Demain matin, il faut que tu réserves ton équipe d'experts pour une première rencontre. Ils doivent réfléchir tout de suite à ce que tu vas leur demander de faire. Je peux être avec toi pour répondre à leurs questions sur les plans. C'est comme tu veux !

J'acquiesce d'un signe de tête distrait.

— Et maintenant, tu vas aller te coucher.

— Mikaël ?

— Oui ?

— Tu dors où, dans tes plans ?

— Je peux dormir ici ou au condo de ma famille. C'est comme tu veux !

— Alors, ici !

— Leonard sera là, ce soir ?

— Non. Il vient rarement ici.

— Je vais prendre la chambre de Leonard, alors.

— Parfait.

Je lui adresse un sourire taquin avant de poursuivre :

— Moi aussi.

Il incline la tête vers le sol comme pour saluer respectueusement mon offre.

— Tu permets que je prenne une douche avant de te rejoindre ?

— Oui !

— Si tu t'endors avant que je revienne, ne t'inquiète pas. Je ne serai pas fâché.

Je ne dors pas quand il gagne le lit. Il pose son visage en face du mien sur l'oreiller, il me sourit et balaie mes cheveux avec ses doigts.

— Bonne nuit, Sarah !

— Bonne nuit, Mikaël !

— Ça va aller, demain ! J'ai fait pire comme supervision ! Tu veux que je mette mon réveil à quelle heure ?

— Je me réveille toujours à six heures.

— Alors, je mets la sonnerie pour six heures cinq. Ça te va ?

J'ai fait un faible oui. Il éteint et met sa grande main ouverte sur l'os de mon bassin. Moins de deux minutes plus tard, il dort. Je le suis de près.

• • •

Mikaël : Comment tu vas ?

— Bien !

— Tu as deux minutes ?

— Eumm ! Une !

— Suis-moi, je vais te montrer ce que mon frère Gabriel a préparé pour toi. Si tu es d'accord, c'est un cadeau !

Il allume l'ordinateur portable. On se branche sur le signal de la zone sans fil du café et on s'installe sur une des tables placées dans un coin du deuxième étage. Il ouvre une page Web avec le nom de la Cafetière. C'est vraiment impeccable. Il a fait un super début de travail.

— Si tu aimes ça, Sarah, il pourrait ajouter le menu complet, les différents thèmes de chaque mois et des photos de Mélodie, ou tout ce que tu veux. Comment tu trouves ça ?

— C'est génial ! Il est bon ! C'est un super beau site.

— Ça te fait une grosse semaine finalement, non ?

— Oui.

— Les comptoirs et les planchers sont vraiment beaux. Les couleurs aussi. C'est vraiment parfait.

— Moi, j'adore les tables. Mais attends de voir les meubles du troisième étage. Il va y avoir des tables basses, de longs sofas de cuir foncé, des tapis pour délimiter des salons imaginaires, une bibliothèque pleine de livres modernes, des jeux de société, des feuilles géantes et des crayons-feutres de couleur.

Mikaël : Hum ! Je risque d'être souvent ici !

— Tu veux venir souper chez moi, au lieu de retourner au condo, ce soir ?

— Avec plaisir. Qu'est-ce que tu veux que j'apporte ?

— Oh! Rien. Je vais prendre quelque chose dans les cuisines.

— Oh! pas question! C'est super bon, vos trucs, mais je suis sur le point de faire une écœurantite! Je peux m'occuper du souper?

— Si tu veux.

— Je veux! Je vais partir tout de suite. Je vais aller me changer et acheter ce dont j'ai besoin. Je vais apporter des trucs du condo, aussi. Donne-moi une heure et je devrais être chez toi.

— Tu veux que je passe acheter du vin ou quelque chose du genre?

— Non. Je m'occupe de tout, cette fois. Détends-toi en m'attendant. Profites-en!

— Je vais prendre une douche. J'ai l'impression d'avoir un pouce de poussière partout sur moi.

Il me sourit en grand.

— Je te rejoins chez toi le plus vite possible.

— Super.

La pluie est exactement comme celle de l'Angleterre, froide. Les rues sont désertes. Je suis contente de regagner ma maison. En arrivant, j'ai la plus belle des missives dans ma boîte à lettres. C'est de Rachel. Elle va bien. Elle me donne des nouvelles de Londres. Je suis contente pour elle. Elle ne parle pas de Noël. Je m'y attendais. Je laisse la lettre sur la table et vais prendre une longue douche chaude. Je démêle mes cheveux et les fais sécher. Je mets des jeans et mon chandail de sport à capuchon tellement confortable. Comme Mikaël.

Il arrive quarante minutes plus tard que prévu,

après avoir laissé un message sur ma boîte vocale. Il est courtois. Il a un grand sourire et les bras pleins.

— Tu sais, la prochaine fois, tu peux garer ta voiture derrière la mienne, dans la ruelle. J'ai deux places pour moi. Tu veux aller la changer de place ?

— Hum ! Si toi tu veux y aller absolument, c'est bon. Sinon, je crois qu'elle est bien où elle est.

— Aucune importance pour moi. Et, tiens, ça c'est une clé de la maison. Si jamais. Il ne te reste qu'à enregistrer un code personnel sur le système d'alarme. Tu veux que je mette quels chiffres ?

J'abaisse le panneau du contrôle central.

Mikaël : 12-11.

— 12-11 ?

— Pour 12 novembre.

— Oh ! C'est aujourd'hui !

— Oui..

— Et tu vas te souvenir de la date à laquelle tu as fait ton code ?

Il prend un air sournois.

— Ça devrait !

— Et comment tu vas t'y prendre ?

Je compose son code selon les instructions informatisées.

— C'est aussi ma fête !

— Aujourd'hui ?

— Oui !

— Mais qu'est-ce que tu fais ici ? Tu devrais fêter avec ta famille ou des copains !

— Hum ! J'ai trouvé encore mieux.

— Je vais au moins préparer le souper !

— Pas question ! Mais tu peux ouvrir la bouteille, si tu veux.

— Mais bien évidemment. Tu veux autre chose aussi ?

— Non !

— Tu as quel âge ?

— Vingt et un.

— Bonne fête, Mikaël !

Je m'avance vers lui pour le prendre dans mes bras et lui faire la bise.

— Merci !

J'ouvre la bouteille et, pendant qu'il prépare le souper, on fait la liste de ce qu'il nous reste à faire avant la grande ouverture. Je mange la meilleure fondue au fromage de toute ma vie. Comme dessert, il fait simplement fondre du chocolat qu'on mange avec les restants de pain. On finit la bouteille de vin. Après, on boit des tonnes de verres d'eau en mangeant des raisins rouges. Finalement, je déclare forfait et me couche sur le sofa.

— Est-ce que tu permets qu'on prenne congé, demain, Sarah ?

— Oh ! Reste ici toute la journée si tu veux. Moi, je dois absolument entrer, au moins jusqu'à quatorze heures, parce qu'il y a des livraisons de prévues. Jacob passe une partie de la journée avec moi.

— Je vais aller faire des courses. Je serai ici pour le souper. Tu veux bien qu'on mange ensemble, demain soir ?

— Oui ! Mais pas une fondue. J'ai l'impression que je vais exploser.

— Les raisins vont t'aider.

— J'espère !

Nous ne faisons pas grand-chose de la soirée. On regarde juste le feu en déplorant que la pluie ne se transforme pas en neige. On dort dans le lit de Leonard pour la deuxième fois. Je me lève toute seule, le lendemain. Il dort et je refuse qu'il se lève avec moi, puisque je dois partir vite. Mais, plus je suis avec lui, moins j'ai de facilité à m'en séparer.

Jacob et Léa sont à la Cafetière tous les deux. Je ne sais pas si Léa est au courant de ce qui se passe exactement entre Mikaël et moi. Elle vient vers moi.

Léa : Hé !

— Bonjour, Léa ! Tu es matinale.

— Je ne pouvais pas me passer de Jacob et je me suis dit que je pourrais bien vous donner un coup de main.

— Oui !

Je suis tellement contente que Mikaël soit resté à la maison !

Jacob : Ton homme n'est pas venu, aujourd'hui ?

— Eumm ! Non !

Je regarde le sol en mordant l'intérieur de ma lèvre.

Léa : Et comment il s'appelle, ce grand chéri ?

— Eumm !

Je la regarde, les yeux tristes et la mine désolée.

Jacob : C'est pas Mikaël ? Ou quelque chose du genre ?

Je ne dis rien. Je regarde Léa qui fait un long hochement de tête entendu.

Moi, au bout d'un long moment : Je suis désolée. C'était pas prévu.

Elle a un sourire hésitant.

— Nous ne sommes pas… vraiment… encore. On est plutôt partenaires d'affaires, à vrai dire.

Léa : Et tu pensais nous en parler quand ?

— Je ne sais pas, Léa !

Jacob : Eh ! C'est quoi, le problème ?

Elle regarde Jacob.

Léa : Ce Mikaël, c'est mon Mikaël ! Tu vois ?

Je ferme les yeux.

Jacob : Ton Mikaël, hein ?

Léa : Et tu attendais quoi, Sarah ? Que je tombe dessus pour me dire : « Oups, j'ai oublié de te le mentionner, mais je me tape ton mec, maintenant ! »

Jacob : Hé bien ! soit on a la permission de coucher ensemble, Sarah, si on prend la situation en assumant que je suis le mec de Léa, soit je viens de me faire laisser par Léa, puisque tu partages le lit de Mikaël, son véritable mec.

En regardant Léa, il continue :

— Alors, chérie ? Ton mec, c'est qui ? Parce que soit je baise Sarah, soit tu te fais baiser par elle, dans un certain sens !

Léa se met à fixer le sol. Il poursuit de plus belle.

— Sarah, je vais commencer tout de suite à faire de la place. Tu viens me donner un coup de main ? On va donner quelques minutes à mademoiselle Léa pour lui permettre de trouver la réponse qui lui convient le mieux.

— Vas-y, Jacob. Je te rejoins dans quelques minutes.

Léa : Jacob ?

Jacob : Je suis désolé, mais j'ai du travail. Bonne journée !

Léa a les yeux dans l'eau en le regardant partir.

Moi : Je suis vraiment désolée, Léa !

Elle relève le menton, la mâchoire serrée et les yeux furieux.

— Bravo pour le jeu ! C'était chouette de me faire jeter dans les pattes de ton cuistot pour te donner le champ libre avec Mikaël !

Elle part. Je m'assois sur une chaise, pose les coudes sur la table et appuie ma tête dans mes mains.

Mathilde : Qu'est-ce qui se passe, Sarah ? Il y a quelque chose qui ne va pas ?

Je lève les yeux vers elle.

— Oui. J'ai… Sans le vouloir, j'ai l'air d'avoir manigancé le coup du siècle contre Léa.

— Et il s'agit de quoi, au juste ?

— Tu te souviens, le soir où elle et Jacob sont partis ensemble ?

— Oui !

— J'ai un peu poussé les choses, disons…

— Mais vous n'avez pas à porter toute leur histoire sur vos épaules. Et peu importe, ce sont des adultes.

— Je sais. Mais, quand j'ai fait ça, c'était pour consoler Léa qui était en peine d'amour depuis des mois. Je savais que Jacob risquait de lui plaire, parce qu'ils ont plusieurs points en commun, Mikaël et lui. J'ai proposé à Jacob de charmer Léa. Ça a fonctionné. Mais maintenant on va retenir que je suis celle qui voulait avoir Mikaël depuis le début et que c'est seulement dans un but très égoïste que j'ai présenté Léa à Jacob !

Jacob : Sarah ?

— Eumm ?

— C'est pas juste ça ! Léa est toujours amoureuse de Mikaël, carrément !

Je me fige.

Jacob : C'est correct ! Je suis bien content, finalement. Léa est géniale, vraiment. Mais elle est… Je sais que c'est une copine à toi, mais, en amour, elle n'est pas facile à vivre. Elle me parlait de mariage et, une fois sur dix, elle m'appelait Mikaël. Tu vois ? Tu n'y es pour rien ! Vraiment, Mikaël a gagné son ciel en étant avec elle aussi longtemps.

J'ai un sourire carré.

— Il va trouver ça facile avec toi.

Il me décoche un clin d'œil.

— Arrête, Jacob !

— Bon, moi, j'ai du travail. Soit tu m'aides, soit tu me laisses tranquille !

— Tu vas faire quoi, au sujet de Léa ?

— Quant à moi, c'est fini. Si elle ne rappelle pas, moi, je laisse ça de même. Ça n'a pas tant d'importance, Sarah.

— Alors, tu veux toujours… continuer de travailler.

— Plus que jamais !

15

Le sapin de Paddington et l'ours enragé

Vers quinze heures, nous avons fait une bonne partie du travail. On se donne une heure de plus et Jacob me dit que nous pourrons prendre la journée du lendemain plus cool, et peut-être même faire une demi-journée seulement. J'appelle Mikaël.

— Hé!

— Salut, Mikaël. Je vais être à la maison un peu plus tard; vers seize heures. Ça te va?

— Oui. Même que ça m'arrange.

— Super.

— J'ai acheté des trucs pour le souper. Ne rapporte rien, d'accord?

— Oui!

— Je t'aime, Sarah! À tout de suite.

— Moi aussi, Mikaël!

Je ferme les yeux en raccrochant, le cœur en catastrophe. Moi aussi, Mikaël?

J'arrive chez moi à seize heures douze. Je frappe avant d'entrer chez moi. Mikaël ouvre avec un sourire de travers en me questionnant du regard.

— Hé ! Tu es chez toi !

— Oui. Je sais. J'ai rencontré Léa ce matin et ça ne s'est pas super bien passé. Je dirais même qu'elle m'en veut beaucoup. Elle et Jacob ne sont même plus ensemble parce qu'elle a appris que nous… que nous… Je lui ai dit que nous étions ensemble pour les affaires et elle va possiblement vouloir m'écarteler très lentement jusqu'à la fin de ses jours.

— C'est possible. Léa est… pas toujours facile, facile avec les autres.

— Mais pourquoi… Non, laisse tomber !

— J'ai une surprise pour toi. Mais, avant, tu passes dans la douche, si tu en as besoin, tu te mets en pyjama et je te prépare quelque chose à boire. Tu veux de la bière, du vin, autre chose ?

Je me fige, une question clairement inscrite sur le visage. Il a un demi-sourire.

— Quoi, Sarah ?

— Quoi, quoi, Sarah ? Léa !

Il exécute quelques mouvements négatifs de la tête.

— Quand je l'ai laissée, c'était définitif. Je ne peux rien de plus.

— Comment ? Comment tu l'as laissée ?

Il prend une grande inspiration.

— Juste elle et moi, c'était pas la fin du monde, mais c'était pas non plus une catastrophe nucléaire. Sauf qu'elle s'est mise en tête qu'elle voulait des enfants. Et moi, je n'étais pas capable de concevoir que je pouvais m'occuper d'elle et de ses enfants… Je crois bien que je serais devenu fou. Je suis parti parce qu'elle a dit qu'elle s'arrangerait, avec ou sans ma permission, pour avoir un bébé. Elle a même dit que le piège serait ainsi refermé sur moi et que je ne pourrais plus jamais la quitter, et blablabla !

— Oh !

— Je ne pense pas avoir quoi ce soit à me reprocher. Mais, franchement, je pense que c'est mieux pour nous de nous tenir loin d'elle. Elle peut encore faire de jolies petites colères.

Il me prend par la taille et poursuit :

— Je ne voudrais pas que tu sois mêlée à ça.

— Mikaël, tu sais, hein, que je n'ai pas voulu la caser pour, pour...

— Avoir le champ libre, peut-être ?

— Oui !

— Mais oui, je le sais. Il est libre depuis longtemps et tu n'as rien fait encore...

Il rigole un peu. Je sens monter plusieurs émotions entremêlées et non identifiables.

— Je vais aller prendre ma douche.

— Je t'attends dans le salon. Ça va ?

— Mais oui !

Je mets le pyjama que Rachel m'a donné à ma fête, au printemps. Ce n'est pas un pyjama sexy. Rachel a misé sur le bon goût et l'aspect confort. Mais c'est mon favori.

Quand je reviens, Mikaël est dans le salon, comme promis. Il est encore penché sur la table basse devant le foyer allumé. Il relève les yeux et me sourit.

— Tu es prête pour ma surprise ?

— Ça doit, je n'en sais rien !

— Viens. Il faut aller dans la chambre de Leonard !

— C'est n'importe quoi ! Tu ne vas pas me traîner dans une chambre comme ça…

— Hum ! J'y ai pensé, mais ce n'est pas ce que tu crois ! Viens !

Il me tire par la main, doucement :

— Voilà ! Regarde sur ta terrasse.

Il y a un sapin de Noël.

— C'est…

— C'est un sapin de Noël. J'avais peur qu'il soit trop laid pour que tu reconnaisses ce que c'est, mais je pensais avoir réussi un tout petit peu ! Quand même !

— Mikaël, c'est…

— C'est un sapin semi-cultivé. Au lieu d'avoir la forme des sapins artificiels, il a la forme des sapins naturels, mais avec plus de branches qu'un sapin complètement sauvage. J'ai mis des lumières DEL pour aller avec ta maison LEED. Sauf pour les boules de Noël rouges qui font aussi de la lumière. C'est chouette, hein ! Ce sont mes préférées. Je n'en avais jamais vu des comme ça avant aujourd'hui. Et il y a un courant de lumières qui s'allument et s'éteignent doucement, en alternance. Mais il est au centre du sapin ; ce n'est pas fatigant à regarder. Est-ce que tu es un petit peu contente ?

— Mikaël ! Pas juste un peu. C'est le plus beau sapin que j'ai eu de toute ma vie !

Il devient plus grand et son sourire s'épanouit.

— Attends de voir celui de ma maison. Ma mère fait des trucs tellement incroyables pour Noël !

— Est-ce que…

Je me lance.

— Tu crois que je pourrais être avec toi une partie de Noël ?

— Pourquoi, juste une partie ?

— Je ne veux pas prendre trop de place !

— Moi je veux bien ne pas passer une seule minute sans toi, si toi tu veux bien m'avoir dans les jambes cette journée-là !

Je fais un léger hochement de tête. Je suis intimidée par ses grands yeux pour la première fois. Il continue :

— Ma mère va tellement être contente, Sarah ! Elle m'a dit que, chaque fois qu'elle est passée au café depuis le mois d'octobre, tu n'étais pas là. Mais elle promet de revenir pour l'ouverture.

J'acquiesce et souris. Il ferme les yeux et prend une grande respiration en collant son nez dans mes cheveux.

— Je te promets de te faire le plus beau sapin que je suis capable de faire à chacun des Noëls d'ici ma mort, si tu le veux aussi.

Je souris et fixe doucement mon regard dans le sien. Je prends ses joues dans mes mains et je me lève sur le bout des pieds. Il se penche vers moi, hésitant, mais souriant. Je colle mes lèvres aux siennes, à peine, comme un flocon de neige qui tombe doucement des étoiles. Il se penche encore plus pour me soulever et me déposer sur le lit de Leonard.

— Tu as faim tout de suite, ou ça peut attendre ?

Je lui réponds par un grand sourire.

— Sarah, je suis patient. Vraiment. Je ne veux pas… que tu t'engages avec moi si ce n'est pas ce que tu souhaites réellement.

Je repousse une mèche de ses cheveux qui tombe

devant son œil gauche avec autant de tendresse que ma propre mère le faisait pour moi, avant.

— Je ne pense pas arriver à m'engager avec aucun autre garçon de la planète si je ne le fais pas avec toi, Mikaël !

Il a les yeux brillants de larmes. Presque en murmurant pour moi-même, je lui dis simplement :

— Je t'aime.

— Je suis chanceux !

— Ça valait le coup que tu essayes de faire quelque chose qui ressemble à un sapin.

— Mets-en !

Il me tire doucement pour que je me retrouve assise en face de lui, sur ses cuisses. Je souris en tournant la tête vers l'arrière, par-dessus mon épaule gauche. Il se laisse tomber sur le dos et se couche sur la couette ramassée en boule au pied du lit. Je me penche vers lui. Il prend ma tête dans sa main gauche en me souriant.

— Fais-le maintenant, Mikaël !

— Faire quoi ?

— Ce que tu espérais en décorant ton splendide sapin !

— Hum ! J'espérais vraiment beaucoup de choses. Énormément, même. Presque…

— Tais-toi. Fais-le, c'est tout.

Nous échangeons un sourire.

— Avec plaisir, Sarah.

Je ferme les yeux pour me concentrer sur lui, sur moi, sur nous deux. Ses gestes sont clairs et certains. Il file droit au but, sans trop demander la permission, comme ce que j'avais connu avec Zachary.

Mais ce n'est pas pareil non plus. Mikaël a une douceur débile dans chacun de ses gestes et une pression terrible en même temps. Il m'enserre solidement, prend mes seins en entier, soulève mes fesses et mes hanches, pousse mes jambes avec le devant de ses cuisses, appuie sur le haut de mon sexe avec son pouce. C'est déstabilisant. C'est intense. C'est un appel de mes sens que je n'ai jamais ressenti. Je suis engourdie de partout et super réveillée. Il entre en moi sans provoquer cette impression de déchirure que certains mecs font parfois vivre. Ses cuisses viennent pousser ultimement sous les miennes, ses pouces se placent sous mon nombril, certains de ses doigts me caressent. Il dépose des baisers sur ma poitrine en remontant vers mon cou. Il place une main dans mon dos et me sourit en ralentissant doucement. Il reprend ma bouche avec la sienne en me donnant presque l'impression de manquer d'air. Je m'accroche à lui, je tire presque ses cheveux. Il réussit à me faire vivre le crescendo de ma vie avec son pouce et son sexe sous mon ventre et sa langue sur mes épaules, mon cou et tout.

— Arrête ! Arrête ! Je t'en prie !

— Ça va, Sarah !

— Prends-moi dans tes bras ! Prends-moi dans tes bras !

— Viens ici ! Qu'est-ce qui se passe ? Qu'est-ce que j'ai fait ? Je suis tellement désolé !

— Non, non ! Ça va !

— Ça va ?

— Oui !

Je pousse un grand soupir en souriant.

— T'es certaine ?

— Oui !

Je l'embrasse.

— Bien ! Qu'est-ce qui se passe ?

— Rien. J'ai besoin de respirer.

— Aïe ! Tu m'as fait peur !

— Deux choses, alors. La première, c'est que tu es probablement plus fort que tu le penses, mais c'est pas douloureux non plus. La deuxième, c'est que j'avais l'impression d'avoir doublé mes terminaisons nerveuses. Je suis exténuée !

— Mais… Je sais pas. Tu ? Ça va ?

— Oui !

— J'avais l'impression que c'était ce qui te faisait plaisir aussi.

— Oui, oui !

— Alors ce n'était pas une histoire d'horreur comme mon sapin non plus ?

— Mais ton sapin est vraiment super beau !

— Il ne gagnerait pas un concours non plus, quand même !

— Moi, tu as mon vote, en tout cas !

Mikaël a un grand rire explosif.

— C'est parce que tu es vendue, dans ce cas.

— C'est sûr !

— Vrai, que tu m'as fait peur !

— Pourquoi ?

— Mais je ne sais pas ! Je pensais que je venais de te terroriser.

C'est à mon tour de me payer un éclat de rire.

— Mais non ! Au contraire !

— Au contraire, hein ?

— Maintenant, je veux souper. Debout ! Allez !

Il prend quand même le temps de m'embrasser une bonne centaine de fois, sans aucune exagération de ma part, avant de me laisser filer pour que je remette mon pyjama.

— Tu fais dodo ici, ce soir aussi ?

— Si tu veux.

Je me réveille à six heures, mais je ne bouge pas. Il y a un gros ours dans mon lit. Je me réveille à nouveau à sept heures. Je ne bouge pas davantage. À huit heures, mes yeux refusent de se refermer. Le gros ours bouge. Il m'attrape dans ses grosses pattes en grognant un peu et en dégageant une chaleur infernale. Je pense aux bienfaits que ma thermopompe va me procurer l'été prochain. C'est assez saugrenu, merci ! Pas à dire, je vois loin !

— Hé !

— Hé ! Je ne partirai jamais avec toi dans le Sud. Je vais cuire !

— On partira donc dans le Nord.

— Super ! Je suis trop réveillée pour me rendormir. Tu peux rester au lit, mais, moi, je me lève.

— Je m'étire.

Il me prend dans son piège.

Moi : Pousse-toi, Paddington !

— Paddington ?

— Ouais, l'ours qui bouffe tout le temps de la marmelade.

— Je ne tripe pas marmelade.

— Peut-être, mais tu as l'air d'un ours.

— Un ours ?

— Oui. T'es grand, t'as de grandes pattes, t'es fort,

tu grognes et tu fais assez de chaleur pour chauffer une maison, Paddington !

Il me gratifie d'un terriblement joli sourire espiègle. Je tire les rideaux pour revoir mon petit sapin de Noël. La neige a joué de sa magie toute la nuit, parce que le décor est magnifique.

— Viens voir, Mikaël ! Vite !

— Le sapin a disparu ?

— Presque !

Je tire sur son bras pour qu'il se colle contre moi.

— Oh ! Merveilleux !

— N'est-ce pas que c'est le plus beau sapin du monde !

— Si tu le dis…

Nous contemplons l'arbre plusieurs minutes, avant qu'il ne me demande :

— Quels sont tes plans pour la journée ?

— On passe à la Cafetière et on voit ce qu'on a à faire. Ensuite, on revient ici et on regarde le sapin toute la nuit.

— Hum ! Il faudrait peut-être en faire un dans la maison, alors. Comme ça, je pourrais dormir un peu durant la nuit.

Je m'accroche un grand sourire :

— D'accord ! Mais on le fera plus tard. Je n'ai rien comme décorations et je veux aller les acheter avec toi !

— Moi, ça me convient parfaitement.

— Bon ! On s'habille et hop !

— À vos ordres, mon général !

— Ouais ! Ton général risque d'abuser de toi si tu lui donnes les pleins pouvoirs ! Tâche de faire preuve d'un peu d'indiscipline et de délinquance, si tu le veux bien.

— Je peux même essayer de renverser le pouvoir et de faire un coup d'État.

Je me roule dans le lit, prise d'un véritable fou rire. Je ne me souviens pas d'avoir ri autant depuis des années.

Mikaël: Tu sais quoi? J'ai hâte que ton café soit ouvert et de pouvoir te garder en otage plusieurs, plusieurs jours!

— Hum!

Je repousse ses cheveux.

— Hé! Tu fais hum avec l'accent français, maintenant?

— Quoi?

— Oui! Avant tu faisais un genre de eumm! comme Leonard. Tu viens de faire un joli hum! comme moi!

— C'est parce que je me laisse apprivoiser, Paddington! Hé! Il faut y aller. Jacob m'attend.

— Tu crois qu'il peut attendre encore dix ou vingt minutes?

— Non. Allons-y!

Nous nous habillons presque dos à dos, parce que ses yeux me déshabillent au fur et à mesure que je mets quelque chose sur moi.

● ● ●

Nous rejoignons Jacob, en pleine guerre d'argumentation avec Léa.

— Merde! Merde! Pars, Mikaël! Pars tout de suite et je t'appelle!

— Non!

— S'il te plaît !

— Non !

— Mikaël, elle va…

Léa : Hé ! Ça va, vous deux ?

Elle se dirige vers nous.

Mikaël : Il semblerait que non ! Qu'est-ce que tu fous, Léa ?

Léa : Je voulais mettre les choses au clair avec lui.

Elle jette un regard dédaigneux vers Jacob et essaie de poursuivre.

— Et…

Je lui coupe la parole.

— Tu regardes Jacob encore une fois comme ça, Léa, et je te jure que tu n'auras plus jamais le droit de mettre les pieds ici !

Elle lève le nez en l'air :

— Tu crois que j'en ai vraiment envie ?

— Au cas où l'idée te passerait par la tête de venir avec Juliette, Emily-Kim ou toutes tes autres copines qui passent un temps fou, ici !

Elle a un regard implorant vers Mikaël, comme pour lui demander de prendre sa défense.

Mikaël : Oublie-moi ! Ne compte plus sur moi pour te sortir de là.

Je ferme les yeux avant d'essayer de m'expliquer :

— Je ne veux pas m'interposer entre vous deux. Je veux que tu respectes Jacob. Je crois qu'il a été correct avec toi jusqu'à preuve du contraire. En tout cas, il a toujours été un gentleman au travail.

Léa : Oui. Tu as un talent fou pour t'entourer de gentlemen, on dirait !

C'est à mon tour d'encaisser son regard noir.

Mikaël : Léa, c'est moi qui ai travaillé comme un malade pour que Sarah accepte de me prendre dans sa vie. Pas le contraire, même si ça ferait peut-être ton affaire.

Léa : Mikaël, je te jure que je regrette ce que j'ai dit contre toi.

— Hum ! Tant mieux ! Mais ça ne change rien.

— Mikaël ?

— Arrête Léa ! Je t'ai donné tout ce que je pouvais. Maintenant, passe à autre chose. Je ne reviens pas souvent sur mes décisions, tu le sais. Et celle-là, elle est définitive. Je ne vais jamais, jamais revenir avec toi !

— Mikaël ?

Il me prend dans ses bras pour me dire à l'oreille :

— Va avec Jacob, je vais m'occuper d'elle. Quand elle est comme ça, il n'y a rien à faire.

Je hoche la tête. Il recule la sienne pour me regarder dans les yeux et me faire un sourire. Je ne peux pas le lui rendre.

Jacob avait raison. Tout est presque fini, déjà. Mathilde vient nous donner un coup de main. Quelques minutes plus tard, Zachary arrive, couvert de neige, le nez rouge et les yeux pleins d'étoiles.

Zachary : Salut, Sarah !

— Hé !

— Je pense que j'ai une super idée. Je viens de croiser un copain à nous et je lui ai dit que je te proposerais la chose pour que tu décides si, oui ou non, ça t'intéresse.

— La chose ?

— J'ai vu Raphaël Montcalm. Tu te souviens des Montcalm ?

Je fais un sourire mystérieux.

— C'est possible…

— On a parlé de toute sorte de trucs et il veut organiser un souper de préouverture, ici, avec des copains, et une fête pour les jumeaux Cartier, genre en janvier.

• • •

Léa : Dis-moi ce que je peux faire pour te sortir Sarah de la tête et que tu reviennes chez nous.

Mikael, avec la rage qui monte dans sa gorge et ses bras : Non ! Tu oublies ça !

Léa : Mikaël, c'est ridicule ! Je sais que tu m'aimes encore. Et je t'aime tellement que je peux être super patiente et attendre que tu me pardonnes. J'ai compris. Je ne ferai pas ce que j'ai dit.

— Et tu le prouveras comment ?

— Je t'aime ! Je ne pourrais jamais te faire ça.

— C'est pas ce que tu as dit à tes copines.

— Je suis désolée ! Je ne sais pas comment te le faire comprendre. J'ai fait une gaffe !

— Un bébé, Léa, c'est pas une gaffe ! T'as voulu me poignarder dans le dos et j'ai pas tellement de pitié pour ceux qui sont capables de faire ça.

• • •

Zachary : On pourrait faire le souper le 30 novembre. Pour les amis et les familles ! Qu'est-ce que tu en dis ?

— Oui ! C'est une bonne idée.

— Génial ! Tu veux que je lui donne ton numéro personnel, ou tu préfères appeler Montcalm toi-même ?

— Je crois que je peux m'organiser pour le contacter moi-même.

— On n'aura qu'à mettre des ballons.

— Je vais voir avec lui d'abord. Ensuite, je te reviens là-dessus, mais tu vas m'aider pour ça, parce que j'en ai déjà par-dessus la tête.

— Sans problème ! Pour l'instant, je pensais créer un super décor de Noël avec comme thème les pâtisseries. Tu vois ?

— Je te fais confiance. Tu es génial pour ces choses-là.

• • •

Léa : Mikaël, mon amour !

Mikaël a l'impression de recevoir une pelletée de glace dans le cœur :

— Oh que non ! Tu ne me fais jamais plus le coup du « Mikaël, mon amour ! » Tu m'entends ?

— Mais, c'est ce que je pense !

— Je pense que tu aurais dû y penser avant, Léa. Ça fait des années que je répare les pots cassés. Là, j'en ai ma claque ! Tu vas me faire de l'air, pour une fois.

— Mais, Mikaël…

— Ostifie, Léa, dégage !

Il serre les dents, les poings fermés sur le dessus de ses cuisses à s'en blanchir les jointures.

— Tu m'as joué dans le dos, tu m'as menti, tu voulais me faire un enfant en cachette, calvaire, pour que je sois obligé de rester collé avec toi ! Te rends-tu compte à quel point t'es devenue manipulatrice ? Y as-tu pensé pour de vrai ? Ostie, comment cet enfant-là se serait senti toute sa vie, en sachant ça ? Parce que la vérité finit tout le temps par sortir. Une de tes super copines aurait fini par s'ouvrir la trappe et lui dire : « Tu sais, mon petit chéri, ta maman t'a utilisé pour obliger ton papa à rester avec elle. Elle est vilaine, hein ! » Pis ça ne veut pas dire que je serais resté, Léa ! Pense à ça aussi. Tu ne peux pas avoir sérieusement envisagé d'utiliser un petit pour ça. C'est tellement mesquin ! C'est épeurant !

Léa ne résiste pas. C'est ce que Mikaël souhaitait intérieurement. Elle éclate en sanglots.

— Je suis désolée !

— Désolée ?

— Je ne savais pas quoi faire pour que tu restes avec moi.

— Tu as fait exactement ce qu'il fallait pour me faire partir !

Il recule de deux pas. Il a peur de sa propre colère. Elle gronde tellement fort !

— Je m'excuse, Mikaël ! Je m'excuse !

— Non ! Tu oublies ça. Tu m'excuseras maintenant de ne plus rien vouloir savoir de toi.

— Attends, reste ici !

— Non ! Non, Léa ! Je suis vraiment en amour avec Sarah et je n'ai plus une seule seconde à perdre avec toi. Si c'est pas clair, je ne sais pas comment te le faire comprendre. Je ne suis plus sur la planète en ce qui te concerne. Est-ce que c'est assez clair ? De toute façon, si t'avais réussi ton ostie de plan, je n'aurais véritablement et volontairement plus été sur la planète. Assume ça, asteure ! Et je crois que tu pourrais avoir la décence de présenter tes excuses personnellement à Sarah et à Jacob avant de remettre les pieds ici, si tu crois toujours y avoir ta place.

Il monte au troisième étage. Mikaël s'assoit dans un des gros fauteuils de cuir, appuie ses coudes sur le dessus de ses cuisses, joint ses mains et entrecroise ses doigts. Il appuie son menton sur ses jointures et relève la tête pour fixer le plafond sans rien voir. Il s'en veut tellement! Il a fini par laisser monter la rage en lui, par lui dire des choses qu'il ne voulait pas lui dire, des choses qui avaient germé en lui durant des mois et qu'il croyait avoir réussi à éliminer. Mais elles étaient encore dans sa peau, dans ses muscles, dans sa tête. Il lui a craché tout ça au visage en lui frappant dessus avec la lame des mots, celle qui fait mal tellement longtemps! Il s'en veut. Il en pleure de rage, il serre les dents en reniflant comme un enfant. Il n'a aucune idée de la manière dont elle va s'en sortir. Aucune. Zéro.

• • •

Mikaël: Hé! Zachary!

Zachary: Ah, salut! C'est le festival des Montcalm, ce matin?

Mikaël a un froncement de sourcils.

Moi: Il vient de voir ton frère. Raphaël veut organiser un souper de préouverture entre amis et une fête, en janvier, pour Olivier et Lili-Rose Cartier.

Mikaël: Excellent! Faudrait en parler avec Frédélie et Ludovic, aussi, pour que les Martin soient au courant.

Zachary: Maudit! c'est hallucinant comme vous êtes tous interreliés, vous autres!

Mikaël: Vrai, d'un bord ou de l'autre. Ludovic est le chum de Charlotte, la sœur d'Émile, et je les connais depuis toujours. Emmanuel fait pratiquement partie de la famille, alors que mon frère et Victoria sont amis avec lui à la vie à la mort. C'est ainsi, mon gars !

Il enlace ma taille délicatement, si bien que je le sens trembler légèrement.

Moi : Mais je te comprends, Zachary. C'est vraiment quelque chose !

Zachary : Ouais ! Et tu fais partie de tout ça, toi aussi, on dirait !

— C'est… euh !

— C'est terrible !

— Oh oui ! C'est terrible !

Zachary : Bon. Hé bien, j'attends de tes nouvelles, Sarah-Stella ! Je vais aller acheter des trucs pour la décoration du café ! Oh ! Et tu peux me dire quel jour je peux passer pour monter tout ça ?

— Quand tu veux.

— J'ai besoin de deux jours. Deux jours où tu ne seras pas là.

— Oh !

Mikaël : Tu es prêt à commencer quand ?

Zachary : Demain !

— Alors, demain et après-demain. Je m'occupe de la garder loin d'ici.

— Super !

Moi : Et tu tiens Mélodie au courant ?

Zachary : Bien sûr !

Il me fait un grand sourire. Je fais comme lui. Je vais voir Jacob. Il me dit de partir, puisque lui et Mathilde maîtrisent la situation. Je lui parle de l'idée de la préouverture. Il est ravi.

— De cette façon, on aura un coup de pratique avant l'ouverture. Si jamais un des fours au gaz explose…

— Chut! Ne dis pas des trucs du genre. Ça peut porter malheur.

— Tu niaises, Sarah? J'ai rarement vu une cuisine aussi sécuritaire.

— Bien. C'est grâce à toi.

— Je te mets à la porte. Mais informe-moi du genre de menu que vous souhaitez pour le souper et la fête des petits!

— Sans faute!

— Bye, Mikaël! Bye, Sarah!

Mikaël et moi: Bye, Jacob!

J'ai droit à un autre super sourire de Paddington. Je jette un regard circulaire dans le café, sachant qu'il sera fin prêt pour l'ouverture, la prochaine fois que j'y mettrai les pieds. Il se glisse dans mon dos et me prend dans ses bras.

Mikaël: Tu es consciente que tu as la meilleure équipe de l'île?

— Je crois que oui.

— Et que c'est parce que tu lui fais confiance?

— Je pense que oui. Et Léa?

Il prend une grande inspiration avant de répondre.

— Elle ne va pas remettre les pieds ici avant de s'être excusée. La connaissant, ça peut prendre pas mal de temps. Je pense qu'il faut d'abord qu'elle se mette dans la tête que c'est terminé entre elle et moi, définitivement. Elle croyait dur comme fer que j'allais revenir à genoux, mais elle va devoir se faire à l'idée que non. Le vrai deuil commence pour elle. Elle fonctionnait à la haine et elle se mentait depuis un bout de temps, mais maintenant elle va faire face à la vérité.

Mikaël a le visage fermé et la mâchoire serrée, à la recherche d'un sourire perdu.

16

Appel au président des États-Unis

Mikaël m'aide à enfiler mon manteau de neige et nous partons sous la chute de flocons. Nous allons au condo des Montcalm. Victoria et Raphaël sont en train de faire du ménage.

Victoria : Bon ! Comment ça va, Sarah-Love ?

— Bien ! Super bien, même !

Victoria : Et toi, Mikolo ?

Il a un sourire malicieux.

— Bien ! Super bien aussi ! Toi, Toya ?

— Bien !

Elle fait elle aussi un grand sourire.

— Mais je vais arracher la tête de Raphaël, si ça continue !

Elle vient de perdre son sourire.

Mikaël : Ce serait dommage !

— Pas tant que ça !

— Il est ici ?

— Ouais! Ton frère est au téléphone, pendant que, moi, je me tape la balayeuse et la vadrouille. Je te jure qu'il est mieux de parler avec le président des États-Unis, sinon je vais lui donner le contrat de ménage un an.

Mikaël m'adresse un sourire de complicité, vraisemblablement immunisé contre les accès de colère de Victoria.

— Et toi, Montcalm, t'es pas mieux! Tu pourrais donner signe de vie, des fois que quelqu'un s'inquiéterait!

— Je suis désolé de t'avoir inquiétée, Victoria. J'étais chez Sarah.

— Tant mieux!

Moi: On est venus vous voir pour la préouverture du café et la fête des petits Cartier!

Victoria: Quoi?

Mikaël: C'est Raphaël qui en a parlé avec Zachary!

— Quoi? Mais de quoi vous parlez? Raphaël Montcalm, raccroche et amène tes fesses ici!

Raphaël: Je suis là, chérie! Je viens tout juste de terminer. Salut, Mikaël! Bonjour, Sarah!

Il vient me faire la bise.

Mikaël: Zachary est venu au café pour nous parler de ton idée!

Victoria: Qu'est-ce que tu as derrière la tête, espèce de... espèce de...

Raphaël: J'ai pensé qu'on pourrait organiser un souper de préouverture avec les parents et des amis. Et, en janvier, on pourrait faire une fête-surprise à Olivier et Lili-Rose.

Victoria: Haaa! Pourquoi tu ne m'en as pas parlé?

Raphaël : Je t'en parle, là !

— Bien oui ! Maintenant que la moitié de la ville est au courant !

— Tu exagères légèrement, ma chérie. Mais tu n'y peux rien, tu es comme ça.

— Va te faire…

Elle lui lance une serviette sale par la tête de toutes ses forces. Raphaël l'esquive et se fend la gueule d'un sourire provocateur. Moi, je cache comme je peux mon amusement. Raphaël poursuit, toujours très calme et légèrement frondeur :

— Bon ! Sarah, tu penses qu'on pourrait faire ça au café ?

Je fais oui sans hésiter. Mikaël va ramasser la serviette sale et pose une main rassurante dans le dos de Victoria. Elle lui fait un sourire en forme de moue.

Mikaël : Zachary voulait avoir une idée de ce que vous aviez en tête pour le mettre sur la piste et Jacob veut savoir ce que vous aimeriez comme menu.

Raphaël : J'ai pas encore pensé à ça, mon gars !

Victoria : C'est pas nouveau, tu ne penses jamais. Moi, je dis que, pour la fête des petits, on pourrait miser sur le fait qu'Olivier va hériter de monsieur Lapin, le toutou d'Emmanuel, et que Lili-Rose aura la collection de fées de Frédélie. Ça peut donner une idée, non ?

Moi : Oui, c'est génial ! Il faudrait voir avec Emmanuel et Rosalie. Ils ont peut-être des trucs à suggérer aussi.

Raphaël : Je viens de les appeler.

Victoria : Oh !

Mikaël : Bon, c'était peut-être pas le président des États-Unis, mais c'était un appel utile quand même.

Victoria adresse une minigrimace à Mikaël, suivie d'un beau sourire.

Moi : Et ?

Raphaël : Frédélie veut offrir un album personnalisé géant à Lili-Rose et Olivier avec des photos de leur naissance, de Noël et tout. Je me suis dit qu'on devrait demander à Mélodie. Tu crois qu'elle voudrait bien être sur place à la petite fête ?

— Euh ! Je ne suis pas certaine. Je suppose !

Victoria : Je vais l'appeler ! C'est une bonne idée !

— Si on garde les lapins et les fées, je crois qu'on peut chercher des histoires pour enfants qui sont rattachées à ces deux sujets-là et faire des bannières en tissu pour la décoration.

— On pourra aussi demander à ton chef de préparer un gâteau étagé avec de petits lapins et de petites fées en plastique.

— Oui.

— Et des dizaines de ballons verts au sol pour faire du gazon et faire semblant que c'est l'été !

Moi : Euh ! C'est que Zachary va monter les trucs de Noël et les convertir pour janvier et février. Il va y avoir des décors enneigés.

— Les lumières et tout le reste peuvent être en place. Il s'agit de ne pas garder les boules. De toute façon, c'est la technique pour faire les sapins. On commence par les lumières et tout le reste vient ensuite. Pour les défaire, c'est l'inverse.

Raphaël : C'est moi qui lui ai appris ! Le premier sapin qu'on a fait ensemble, j'étais pris pour passer les courants de lumières à travers ses orignaux et ses autres bébelles.

Victoria : Raphaël Montcalm, tu es de mauvaise foi !
C'était des rennes, pas des orignaux. C'est tellement
laid, un orignal !

Je fais un grand sourire, toujours épatée par leurs
échanges terriblement intenses.

— Je reviens dans quelques minutes !

Je sors de la pièce pour appeler Zachary et lui proposer l'idée de Victoria. Il semble adorer. Il m'assure qu'il
va exploiter le thème du sous-bois avec les sapins au
neutre, c'est-à-dire lumières éteintes, et les ballons verts.
Il explique que les fées et les lapins auront l'air dans
leur habitat naturel et que les bannières avec les contes
pour enfants serviront de décor de fond pour les tables
d'honneur. Zachary dit avoir déjà une idée quant aux
figurines à mettre sur le gâteau et quant à tout le menu.
Mélodie et lui vont prendre les scrapbooks en charge.

Pour la préouverture, il propose qu'on reprenne
l'idée des ballons de la fête de la petite Cafetière, en
septembre, en laissant des ballons rouges et des ballons
verts au sol pour donner une touche de Noël au décor.
Je lui dis que c'est parfait. Nous nous en sortons donc
avec des concepteurs heureux et peu de frais pour les
petites fêtes.

• • •

Il continue de neiger chaque jour, sans exception,
jusqu'au 30 novembre. On a déjà des bancs de neige à
chaque bout de la grande terrasse. Les tours des fenêtres
et des portes de la grande Cafetière sont illuminés dès
la fin de l'après-midi, jusqu'au lever du soleil. Dans les
courants, il y a des lumières qui font comme des flashs

d'appareil photo. C'est pour la magie. Les fenêtres sont couvertes de grandes toiles blanches pour qu'on ne puisse pas voir à l'intérieur, une idée de Zachary et Mélodie. Ils ont lancé une campagne de publicité pour l'ouverture officielle, le 1er décembre. C'est le café qui ressemble à un gros cadeau et ils vendent des soupers VIP avec le thème : « Offrez-vous votre premier cadeau de Noël avant tout le monde ! » Les gens ont l'air d'aimer leur idée, parce que les cartes s'envolent à une vitesse étonnante. La grande Cafetière sera comble pour son premier souper officiel.

• • •

Pendant que les amis et les familles profitent de la magnifique soirée de préouverture, moi, je travaille avec Jacob pour voir comment vont les choses. Mathilde est avec nous, pendant que sa sœur s'occupe de la petite Cafetière qui restera ouverte jusqu'en janvier pour recevoir les groupes qui ont réservé pour des soupers de Noël. Tout se passe bien. Mélodie volette parmi les gens pour prendre des clichés en vue des annonces de Noël. Les décors de Zachary sont à couper le souffle. Il a encore fait des merveilles. Le café est magique. C'est comme si le véritable royaume du père Noël était chez nous. Les sapins ont été recouverts de véritable sucre à glacer, les décorations des arbres sont en vrais pains d'épices ou en sucres d'orge colorés. Les lumières de Noël sont torsadées. La plupart sont blanches, mais il y en a aussi des bleu pâle au travers. C'est féerique.

Quand nous servons le dessert, un énorme bouquet de roses rouges nous attend, avec une carte géante représentant le nouveau café, de nuit, tout illuminé. Elle est pleine de mots de tous les gens qui sont sur place, qui nous souhaitent la meilleure des chances pour la vraie ouverture. Notre pratique étant un succès sur toute la ligne, je suis pleine de confiance dans les jours suivants.

• • •

Une semaine s'écoule. Rosalie a accouché le soir de la préouverture. Ses jumeaux, Lili-Rose et Olivier, vont tout à fait bien et tout le monde s'en tire lentement. Leonard, Mikaël et moi leur avons donné un coup de main en remplissant leur congélateur avec l'aide de Charlotte et de Ludovic. Moi, mon stress est tombé et mon oncle William s'est dit très fier de moi.

— Tu veux bien souper avec moi, oncle William ?

— Mais avec plaisir, c'est moi qui t'invite et tu choisis le restaurant !

Il me dit à quel point il trouve ma façon de travailler et de m'entourer remarquable. Il ajoute que j'ai toute sa confiance et qu'il me laissera une plus grande liberté dans d'éventuels projets.

J'aborde celui de Mikaël. Je lui parle de ses études, de sa tante Catherine qui l'a aidé à monter son plan d'affaires, d'Helena qui a commencé à faire des esquisses de l'auberge afin de dresser un budget prévisionnel, de monsieur Jobin et de ses terres, du père de Sacha qui a commencé à regarder avec lui le fonctionnement des restaurants et de ses rencontres avec un ami en hôtellerie qui le conseille sur le nombre de chambres par rapport à la rentabilité et à l'investissement initial. Bref, j'essaye de démontrer le sérieux de Mikaël, son implication, sa persévérance, sa détermination et la confiance que j'ai en lui. Aux questions d'oncle William, j'ai souvent une réponse exacte. Dans le cas contraire, je lui avoue humblement que je ne peux lui répondre, mais que je lui donnerai les informations complètes sous peu.

William : Hé bien ! ma fille, te serais-tu entichée de ce charmant jeune homme d'affaires ?

Je baisse la tête.

William : Sarah-Love, regarde-moi !

Je me dessine un sourire triste.

— Si tu acceptes de l'aider, ne le fais pas pour moi, oncle William. Fais-le pour lui. Il a un projet exceptionnel et il mérite de le réaliser.

— Si je l'aide, je dois te dire que je vais imposer mes conditions. Tu peux décider de l'aider aussi. Il y a une partie de ton héritage que tu peux gérer à ta guise.

— Je voulais d'abord en discuter avec toi et entendre tes conseils et ton point de vue. Crois-tu que ce soit un projet viable ?

— Tous les projets peuvent être viables s'ils sont bien orchestrés, que le plan établi est respecté et que le projet se réalise ou se termine dans les limites prévues.

D'un mouvement de tête, j'indique mon accord avec son affirmation.

William : Changement de propos. Tu crois que Delphine et Mathilde pourraient prendre la grande Cafetière en charge pendant une semaine ?

— Éventuellement, oui !

— Tu crois qu'elles pourraient le faire du 25 au 31 décembre ?

— Cette année ?

— Oui !

— Euh, oui. Mais il faut que je leur en parle le plus tôt possible.

— Bon. Parles-en et reviens-moi vite avec ta décision. Je te propose de venir en Angleterre avec Emily-Kim, Jean-Nicolas, Leonard, Sophie et moi. On ira visiter ta sœur et Jonathan.

Je fais un sourire ravi, la bouche grande ouverte. Mon oncle me sourit en s'éclaircissant la gorge.

— Tu crois que ce cher Mikaël a un passeport en règle ?

— Euh ! Je ne sais pas ! Je peux le lui demander.

— De cette façon, je ferai d'une pierre deux coups. J'apprendrai à le connaître et je te rendrai heureuse du mieux que je le peux.

17

Le règne anglais de St. Matthew

J'avais un peu plus de treize ans, mais pas encore treize ans et demi. Je ne comprenais pas pourquoi la vue de Julianna qui se collait contre St. Matthew me choquait autant. Au début, je croyais que Julianna avait une relation quelconque avec Scott. Elle l'embrassait devant tout le monde et je savais qu'elle partageait aussi autre chose de beaucoup plus intime avec Scott. Pourtant, il ne semblait pas y avoir de place pour l'amour. Zéro possibilité d'émotion, en fait. Elle semblait jouer au même jeu avec Angus, mais en moins intense. Un jour, elle a fait une bulle autour de Matthew et, là, j'ai pris le mors aux dents.

Je lui ai fait une crise débile. Je l'ai traitée de salope et je suis partie de mon côté sans plus lui adresser la parole, osant à peine lever les yeux vers elle quand elle passait devant moi à l'école.

Quelques mois se sont écoulés. J'avais treize ans

et demi et c'était un soir froid, saturé d'humidité qui mord les os et nous laisse transis. J'avais une tuque de laine torsadée bien calée sur la tête, trois tricots, ma jupe de laine et mes longues bottes lacées. Quand j'ai relevé la tête pour regarder l'étranger que j'étais sur le point de dépasser, je me suis immobilisée, les pieds enracinés subitement dans les dalles de la rue comme une statue. Matthew était devant moi. Je ne l'avais pas revu en dehors de l'école depuis le printemps. Il s'est avancé vers moi. Je lui ai sauté dessus, comme Julianna avait fait avec moi la première fois.

De penser à elle à ce moment précis m'a rendue absolument furieuse. J'ai embrassé Matthew comme si je voulais qu'il soit à moi. Il m'a collée contre lui. Une chaleur extrême a envahi tout mon corps. Il m'a agrippée par mon chandail, son sac en bandoulière contenant ses cahiers de dessin collé dans son dos. Il m'a embrassée de la même façon, avec acharnement, avec force, avec témérité, avec arrogance, avec urgence…

Ce soir-là, il portait des jeans. Je sentais le bas de son corps contre ma cuisse et je me suis cramponnée à lui comme une malade, alors qu'un désir brûlant, violent, inconnu me prenait de force. Je savais comment lui répondre et surtout comment calmer mon besoin de lui. Il le savait aussi. Nous sommes entrés dans l'appartement d'un copain à lui dont il avait la clé et qui s'était absenté pour deux jours. Il m'a traînée dans le lit de son ami en me tirant par la main. Il m'a fait tomber dans les draps et m'a enlevé tous mes vêtements en arrachant les siens simultanément. J'étais brûlante. Lui aussi.

Il est entré en moi aussi simplement qu'on respire, sans qu'on se concentre là-dessus, comme la chose la plus naturelle qui soit. Et on s'est entêtés toute la nuit à se prendre et à se reprendre, de deux mille façons, sans censure, sans demande, sans expérience, sans jugement, en découvrant chacun pour soi et en espérant que l'autre s'y plaise aussi. Nous en étions tous les deux à notre première fois…

J'en ai eu pour un bon bout de temps à me questionner, à me demander si cette nuit avait eu lieu ou non. Matthew s'est simplement volatilisé de son côté, à l'aube, et moi je suis partie dans la direction opposée, vers ma maison où mes parents me sont tombés dessus avec une force déchaînée, mille fois pire que tout ce que j'aurais pu imaginer. J'ai été consignée à domicile pendant trois mois en dehors des heures d'école. Matthew ne m'a jamais reparlé de notre escapade, mais il n'a plus cessé de me fixer silencieusement. Des images de cette nuit-là à ses côtés se superposaient inlassablement entre lui et moi, jusqu'à donner l'illusion que tout cela avait été un rêve.

Et un jour, sans crier gare, il est passé à côté de moi comme un coup de vent. Au passage, il m'a attrapé la main en me faisant faire un cent quatre-vingts degrés presque dans les airs et m'a traînée dans un local isolé de l'école. Il m'a plaquée contre le mur. L'interdit et le danger se sont mélangés à notre jeu, le rendant débile, envoûtant, incendiaire et terriblement intense. C'était le début entre nous, mais avec l'entente implicite de garder nos baises secrètes, car c'était ce que c'était. Rien de plus.

18

Où Mikaël bâtit sa vie
en trois étapes

Moi : Mikaël, viens ici !
— Donne-moi deux minutes.
 Non, non ! Vite ! Vite !
 Trente secondes.
— Dix !
— Sarah ?
— Neuf, huit, sept, six, cinq, quatre…
— Je suis là. Qu'est-ce qui se passe ?
— Tiens, j'ai un cadeau pour toi.
— Noël est dans deux semaines !
— Je sais ! Ouvre ! Vite !
 Mikaël me fait un grand sourire. Je me retrouve adossée contre le mur, sous son poids, avec ses mains partout sur moi et sa langue dans mon cou.
— Rrrr ! Ouvre !
 Il se lèche la lèvre supérieure. Je lui tends le petit colis.
— Ça, c'est un indice.

Il fronce les sourcils.

— Ouvre-le très doucement !

— Ce sont des graines ! Mmm, de lavande !

Il inspire en formant un grand sourire radieux sur son visage. Je lui tends une enveloppe.

— Oui. Et ça, c'est une partie de cadeau. Je me suis arrangée avec Raphaël pour savoir si tu pouvais le faire. Si tu avais les papiers à jour et tout…

— Oh mon Dieu ! Sarah !

Il me fait tourner en me tenant dans ses bras. Nous avons tous les deux un grand sourire.

Mikaël : Tu m'emmènes en Angleterre ?

— Il va falloir que tu endures ma sœur un petit peu, mais Leonard va venir aussi.

— Pas de problème pour ta sœur.

Je lui présente un pot où pousse un rosier.

— Ça, c'est une partie de mon cadeau.

Il tourne la tête légèrement vers l'arrière, au-dessus de son épaule droite.

— C'est un rosier ?

— Et pas n'importe quel ! Un de mes rosiers, dont je vais devoir prendre soin. Tu le plantes où tu veux.

— Comme dans un verger ?

— Où tu veux ! Et ça, c'est le cadeau officiel de mon oncle et moi.

Je lui remets une lettre,

Mikaël : Cibole !

Je lui fais un grand sourire. Il devient blanc comme un drap et se laisse tomber au pied du mur en traînant son dos contre la structure. Je m'assois sur le sol devant lui. Il relève la tête et je constate qu'il a les larmes aux yeux. Il joint les mains comme pour prier ou remercier et il ferme les yeux, pendant que de grosses larmes roulent sur ses joues. Je mets ses mains entre les miennes et couvre ses doigts de baisers. Il prend la parole douloureusement.

— Sarah !

Je suis presque inquiète. Sa voix se brise et il se met à sangloter.

— Mikaël, je ne veux pas que tu pleures. Je t'aime. Je veux que tu sautes partout, pas que tu pleures.

— Sarah !

Il replace très doucement mon petit rosier et les graines avec sa main gauche. Il pose par terre les billets d'avion et la lettre de mon oncle, qu'il coince avec mon pot de fleurs.

— Sarah ? Tu viens de me bâtir ma vie en vingt secondes !

Je fais un sourire carré.

— C'est un peu intense, hein ?

Il me tire dans ses jambes et forme une grosse boule autour de moi avec tout son corps.

Moi : Je viens de lire, à la seconde, la lettre de ma grand-mère. Je voulais te donner la lavande tout de suite. Je me suis dit que je pouvais bien aller jusqu'au bout des mes idées.

Sa tête est toujours enfouie dans mon cou. Je continue mes explications.

— Mon oncle a eu l'idée de t'inviter pour mieux te connaître. Ça, ça vient de lui. La lettre, il voulait que je te la donne avant le voyage afin que tu puisses y réfléchir.

— Réfléchir à quoi ? T'as vu ce qu'il veut faire ? Vous me prêtez un coffre-fort gonflé à bloc. Et tu investis ton héritage avec moi. Je n'ai rien à te donner, Sarah. Juste moi et mes bras ! Je ne sais pas comment je vais faire pour te remercier et que tu me fasses confiance. Je te donnerais ma vie, si je pouvais. C'est hallucinant ! C'est débile !

— Attends ! Tu ne me donnes pas rien non plus. J'ai envie de faire ça autant que toi.

— Bonne nouvelle ! Tu ferais ça, si j'étais pas là ?

— Jamais de la vie !

J'éclate de rire et ajoute :

— C'est exclusivement grâce à toi.

Il pose son front contre le mien.

— Si je me concentre très fort et que tu fais pareil, est-ce que tu peux voir comme je t'aime dans ma tête, Sarah ?

— Non. Tu vas devoir me le montrer un peu chaque jour.

— Mais je veux que tu te protèges et qu'on établisse une procédure à suivre si jamais tu décroches du projet global.

— Si ça arrive, c'est mon oncle qui va mettre en œuvre les moyens qu'on aura déterminés toi, moi et ta tante Catherine qui procédera en ton nom, si jamais… Dès janvier, on discutera avec elle et William pour tout mettre au clair. Mais j'aimerais qu'on essaye d'aller visiter monsieur Jobin avant Noël et que tu lui fasses une offre.

— C'est fou comme je t'aime ! Sarah, tu peux même pas t'imaginer ! C'est insensé !

— T'es beau, Paddington ! Je t'aime, moi aussi !

Je pense que mes os vont éclater l'un après l'autre. Je

pense que je vais manquer d'oxygène. Je pense que c'est le mec le plus fort de la planète.

Mikaël : Je te jure que je vais travailler comme un cave pour que le projet fonctionne. De toutes mes forces !

— Je sais ! Je vais faire de mon mieux, aussi. Je me donne jusqu'à avril pour voir si Mathilde et Delphine s'en sortent ici. Ensuite, je vais concentrer mes énergies sur ton projet.

— Je capote ! C'est débile ! J'ai une bonne étoile inespérée !

— Je crois que c'est exactement ce que c'est, Mikaël. Une bonne étoile-surprise rien que pour toi !

— Tu veux bien qu'on aille au condo ? J'ai tellement besoin d'en parler avec ma famille !

Je fais un oui silencieux. Mais ce n'est pas fini.

— Mikaël ?

— Oui !

— J'ai autre chose aussi.

Il devient sérieux et prend un petit air curieux.

— Tu me dis que tu attends un bébé et je fais une crise cardiaque.

J'éclate encore de rire.

— Non ! Mais non !

Il met sa main sur son cœur en caressant sa poitrine, la paume et les doigts raides.

— Mon Dieu, je suis quand même déçu !

— Mikaël, donne-toi du temps ! On a comme deux millions de choses à faire.

— C'est quoi ?

— Les deux millions de choses ?

— Non ! L'autre chose que tu dois me dire !

Je me mords la lèvre inférieure en poussant mon menton vers l'avant.

— J'ai pensé que tu pourrais venir habiter ici !

Il a un sourire reconnaissant et les yeux lumineux.

— C'est oui ?

Il hausse les épaules.

— J'en sais rien, Sarah ! C'est vraiment ce que tu veux ? Je veux dire… tu veux m'avoir dans les pattes vingt-quatre heures sur vingt-quatre, sans échappatoire ?

Je fais un oui mini. Il passe ses deux mains dans ses cheveux et immobilise ses deux coudes étirés de chaque côté. Il dit enfin :

— Mais oui ! C'est ce que je souhaite le plus au monde.

Je pousse un long soupir de soulagement.

— Ah ! Merci Mikaël !

— Merci ?

— Oui ! Merci de vouloir venir habiter ici.

Je souris large. Il ferme les yeux et s'approprie une longue bouffée d'air.

— Je ne sais pas ce qui t'a fait changer d'idée à propos de moi et ce qui fait qu'on est rendus là si vite, mais je jure de t'être éternellement reconnaissant pour ce qui m'arrive.

— Va chercher ton manteau. Va voir ton frère et ta sœur. Je vais appeler mon oncle pour lui dire que tu es d'accord avec son offre. Euh ! Tu es d'accord, hein ?

— Qu'est-ce que t'en penses ?

— Même s'il supervise nos comptes, nos dépenses et nos calendriers d'opération ?

— Oui ! Comme ça, on va avoir des barrières de

sécurité et marcher droit. On a ainsi plus de chances de se rendre où on veut aller. Non ?

— Oui !

— Sarah, c'est le genre de truc qui arrive dans les films, pas dans la vraie vie. Comment veux-tu que je refuse ?

— Le besoin d'autonomie et d'indépendance, l'orgueil, aussi…

— Je m'arrangerai pour être autonome plus tard.

— Parfait ! Bon ! Va voir Raphaël et Arielle ! C'est ton moment de gloire !

Il m'embrasse et se sauve dans la nuit. Il est parti. Je vais me coucher en étoile dans le lit de Leonard qui est de moins en moins son lit. Je fixe le plafond, un grand sourire collé au visage. « Merci, papa et maman. Vous avez fait du bon boulot. Vous avez joué les Cupidon avec Mikaël et vous avez bien visé. Vous m'avez trouvé une perle rare. Vous êtes merveilleux. Merci. Vous me manquez, tellement ! »

Je me retrouve en petite boule et je me mets à pleurer. Pleurer et pleurer. Quand je suis complètement épuisée, je m'assois dans mon lit. J'arrache tous les draps et les passe au lave-linge. Je prends un bain chaud, après quoi j'enfile mon pyjama. Je mets les draps et la housse dans le sèche-linge. Je bois un chocolat chaud en commençant à composer mes cartes de souhaits de Noël. Je refais le lit et mets rapidement un peu d'ordre dans la maison. J'allume le foyer et contemple le sapin du salon, celui qu'on peut voir depuis notre lit. Je place le pot contenant le rosier sur le gros coffre au pied du lit de Leonard, ainsi que les graines que j'avais déposées à l'intérieur d'un pot Mason dont le couvercle est perforé de trous de clou.

Mikaël arrive derrière moi sans faire de bruit et me prend dans ses bras. Il cale sa tête dans mon cou. J'enroule mon bras autour de sa tête.

Mikaël: Raphaël prétend que je dois te demander en mariage !

— Dis-lui que je prétends qu'il serait grand temps que ce soit lui qui demande quelqu'un en mariage !

— Hum ! Tu as une idée de qui il devrait demander ?

— Il est pas mal souvent avec la même fille. Je miserais sur celle-là.

— Et toi ? Tu accepterais d'être ma femme ?

— Et toi ? C'est ce que tu souhaites, Paddington ?

Il fait un grognement d'ours.

Nous tombons dans un lit fraîchement lavé qui se gorge à nouveau d'humidité et de chaleur sous le corps d'un ours qui ne me laisse pas beaucoup dormir.

Le lendemain matin, six heures, au lever, je gagne les Cafetières. Je convoque une réunion pour la fin de l'après-midi, au moment où j'aurai mes principaux chefs de cuisine et de service. Je leur fais part de l'idée que je compte mettre en œuvre en avril. Mathilde et Delphine en profitent pour faire part de leurs projets quant à la petite Cafetière qui deviendra, je crois bien, la Petite-Tasse. On y trouvera une section jardin d'enfants, de sorte que les mamans pourront venir prendre un café en laissant jouer leurs enfants dans un environnement sécuritaire et sécurisant. Jacob est ravi de voir que je lui accorde toute ma confiance. Nous convenons que je ferai un départ graduel. Il devra cependant voir à la formation de deux sous-chefs qui pourront prendre sa relève. Il dit apprécier le défi et se sent prêt à mettre un plan en place dans ce sens.

Je vais me promener dans les boutiques. Je trouve des choses pour tous les membres de la famille Montcalm, sauf un. J'achète quelques jolis bijoux faits à la main à Arielle, une série de verres de bière humoristiques à Raphaël et l'équivalent en verres à cocktails à Victoria. Je trouve un magnifique chandail tricoté en laine d'agneau ultra-douce pour le petit Hugo, accompagné d'un toutou chien qui porte le même vêtement. J'offrirai un souper dégustation aux parents Montcalm, de même qu'à Gabriel et Marianne, dans un des meilleurs restaurants de mon oncle, que je contacte sur-le-champ. Bon, comme je n'ai pas à payer leur cadeau, j'ajoute au cadeau du jeune couple une nuitée au condo des Montcalm, pendant que, moi, je vais m'occuper de garder leur petit loup, qui viendra faire dodo chez moi. Mon oncle m'offre ensuite de proposer ma maison aux parents des Montcalm entre Noël et la Saint-Sylvestre ; il leur réserve une table dans trois de ses meilleurs établissements avec un accès privé à leurs celliers respectifs. Je bonifie mon cadeau en leur donnant un accès illimité à la Cafetière et à mon frigo, que je vais remplir spécialement pour eux.

À mon retour à la maison, Mikaël me dit que son cadeau aura l'air ridicule à côté du mien. Je lui dis qu'il n'a qu'à ne pas le mettre à côté. Il me fait un grand sourire. Je lui promets d'être discrète et d'expliquer que c'est surtout mon oncle qui offre ce cadeau. Après tout, moi, j'ai eu droit au manoir anglais à l'Action de grâce.

— Mikaël ?

— Hum ?

— Je ne sais pas trop ce qui te ferait plaisir, à toi.

— Tu me niaises ?

— Ben non. Je suis poche, hein ?

— Sarah ? Si tu m'offres un cadeau en plus de tout ce que tu fais pour moi, je vais me sentir *cheap* durant plusieurs siècles.

— Quand même, je veux que tu déballes quelque chose qui vient de moi.

— Sarah !

— Oh ! Je pense que j'ai une idée.

— Quoi ?

— Tu ne t'attends pas à ce que je te la dise, quand même ! Le cadeau de tes parents, on va le leur donner ensemble, si tu veux.

— Mais le cadeau que tu me donnes doit être tout petit.

Le lendemain, je vais lui faire monter un collier de bois et de cuir avec des citrines, sa pierre de naissance. À peu de chose près, c'est le genre de cadeau que mes grands-parents Wolfe nous ont offert à notre baptême, à Emily-Kim, Leonard, Rachel et moi, orné de notre pierre de naissance respective. J'ai eu un collier avec un médaillon en diamants. Hi ! hi !

On dit de la citrine qu'elle favorise la vitalité et la santé, tout en stimulant l'espoir, la chaleur et l'énergie. Bon ! je ne suis pas certaine de vouloir stimuler sa chaleur. Quant au reste, je trouve que c'est tout à fait à propos.

À travers tout ça, je termine ma session par mes trois examens finaux. Je suivrai encore trois cours au trimestre d'hiver et j'en prendrai deux à l'été. Je ne veux pas mettre l'université de côté, même si c'est extrêmement tentant. Si un jour je veux monter un projet plus important, je pourrai mettre ma formation scolaire sur la table en même temps que mes expériences de travail. De cette façon, je mettrai toutes les chances de mon côté. On ne sait jamais où la vie nous mène, dans ses grands projets secrets.

19

Noël et ses bancs de neige géants

Il neige. Tout le temps. Au début, c'était féerique, mais, maintenant, c'est plutôt cauchemardesque. On ne sait déjà plus où mettre la neige. C'est ce dont tout le monde parle. Les gens ont tous acheté leurs cadeaux de Noël en avance; la neige hâtive pousse les gens à devancer leurs achats. C'est psychologique; allez savoir comment l'être humain fonctionne. Peut-être que nous avons une petite case neige-égale-Noël dans nos labyrinthes de la connaissance.

Tout se passe à merveille dans les deux cafés. Victoria est avec moi et j'observe tout ce qui se passe autour de nous, depuis le comptoir du premier étage de Maisonneuve.

— J'ai déjà l'impression que je n'ai plus absolument besoin d'être là pour que tout fonctionne.

Victoria : Mais c'est génial, Sarah ! Ça veut dire que tu

responsabilises tes employés, que tu leur fais confiance, que tu leur laisses la liberté d'apprendre par eux-mêmes, de faire des essais, de réfléchir et de s'adapter. Moi, je trouve ça super! Ça devrait te rassurer, non?

— Oui. Je pense que c'est mon ego qui en prend un coup parce que je ne me sens plus indispensable.

— Arrête! Tu es la patronne dont tout le monde rêve. Et moi, j'en connais un qui te trouve complètement indispensable.

Je me dessine un sourire gêné.

Victoria: C'est tellement extraordinaire, ce que tu fais pour lui! Il le mérite tellement! En fait, je crois que vous vous méritez totalement. Vous êtes deux des meilleures personnes de la planète.

— Oh! C'est beaucoup trop!

— Non, Sarah, tu prends soin de tout le monde, dont ton équipe de travail, de façon exceptionnelle. Tu es toujours équitable, toujours encourageante, tu prends le temps de veiller sur tout le monde et de parler individuellement à chacun pour l'amener à avoir confiance ou tout simplement à aimer son travail. C'est pas rien. Et tu encourages Mikaël sans répit, dans son projet. Tu es vraiment quelqu'un d'extraordinaire.

— Pfff! Toi aussi, dans ce cas.

— Non!

Elle fait exploser son grand rire partout dans le café.

— Moi, je suis exténuante. On me remarque pour d'autres raisons que toi.

— C'est quand même grâce à toi que j'ai ouvert ma porte à Mikaël, en tout cas.

— C'est vrai!

— Ouais!

— Hé bien!

— Tu avais raison. Il me fait aussi penser à un nou-nours. Je l'appelle Paddington. Tu sais, l'ours dans les contes pour enfants…

— Oui. C'est pas celui qui se précipite sans cesse sur les pots de marmelade?

— Oui!

— C'est vrai que ça lui va bien. Il est tellement attachant! Par contre, je ne me souviens pas d'avoir vu Mikaël manger de la marmelade. Il tripe sur le fromage et le Nutella, par contre.

— Je pense que Mikaël est un des meilleurs mecs de l'univers. C'est vrai que je ne connais pas beaucoup Raphaël…

— T'es tellement en amour, Sarah! C'est cool!

— Oui, mais c'est flippant!

— Sûrement!

— Avec le verger, l'auberge, le café et tout, on va tou-jours être ensemble. Mais bon, on verra. S'il n'y a rien qui arrache avec tout ça, c'est que c'est fait pour durer.

Victoria: Vous deux, c'est pour toujours.

— J'espère!

— Arrête! C'est certain. Sarah et Mikaël, tu ne vois pas? C'est écrit dans le ciel.

— C'est ce que je crois. Il y en a deux qui doivent trouver ça très intéressant depuis leur gros nuage d'ouate.

— Tu t'en sors toujours?

— Non! Pas toujours. Mais la plupart du temps ça va. Et toi?

Elle regarde vers son nombril, met la main sur son ventre et sourit. Je souris et je pleure en même temps.

Victoria : Mais tu ne dis rien.

Je promets du regard.

— Ce petit bébé-là a probablement été fait en Estrie, ma chère.

— Deux mois !

— Il faut mettre deux semaines, puis huit autres. J'en suis donc à la dixième semaine, probablement. On a rendez-vous avec le médecin au retour des vacances de Noël. On va faire le suivi de grossesse avec le père d'Emmanuel.

— Question de ne surtout pas intégrer trop de nouveau monde dans votre cercle de connaissances…

Nouveau rire volcanique de Victoria. Elle commente :

— C'est ça ! Tu nous trouves bizarres, hein !

— Mets-en ! Vous pensez en parler quand ?

— Peut-être à Noël ou au jour de l'An. À notre fameuse nuit des kilts. Le gros du danger va être passé, donc, les chances de fausse-couche vont être derrière nous… Est-ce que Leonard te manque ?

— Oui. Il travaille comme un fou tout le temps. Et toi ?

Grand rire, encore.

— Moi aussi. C'est débile comme il me manque.

— Je trouve que lui et Mikaël ont quelque chose de semblable.

— Ouf ! Oui, mais Mikaël a confiance aux autres, par contre.

Elle fronce le front et poursuit :

— Leonard ne se fie à personne. Même pas à lui-même !

— C'est pour ça qu'il travaille tout le temps.

— Pour oublier Rosalie, aussi… J'ai tellement pensé qu'avec elle il finirait par être solide ! Mais je pense que c'est plutôt le contraire qui s'est produit. Il s'est effrité. Quand Cartier est venu jouer dans leurs plates-bandes, ça sentait déjà la fin à plein nez. Tu aurais dû voir ça. Rosalie et Emmanuel avaient l'air d'être retenus par des putains de camisoles de force invisibles pour ne pas se sauter dessus.

Je laisse un sourire discret glisser sur mes lèvres.

— Je crois, Sarah, que Rosalie ne m'aime toujours pas, mais moi je la trouve très sympathique.

— Pourquoi crois-tu ça ?

— Aaaah !

Elle s'étire.

— Je lui tombe sur les nerfs.

— Non ! Tu ne peux pas arriver à tomber sur les nerfs de quelqu'un, toi.

J'ai substantiellement exagéré le « non » et le « toi ».

Victoria : Hé oui ! Aussi difficile à croire que ça puisse être !

Je ne peux retenir un grand rire.

— Hé bien, moi, je t'aime et je ne suis absolument pas impressionnée par ton côté exténuant.

Je baisse le ton et questionne :

— Tu crois que c'est un garçon ou une fille, qui profite de ta chaleur ?

— Je pense que c'est un garçon !

— Oh !

— Je vais te le dire dès qu'on le sait. Et toi ? Tu veux des enfants ?

— Oui. D'ici trois ou quatre vies.

Autre éclat de rire de Victoria. Elle ajoute :

— On va vous aider à partir votre auberge et après je veux des cousins et des cousines pour notre bébé.

— Pfff ! Attends ! Je ne suis pas rendue là !

— Tu vas voir, ça prend une fraction de seconde pour balancer dans le vide et avoir envie de tenir son bébé dans ses bras.

Juste comme elle parle, un flash me fait vivre la chose. Je fronce les sourcils et m'étonne moi-même. J'imagine une petite boule chaude avec de grands yeux bleus dans une couverture miniature. Victoria me fait un sourire en coin.

— Vlan ! dans les dents ! hein ?

— Je ne suis toujours pas prête.

— Ça viendra.

— C'est ça.

— Alors, on se revoit le 24. Si j'ai bien compris, tu pars avec Mikaël le 25 en avant-midi…

— Oui !

— Bon, porte-toi bien. Moi, je dois partir.

Elle me fait la bise en me tenant serrée dans ses bras.

— Toi aussi, Victoria !

Jacob et Mathilde forment une équipe parfaite. Ce sont eux qui ont la charge officielle de tous les employés. Chez moi, je fais un ménage à fond en vue du séjour des parents de Mikaël pendant que nous serons en Angleterre. Je ne crois pas que j'aie vu la maison aussi propre depuis que j'habite ici. Je suis même allée acheter des meubles qui nous manquaient depuis juin. Je fais une pile avec des draps super doux que je vais mettre dans le lit de Leonard à la dernière minute.

Je commande des bouquets de roses rouges et blanches, les préférées de ma mère, que je vais mettre sur la table et à la tête du lit. Je vais passer les chercher juste avant de partir pour la campagne. Je ne comprends toujours pas comment je vais faire pour m'y retrouver, tant chez eux qu'au verger. J'ai tellement besoin de la ville !

• • •

Je reviens à la maison les bras pleins de fleurs, pendant que Mikaël, Émile et Juliette portent les paquets contenant la nourriture de notre dîner et celle des parents de mon homme. C'est la part de Mikaël, finalement. C'est une super bonne idée.

Juliette était un peu réticente à mon égard, au départ. Je crois qu'elle est encore très près de Léa. Émile semble me voir auprès de Mikaël depuis toujours, quant à lui. Lui et mon amoureux se parlent presque dans leur tête, tellement ils sont pareils. C'est un peu déconcertant. Juliette semble bien gérer ça et reste toujours un petit peu en retrait. J'aime beaucoup Juliette. C'est dommage que les choses se soient passées ainsi entre nous deux. Émile lui a expliqué que je n'y étais pour rien. Je crois que ça a remis les choses en perspective pour elle. Mais je la comprends très bien, en même temps.

Émile et Mikaël ont instauré une tradition, depuis qu'ils ont l'âge d'entrer dans une succursale de la Société des alcools et d'en ressortir autrement que bredouilles. Chaque année à Noël, ils font un échange : whisky écossais pour Mikaël et whisky irlandais pour Émile. Mais, cette fois, Émile donne plutôt une enveloppe d'euros à Mikaël pour qu'il achète sa bouteille directement à Londres. Ils rient de l'idée de bon cœur. Mikaël est magnifique.

• • •

Quand nous montons dans la Subaru pour aller rejoindre ses parents, j'ai le ventre en Jell-O. Pourtant, je les connais déjà, mais je suis terriblement nerveuse.

La maison est exceptionnellement bien décorée. Il y a d'épaisses guirlandes de sapin piquées de poinsettias qui oscillent sur la galerie de bois et contournent la maison sur trois de ses faces. Un beau sapin d'une quinzaine d'années brille comme un nouveau roi. Les boîtes à fleurs des fenêtres sont gorgées de guirlandes de sapin, de petits fruits rouges et de boules bien brillantes, le tout scintillant de lumières blanches chaleureuses.

À plusieurs centaines de pieds de la rue, un mur de pierres sépare la propriété sur toute la largeur du terrain et une belle patinoire, flanquée de deux buts de hockey, vient presque s'y coller. La cour est pleine de voitures, le nez piqué dans les bancs de neige gigantesques. Mikaël se tourne vers moi, fier et heureux comme un dieu.

— Bienvenue chez moi ! C'est ici que j'ai grandi.

— Hum ! Ça donne de beaux garçons, la campagne !

— Tantôt, on mettra nos raquettes et on ira faire le tour du terrain. On a un petit verger, le champ de ce côté, l'érablière au bout et c'est tout.

— C'est assez, non ?

— Oui !

— C'est à cause de ton terrain que tu as eu le goût de faire ton cours en agronomie ?

Il hoche la tête et me tend la main. Nous gravissons les marches menant à la porte d'entrée et il ouvre la porte à la volée. Hugo vient vers nous en courant, suivi de près par Arielle. Il ne parle pas toujours clairement, mais je décode tant bien que mal ses propos.

Hugo: Haaa! C'est mononcle Mikaël! Vite, on va se *casser*!

Mikaël: Dépêche-toi, sinon, le grand méchant loup va t'attraper.

Hugo: Aaaah!

Il vide ses poumons de leur air en criant de toutes ses forces.

Arielle: Salut, Sarah!

Elle me fait la bise et une accolade interminable.

Moi: Hé! Il parle bien pour son âge!

Arielle: Oui. C'est grâce à Marianne. Mais il parle tout le temps, aussi, et ça, c'est à cause de moi.

Elle rit.

Catherine: Bonjour, Mikaël!

En lui faisant la bise, elle lui dit:

— Donne-moi tes paquets. Je les mets sous le sapin?

— Oui. Tante Catherine, je te présente Sarah.

— C'est un grand plaisir de te rencontrer.

Je souris avec chaleur sans rien dire.

Marie: Bonjour, les grands! Vous êtes les derniers. Déshabillez-vous. Mikaël, tu mettras vos affaires dans ta chambre; le vestiaire d'entrée ne veut plus rien savoir. Sarah, approche que je te prenne un peu dans mes bras.

Mikaël: Pis moi? C'est moi, ton fils!

— Fais ce que tu as à faire et je te donne ton baiser ensuite.

— Ffff!

Il fait un clin d'œil dans ma direction.

Mikaël part avec nos manteaux vers sa chambre. Il retourne vider la voiture en passant par la porte du garage, aidé de Raphaël qui a enfilé ses bottes en vitesse sans les attacher. Une fois à l'extérieur, Raphaël se retrouve la tête dans la neige avec un grand non retentissant de Mikaël et une accolade géniale. J'imagine qu'il vient d'annoncer la venue du bébé à son frère.

Victoria arrive devant moi. Elle est ravissante. Ses longs cheveux bouclés tombent jusqu'à ses reins. Elle me prend dans ses bras en souriant de dizaines de dents blanches.

Bref, j'ai l'impression de recevoir plus d'amour et d'affection pendant ces dix premières minutes chez les Montcalm que depuis ma naissance. Je suis épuisée.

Je vais rejoindre Marie dans sa cuisine. Elle m'expulse de suite en me disant de trouver quelqu'un qui veuille bien me faire visiter. C'est Hugo qui se propose. Il me tend sa petite main. Je le remercie et simule une révérence comme si j'étais une princesse, en tenant ma jupe de coton épais des deux côtés. J'essaye d'être le plus possible attentive à chacun de ses mots. J'en perds des bouts, mais je saisis l'essentiel. Une fois qu'on s'est fait à son zézaiement d'enfant, tout devient plus clair.

Hugo : Bon, c'est une grande maison. Mais il y a tout le temps quelqu'un quelque part. Alors, n'aie pas peur. Si tu te perds, il va y avoir quelqu'un qui va venir t'aider. Ici, il y a trois étages. En haut, c'est les *sambres* de ma famille. Regarde, la *sambre* ici, ça, c'est mon lit et, là, c'est le lit de papa et maman. Cette *sambre*-là, c'est celle de ma tante Arielle. Elle est belle, hein? On voit la *piszine*.

Viens voir! Ici, c'est la *sambre* de Mikaël. Est-ce que tu vas faire dodo dans le même lit que lui?

Je fais oui de la tête.

— *Souette*! Comme ça, *ze* vais être à côté si tu as besoin d'aide cette *noui*.

Sourire entendu.

— Ça, c'est la *toiwette*. Grand-maman allume la veilleuse, la *noui*. Comme ça, on ne se perd pas quand on va faire pipi.

— Oh! C'est bien!

— Oui! Pour voir l'autre partie de la maison, il faut redescendre en bas. Tiens-toi sur la rampe si tu ne veux pas *débouwer*. Tu es bonne!

— Merci!

— Bon, ici c'est le salon. Tu te souviens?

— Oui.

— Bon, là, tu dois remonter l'autre escalier. Ici, c'est la *sambre* de grand-maman Marie et grand-papa Alex. C'est la plus grande *sambre* de toute la maison.

Il lève les bras dans les airs. Il pointe ensuite le doigt vers le coin de la chambre.

— Quand *ze* me fais garder par eux, ils mettent mon petit lit ici. La seule *sambre* qui reste, c'est celle de mon oncle Raphaël; elle est au sous-sol. Viens!

On fait ainsi le tour de toute la maison.

Hugo: Est-ce que tu crois que ça va aller?

— Oui! Tu as été un excellent guide, mon cher Hugo.

— Merci! Mais tu écoutais bien, toi aussi.

Il est à croquer, ce bout d'homme.

— *Ze* sais que *ze* ne vais plus revoir ma tante Léa. Tu la connais, toi, ma tante Léa?

— Oui.

Je lui consens un petit sourire.

— Et toi, tu vas avoir des bébés dans ton ventre ?

Je suis surprise par sa question.

— C'est parce que ma tante Cendrine va avoir un bébé.

— Oui. Je m'en souviens.

— Bien, si tu es correcte, moi, *ze* vais aller *zouer*.

— Oui. Merci beaucoup !

Il se met sur la pointe des pieds pour m'embrasser. Je me mets à genoux devant lui.

— *Ze* te trouve gentille !

— Je te trouve gentil.

— Au revoir !

Je le serre un bref instant contre moi. Il balaie l'air de sa petite main.

Tout le monde semble exactement à la bonne place, sauf moi. Je ne sais trop quoi faire. Je vais dans la pièce que le petit Hugo m'a présentée comme étant le grand salon. Le sapin y trône, resplendissant, poussant le plafond cathédrale de son sommet. Chaque décoration a quelque chose de particulier. Il y a plusieurs animaux sauvages en bois. Plusieurs boules de collection, peintes à la main, ont une place privilégiée sur les branches, mais je ne peux pas m'en approcher parce que les cadeaux de Noël s'étendent trop loin du pied de l'arbre.

Mikaël arrive près de moi. Il me prend dans ses bras, colle son ventre dans mon dos et murmure :

— Tu étais au courant pour Raphaël et Victoria et tu ne m'as rien dit ?

— Ce n'était pas à moi de le faire.

Il m'embrasse dans le cou.

— Je t'aime tellement!

Je me retourne vers lui, un grand sourire sur le visage.

— Moi aussi, je t'aime.

— Hugo a pris soin de toi?

— Hum! Je crois qu'il va te ressembler, plus tard.

— Tu crois?

— Il est doux, prévenant, rassurant, gentil, souriant, avenant. Il est *souette*.

— Moi, je suis *souette* aussi, donc?

J'opine de plusieurs mouvements courts de la tête.

— Est-ce que tu trouves toujours que mon sapin est le plus beau de la planète?

— Oh oui! Mais celui de ta mère arrive presque à égalité.

— Tu es vendue!

— Oui! Et tu devrais faire pareil. On doit toujours dire les choses pour qu'elles soient à notre avantage sans jamais chercher à dénigrer les autres.

— Hum! Moi, je dis que tu es la plus belle fille du monde et de l'univers. Et ce n'est pas dans l'idée d'appliquer ta théorie que je le dis. Je le pense vraiment!

— Et toi, tu es le plus grand, le plus fort, le plus chaleureux et le plus grognon des ours de la planète et je ne pourrai plus jamais me passer de toi, Paddington!

— Tant mieux!

Il colle son bassin contre le bas de mon ventre et m'embrasse.

Moi : Qu'est-ce qu'on peut faire pour aider?

— Rien! Ma mère s'est fait quatre enfants extraordinaires pour l'aider. Toi, tu profites de nous. C'est tout.

Victoria : Allo, Montcalm !

Elle a des yeux complices. Instantanément, j'imagine leur enfance, pleine de rires et de mauvais coups. Mikaël serre les mâchoires comme s'il allait la manger et lui dit en murmurant et en la prenant dans ses bras :

— Toi, félicitations !

Elle l'embrasse sur la bouche une fraction de seconde.

— Tu touches enfin au bonheur, mon Mikaël !

Il se retourne vers moi.

— J'y touche, je l'embrasse, je dors avec, je rêve de mon bonheur la nuit et j'espère ne pas sortir de mon rêve le jour.

La journée est intense. On n'a pas beaucoup de temps mort. On a des millions de discussions. On a un souper extraordinaire. Mikaël et moi allons en raquettes vers les vingt-deux heures, à la lumière d'une lune timide. Nous faisons le tour du terrain de ses parents. Puis nous rejoignons les autres sur la patinoire pour jouer une partie de hockey enlevante. Quand les cloches de l'église sonnent, à minuit, nous retournons à la maison déballer les cadeaux. Marie a vêtu le petit Hugo de son nouveau pyjama de Noël Souris Mini après son bain plein de bulles. Il est tout mignon. Il aime mon cadeau, mais c'est surtout le toutou chien qui retient son attention. Il fait dodo avec lui en le tenant très fort sur son cœur.

Victoria et Raphaël aiment beaucoup leurs verres. Victoria dit qu'elle se fera des *Virgin Mary* d'ici… et tout le monde arrête de parler. Raphaël se lève et grimpe sur une chaise.

— Bon ! Ce n'est un secret pour personne. Victoria

et moi, on a une méchante expérience de pratique côté baise.

Sourire en coin de pas mal tout le monde, non sans qu'un certain malaise plane sur l'assemblée. Il continue :

— Et on a réussi à comprendre comment il faut faire pour se reproduire. On a douze semaines de faites. Ce qui fait de moi un futur papa et de Victoria une superbe femme enceinte qui a des poussées d'hormones magnifiques !

Tout le monde se met à rire et les félicitations fusent. Nous sommes bien. Nous sommes souriants. Nous nous couchons tard. Le lendemain matin, je vais embrasser Hugo dans son lit pour l'inviter à venir déjeuner avec Mikaël et moi, en secret. Je lui fais des rôties au chocolat.

— Je voulais te dire au revoir, Hugo. Dans quelques heures, Mikaël et moi on prend l'avion pour aller dans un pays qui s'appelle l'Angleterre.

— Oh oui !

Il bâille.

— C'est le pays des *Zeux* olympiques.

— C'est ça ! Tu en sais, des choses, toi ! Je suis vraiment impressionnée.

— Est-ce que tu crois que c'est vrai que Victoria va aussi avoir un bébé ?

— Oui !

— Comment ça se fait que Cendrine et Victoria vont avoir des bébés en même temps ?

— Ce ne sera pas en même, même temps. Cendrine va avoir le sien un peu avant. Victoria va avoir le sien en plein milieu de l'été.

— Bon ! Au moins, il va avoir *saud* !

— Oui.

— Est-ce que tu peux m'allumer la télé, main-tenant ? *Z'*aimerais écouter *Yoopa* !

— Euh, oui !

— Merci !

Il prend un gant de toilette mouillé, une débarbouil-lette, comme on dit ici, et se nettoie le nez, les joues et la bouche, Il va s'asseoir sur le sofa avec son toutou chien et il entre dans une transe complète en rigolant de temps à autre.

20

Voir voler sa vie en éclats

Nous remettons toutes nos affaires dans les valises, que nous déposons dans l'entrée. Le père de Mikaël se lève. Il nous salue. Marie arrive derrière lui. Elle nous prend dans ses bras. Les deux sont ravis de leur cadeau de Noël et ils promettent de ne manquer aucun souper réservé à leur nom. Nous convenons avec Marianne et Gabriel que nous prendrons Hugo la deuxième fin de semaine de janvier. Arielle a déjà hâte de porter ses bijoux. Tout a bien fonctionné. Tout le monde est content. Emily-Kim et Jean-Nicolas arrivent chez les Montcalm quelques minutes plus tard que prévu. Nous mettons les bagages dans leur voiture et partons pour l'aéroport.

Durant le vol, j'ai des crampes au ventre, tellement de retourner chez moi et de revoir ma sœur et Jonathan me rendent nerveuse. Oncle William, Leonard et tante Sophie sont déjà en Angleterre. Ils viennent nous chercher au terminal de l'aéroport Heathrow de Londres, mais nous n'allons pas à l'hôtel immédiatement. Je suis tout excitée de montrer mon coin de Londres à Mikaël. Quand nous arrivons devant ma maison, mon oncle ralentit.

— C'est ici, Mikaël. Regarde, tout en haut, c'était la chambre de Rachel. La mienne donnait sur l'arrière.

William, en coupant le moteur: Bon! Il faudrait aller voir. Peut-être que les nouveaux occupants accepteraient de vous faire visiter.

— Oh! Je ne suis pas certaine. J'aime mieux me souvenir de ma maison comme elle était quand nous sommes parties, en janvier dernier.

William: Allez! Ce gentil Mikaël n'a jamais eu la chance d'y mettre les pieds. On sort de la voiture.

Je fais la moue. Mikaël ne semble pas trop tenir à visiter non plus, vu ma réaction. Oncle William ouvre la portière. Je sors la première et Mikaël suit derrière moi. Quand je lève les yeux vers la maison, Rachel est sur le seuil avec un grand sourire. Déjà, elle a enfilé ses bottes. Elle finit d'attacher son manteau, met ses gants et vient vers moi. Je suis ni plus ni moins aussi immobile qu'une statue de bronze.

— Qu'est-ce que tu fais ici?

Rachel: Hé bien, c'est notre maison, à Jonathan et moi.

— *Oh God! Oh God!* C'est…

— C'est exactement comme ça aurait toujours dû être.

— *Oh my God!* Rachel. Je suis tellement… Mikaël, c'est ma maison quand j'étais petite!

— Oui, j'avais compris.

— Bonjour, Mikaël ! Comment vas-tu ?

— Très bien, merci, et toi ?

— À merveille ! Merci.

— Sarah avait très hâte de se retrouver ici avec sa grande sœur.

Rachel : C'est vrai ?

Elle me regarde, émue.

— Mais évidemment que c'est vrai ! Et Jonathan est ici ?

— Bien sûr !

— Je peux entrer ?

— C'est toujours ta maison, Sarah ! Et tu as toujours ta chambre.

Je prends ma sœur dans mes bras et l'embrasse sur les deux joues. Elle pose sa main sur un de mes bras et me sourit.

Rachel : Allez, attrape tes bagages. Ce n'est pas à oncle William de te servir de valet !

Mikaël : Je m'en occupe, Sarah. Va avec ta sœur. Prenez du temps, un peu.

Presque tout est intact. Les seules différences majeures tiennent dans le fait que Rachel occupe maintenant la grande chambre des maîtres, alors que sa chambre est peinte en vert pâle, prête à accueillir un poupon.

— Rachel !

— Oui !

— Est-ce que… tu es enceinte ?

— Oui ! C'est horrible, non ?

— Horrible ?

— Nous fêterons nos fiançailles tout juste après le souper de ce soir. Je voulais que tu sois présente. Nous allons être dans l'obligation de nous marier dès ce printemps, avant que mon état ne soit trop apparent. C'est dommage, car nous allons nous y prendre un peu tard pour inviter les convives. Nous risquons de ne pas pouvoir rejoindre tout le monde. Mais nous avons réservé une salle au Ritz pouvant accueillir une soixantaine de personnes tout au plus, au début de mai. Nous célébrerons le mariage à l'abbaye et ensuite les membres des deux familles seront invités à venir nous rejoindre. Tu vas venir, n'est-ce pas ?

— Mais bien sûr !

— Et tu seras accompagnée par ce charmant monsieur Montcalm ?

— Oui !

— Parfait. Je vais te faire parvenir les faire-part officiels chez toi, au Canada.

— J'ai très hâte de les recevoir.

— On paiera les billets d'avion et l'hébergement. Ne t'inquiète pas.

— Dis-moi que tu es heureuse, Rachel !

— Hé bien ! j'ai tout ce qu'il convient d'avoir. J'ai une belle maison, modeste, mais bien entretenue. J'aurai un mari qui paraît bien et qui dispose d'une autonomie financière intéressante. Je lui donnerai un enfant ou deux. Je vais reprendre quelques œuvres de charité dont maman avait la charge avant son décès. Je vais faire honneur à notre famille de mon mieux. Voilà.

Devant ce résumé de faits sans émotion, je suis triste. Elle semble vouloir s'en tenir à l'atteinte d'un statut social respectable, sans y aller avec son cœur, comme si sa vie amoureuse et son bébé ne comptaient pas, comme si leur bonheur était protocolaire et surtout facultatif. J'ai envie de pleurer, de lui crier de se reprendre en mains et de faire son possible pour être heureuse, toucher à ses rêves, réaliser sa chance d'être vivante.

Je lui demande la permission de poser ma main sur son ventre.

— Oh. C'est un peu indiscret ! Non ?

— Je ne vois pas le problème.

Elle prend ma main pour l'éloigner d'elle avant même que je la touche.

— Bon, je vais tâcher de retrouver Jonathan.

Jonathan est au salon avec Mikaël et mon oncle. Il est droit et rigide ; ses mouvements n'ont aucune souplesse. Tout semble dur, tout est froid. Il me salue poliment en me tendant la main comme si nous étions en affaires, rien de plus. Oncle William est plus à l'aise, plus souriant et confiant. Je suis heureuse de voir que le Québec a fait son œuvre sur lui. Mikaël est tout chaleur et sourire. Il est beau, grand, vif, superbe. Il soulève son bras afin que je me blottisse contre lui. Ma sœur pince les lèvres et tente de faire un sourire à travers tout ça. Ça compose une sorte de grimace sur son visage. Je me dis que ce sera sans doute mon plus long séjour en Angleterre.

Mais c'est sans compter Leonard et mes racines des Highlands.

La soirée est longue. Au moins, je peux dormir dans la chaleur de Mikaël qui se montre des plus affectueux avec moi. Je crois qu'il a très bien compris l'état dans lequel je suis ; il repousse à plus tard toutes ses attaques habituelles.

J'ai des moments de vertige quand je pense à Montréal. Je suis horrifiée quant à la possibilité de devoir revenir m'installer ici. Quand je ferme les yeux, je me concentre sur le Saint-Laurent duquel mon sang prend doucement le rythme. Je prends la vitesse des pas des gens du Vieux-Montréal, j'adopte leurs rires, leur candeur et leur bonne humeur. La sécurité des murs de ma rue me manque. J'ai l'impression qu'ici, à Londres, tout a un goût de tristesse. J'ai le sentiment de me faire juger par chaque pierre empilée là et prisonnière des autres. Je suis terrifiée. La vieille histoire de mon pays semble prendre un goût d'amertume.

Le lendemain matin, j'ai rendez-vous avec Leonard. Je suis super excitée à l'idée de passer du temps avec lui. Mikaël et moi allons le rejoindre dans un petit restaurant de la ville, vers midi, pour le déjeuner. Quand je l'aperçois, mon cœur s'emballe. Je laisse Mikaël en plan pour courir vers lui.

— Leonard !

Un sourire franc à mon adresse, il se lève sous l'œil curieux des gens attablés.

— Sarah-Love ! Comment vas-tu ?

— Oh, Leonard ! Je suis tellement contente de te voir. C'est débile. On ne se voit plus du tout, à Montréal. Faut venir ici pour avoir du temps ensemble.

Il me jette contre sa poitrine ouverte.

— Je suis content aussi de te voir.

Il referme ses bras sur moi. Je profite de son énergie quelques secondes avant de m'extirper péniblement de notre bulle.

— Bonjour, Mikaël !

Il lui tend la main. Mikaël en profite plutôt pour le tirer vers lui et lui faire une accolade de garçons.

— Salut, mon gars! Je suis content de te voir.

— Alors, Mikaël, comment tu trouves ta belle-famille?

— Hé bien, la partie québécoise est beaucoup plus facile d'approche.

— Je vais vous sortir de là. J'ai une voiture et j'ai réservé des chambres dans quelques auberges. On part vers le nord! Qu'est-ce que vous en pensez?

— Je suis d'accord en malade, mon cher cousin!

— Moi aussi!

— Premier dodo à Édimbourg, deuxième à Wick, ensuite Aberdeen, Glasgow et retour à Londres le 30. Vous partez le 31 au matin. Il ne vous restera qu'un seul autre dodo chez Rachel. Ça vous va?

— On part quand?

— Quand vous êtes prêts.

— Je suis prête.

Leonard: On mange et on passe chercher les bagages.

Mikaël: Hé bien! Voyage de rêve, mon gars!

Leonard: On pourra prendre la relève, toi et moi, pour conduire.

Mikaël: Idéal!

Je saute au cou de Leonard.

Leonard: Chaque fois que je viens ici à Noël et que je suis avec ta famille, j'ai la chair de poule. Je me suis dit que je pouvais bien te sauver de ça cette année. Tu dois trouver ça lourd en maudit, toi aussi!

Il regarde Mikaël qui lui fait un hochement de tête et un sourire carré.

— Légèrement!

On mange en vitesse. Leonard a la voiture que son père a achetée en raison de ses nombreux séjours en

SARAH

Angleterre. Emily-Kim veut rester à Londres avec Jean-Nicolas. Elle va faire du magasinage, ainsi que des tournées dans les pubs et les restos. Nous partons avec un grand sourire et nos bagages récupérés en vitesse chez ma sœur. Elle semble soulagée de nous voir quitter sa maison. Jonathan nous souhaite un bon voyage et nous les laissons retrouver leur vie paisible et prévisible, comme elle se doit d'être, selon le personnage falot de Rachel.

Au moment où on arrive sur le territoire écossais, j'expose le constat que je me fais depuis mon arrivée.

— Qu'est-ce que vous pensez de ma théorie selon laquelle Rachel n'est plus que le fantôme d'elle-même ?

Leonard : Je pense qu'elle ressemble de plus en plus à ce que devenait ta mère, à force de subir Londres.

— Quoi ?

— Sarah, je ne sais pas trop si je dois t'en parler ou pas, mais je crois que ta mère et ton père, ce n'était pas le couple du siècle. Mon père me disait que tante Valérie était belle, radieuse, joyeuse comme un rayon de soleil la première fois qu'il l'a rencontrée. Quand vous étiez petites, elle débordait d'énergie, de bonnes idées et de rêves pour ta sœur et toi. Quand vous êtes arrivées à l'âge scolaire, elle a commencé à dépérir. On aurait dit que, lorsqu'elle était en contact intense avec vous, elle était elle-même et que, le reste du temps, elle s'éteignait lentement, mais sûrement. Quand vous étiez petites, elle allait passer un mois en Provence avec vous deux chaque année. Au début, oncle Patrick vous accompagnait. Avec les années, votre père a commencé à rester à Londres une semaine sur le mois, puis deux, puis trois et, à la fin, ta mère partait toute seule avec vous deux.

Je fais oui et plante mes yeux dans les siens par le truchement du rétroviseur.

Leonard : Tu te souviens de Stephen ?

— Oui. Son ami grec.

— Tu savais qu'ils étaient, eumm ! très proches ? Mais très, très proches…

J'écarquille les yeux.

— Oh mon Dieu !

Il hoche la tête pour confirmer ses dires.

— Oh mon Dieu !

— Quand vous avez eu douze et dix ans, ta mère a commencé à aller en Provence l'été et aux vacances de Noël avec vous deux. Aussi, votre père a demandé à ma famille de venir vous voir, afin qu'elle reste à Londres, avec lui. Mais elle partait encore une ou deux fois par année, sans vous, et allait le retrouver discrètement.

Le silence plane pendant plusieurs mesures, alors que la perplexité monte en moi par paliers successifs. Je demeure pétrifiée en attendant la suite, qui vient bien assez tôt.

— Oncle Patrick était très amoureux de sa femme, mais il voyait qu'elle l'abandonnait lentement. Lui n'était pas capable de choisir entre l'Angleterre et sa femme. Il ne voulait pas la laisser partir seule, mais il n'était pas en mesure de tout laisser, ici. Ta mère avait choisi de rentrer en France cet été-là. Définitivement. Elle voulait vous laisser la chance de choisir entre les deux pays. Elle était convaincue que Rachel serait intolérante envers elle et sa décision de se séparer de votre père, mais, d'un autre côté, elle était certaine que tu la suivrais dans votre domaine en Provence. Elle avait les yeux remplis d'étoiles quand elle parlait de toi et de son projet.

J'ai les larmes aux yeux.

— Est-ce que tu assumes, Sarah-Love?

Je fais oui à tout hasard. Il poursuit solennellement:

— Elle avait aussi l'intention de vivre avec Stephen. Ton père était incapable de se faire à l'idée de vous perdre toutes les deux. Est-ce que tu comprends ce que je viens de dire?

Négation vigoureuse.

— Chut, Leonard!

Un long silence s'installe dans la voiture. Je regarde défiler les panneaux indicateurs.

— C'est papa qui conduisait, en janvier dernier?

Leonard lève les yeux vers le rétroviseur, silencieux; une douleur intolérable passe entre lui et moi.

Mikaël: On peut arrêter maintenant?

Leonard: Sans problème.

Dès que la voiture s'immobilise, Mikaël m'ouvre la portière sans que je m'en rende compte. Je me jette dans ses bras et j'éclate comme une boule de Noël tombant sur l'ardoise. Leonard fait le tour de la voiture pour venir nous rejoindre.

Leonard: Je suis désolé! Je ne pouvais plus faire semblant et je pense que tu es en mesure de comprendre.

Mikaël: Ça va aller?

Leonard: Tout le monde savait à part toi et je ne pouvais pas me faire à l'idée qu'un jour ta sœur te garroche ça au visage et qu'elle te laisse en plan.

Je lui dis d'une voix faible:

— Merci, Leonard!

— Tu sais la vérité, maintenant. Et je suis certain que Mikaël sera là pour toi, contrairement à moi!

— Mikaël?

Mikaël : Oui !

— J'ai super mal !

Il me serre dans ses bras un peu plus fort.

— Je suis là !

Lentement, la réalité fait son chemin. Mon père savait que ma mère voulait le quitter. Je serais évidemment partie avec elle. Ma sœur nous en aurait voulu à mort. Mon père ne voulait pas se séparer d'elle. Mon père était prisonnier de Londres.

Mon père s'est suicidé.

Ma mère est aussi sa victime.

Ma vie peut-elle s'effondrer à nouveau ?

21

Scotch et bière d'Écosse

Édimbourg. Nous arrivons après la tombée de la nuit. La ville est exactement comme dans mes souvenirs, juchée sur le pan d'une colline, lumineuse avec ses gratte-ciel médiévaux. Nous avons une belle chambre d'hôtel. Nous vidons la voiture et allons marcher dans les petites rues. Je ne me sépare pas une seule seconde de la main de Mikaël. Il a redoublé de petites attentions à mon égard. Il bécote mon cou tendrement. Il achète un t-shirt noir et blanc flanqué du château de l'équipe Edinburgh Rugby. Nous buvons quelques chopes de Deuchars IPA et d'Escape Claus brassées sur place. Nous dormons là-dessus.

Le lendemain, nous reprenons docilement notre itinéraire dans la Jaguar de mon oncle. Je perds la notion de la route en laissant dériver mon regard à travers le toit vitré sur lequel les gouttes d'eau glissent vers l'arrière. Mikaël est au volant en cette deuxième journée.

Leur conduite automobile, à Leonard et à lui, est en tous points similaire. Nous écoutons à tue-tête des CD de Groove Armada et Codeine Velvet Club. Nous traversons les montagnes en passant par l'intérieur de l'Écosse. La route porte la voiture sur son dos, réagissant subtilement à son passage, la laissant briser le vent et faire gicler le surplus d'eau derrière elle. Les nuages gris, bas, frôlent les montagnes, troublent les sommets, courent à la même vitesse que nous, obstruant la vue d'une quelconque parcelle de ciel bleu. Les kilomètres s'ajoutent au compteur, les roues vibrent de vitesse et de liberté. Je suis sur le point de me fondre dans la banquette arrière, la tête vers l'arrière. Je pousse parfois mon doigt contre la fenêtre pour réchauffer un point précis et voir l'effet que ça a sur la trajectoire des perles d'eau. Mon corps ingurgite paresseusement la musique. Mon cerveau est à pause. Je laisse le temps passer sans trop réfléchir. Les essuie-glaces inlassables balayent la pluie vers le centre et vers les côtés. Les roues arrière font monter une gerbe d'eau qui retombe mollement derrière nous, sur la route de laquelle elle a été soulevée, bouleversante dans son immobilité. Le parfum de Mikaël et celui de Leonard s'harmonisent agréablement dans l'habitacle de la Jaguar, rapide et légère, prête à bondir sur chaque dénivellation, prête à gravir chaque montagne que nous lui soumettons, en laissant son moteur faire des révolutions à des vitesses qui varient selon l'effort qu'il fournit...

Nous nous arrêtons à Inverness pour manger et marcher un peu. Nous reprenons la route jusqu'à Wick en longeant la mer du Nord. Nous retombons dans notre transe musicale sur une route envoûtante...

Le château Sinclair se dresse contre la mer. Nous entrons sur le site grâce aux informations des gens de la place qui savent comment s'y rendre clandestinement. Nous restons là, sans bouger, fouettés par le vent du large, sur le point de nous transformer en statues de glace. Mikaël vient se placer tout autour de moi en se tenant dans mon dos et en me couvrant de ses bras, la tête lovée dans mon cou.

— Tu te souviens quand tu as dit que tu ne partirais jamais dans le Sud avec moi?

— Oui.

— Je ne crois pas pouvoir aller beaucoup plus au nord avec toi.

— Il reste l'Islande, la Finlande et un million d'autres endroits plus au nord. Loin devant nous, à la même latitude, c'est la Norvège.

— Hum!

Nous laissons filer les secondes, silencieusement

Leonard: Tu t'en sors, Sarah?

Haussement d'épaules.

— Ça ne change rien à la valeur de ton père. Tu le sais?

Je veux bien, oui. Je fais comme si, en tout cas.

— C'était un homme exceptionnel. Les gens de Londres ne savent pas le fin fond de l'histoire. Ils croient tous à la théorie de la perte de maîtrise. Et elle est probable, vu la vitesse à laquelle ils roulaient. Par contre, mon père avait eu une discussion avec le tien, un peu avant l'accident, lors de notre traditionnel séjour en Angleterre. Oncle Patrick lui avait alors fait part de ses intentions, mais mon père ne pouvait que lui suggérer de demander de l'aide. Il lui avait répondu qu'il le ferait au début de janvier. Papa se sent encore coupable de cette tragédie. Chaque fois qu'il met les pieds ici, c'est une torture… Tu sais quoi ? Au moins, je me dis qu'il vous a épargnées, Rachel et toi.

Je me vide de mon sang.

— C'est pour ça qu'elle a dit qu'elle aurait souhaité être dans la voiture, lors de l'accident ?

Il regarde le sol.

— Elle en a reparlé froidement avec ma mère. Elle lui a redit exactement la même chose. On a eu très peur qu'elle fasse comme ton père pour aller les rejoindre.

Je ferme les yeux. D'assumer ce détail supplémentaire me permet de comprendre l'ampleur du problème.

— On ne sait toujours pas à quoi s'en tenir…

J'approuve du geste et de la voix.

— Je crois aussi que rien n'est certain.

Mikaël : Ffff ! Qu'est-ce qu'on peut faire pour elle ?

Leonard : Mon père lui a posé la même question. Elle lui a dit qu'elle souhaitait revenir en Angleterre. Il a fait des pieds et des mains afin de récupérer votre maison et d'y réinstaller ta sœur. Jonathan a repris Rachel dans sa vie sans broncher, sans hésitation, mais sans joie non plus. Même si elle est enceinte, ça ne semble pas l'encourager à se battre davantage. Peut-être que la venue au monde du bébé changera un peu sa vie et que ça lui donnera la force de continuer.

Je remplis mes poumons d'air.

Mikaël : Moi je pense que la meilleure chose qu'il pourrait arriver à ce petit-là, ce serait que Rachel fasse une fausse-couche. Cibole, Leonard. J'ai vraiment la chienne pour le bébé. Tu crois qu'elle pourrait s'en prendre à lui ?

Leonard : Je n'ai aucune idée de la raison pour laquelle il est là. Moi aussi, je me pose cette question. Mais si la vie a décidé de lui planter ce bébé dans le ventre, c'est parce qu'il y a une raison.

Moi : Elle est déçue d'être enceinte parce qu'elle doit se marier au plus vite et qu'elle risque de ne pas avoir tout son monde à la noce.

Mikaël : C'est débile ! Ostie, elle est vraiment pas correcte. Je m'excuse, mais je le pense, Sarah. Elle est enceinte, calvaire. Raphaël et Victoria ont essayé pendant des mois. Elle ne se rend tellement pas compte de ce qu'elle a ! Elle est riche, elle a une super famille qui est encore là pour elle, elle a tout ce que les gens rêvent d'avoir. Si tu es arrivée à te botter le derrière et à t'en sortir, elle est capable aussi ! Aaaah ! Je m'excuse. Je peux pas croire qu'elle ait pensé à te laisser tomber, Sarah, et qu'on se pose la question sur ce qu'elle pourrait bien faire subir à son bébé.

Moi : Je sais ! Tu n'es pas le seul à le penser. T'as pas besoin de t'excuser.

Leonard : Vaut mieux essayer de ne pas la juger, quand même !

— Je sais aussi, mais Mikaël a raison. Elle est capable de dire à son bébé que c'est à cause de lui qu'elle est malheureuse et de devenir une marâtre, digne du conte de Cendrillon.

Leonard : Je ne le pense pas. Elle risque plutôt d'en faire une copie de son père, Jonathan. Classique et « britiche »…

Moi : Ça fait peur, quand même ! Jonathan, c'est pas non plus le grand bonheur.

Leonard : Je sais, Sarah ! C'est un mariage de

convenance, presque une alliance financière entre les deux familles.

Mikaël : Je garde mon idée de fausse-couche !

Mikaël et moi allons tout près du château, au sommet des falaises.

— Je te jure, Sarah, que nos enfants seront les plus heureux de la planète. Ils auront le monde à leurs pieds, ils seront libres et ils vont triper sur la vie comme des malades.

Je souris en le regardant dans les yeux.

— Tu veux bien avoir des enfants avec moi ?

Il hoche la tête et ferme les yeux.

— Tu imagines à quel point ils seront beaux ?

J'opine du chef.

— Est-ce que tu sais à quel point je t'aime ?

Haussement d'épaules.

— Je t'aime encore plus fort que ce que tu peux imaginer de plus fort, et c'est juste une partie de ce que je t'aime !

Sourire vers la mer du Nord.

— Alors, je t'aime aussi fort !

Il m'embrasse au-dessus du monde. Un baiser de conquérant à qui le continent appartiendrait. Un baiser parfait. Un baiser qui lui prouve que je suis à lui.

Nous dormons sur place, dans une auberge typique des Highlands. Puis, nous entreprenons notre descente vers le sud. Des chambres sont réservées pour nous à Aberdeen.

Cette fois, Mikaël fait l'emplette d'un maillot de football du club d'Aberdeen et nous visitons légalement le site du château de Dunnottar. Aberdeen est vraiment une ville magnifique. Je pourrais y rester une semaine complète.

— Comment on fait, Mikaël, pour savoir sur quelle parcelle de la planète on doit construire sa maison?

— Je ne sais pas!

— Qu'est-ce que tu penses de l'Écosse?

— Pour un trip, c'est génial. C'est vraiment beau et grand, mais ce serait problématique si on devait s'installer ici, parce que, tout ce qui supporte notre verger au Québec, on devrait le rechercher ici et repartir à zéro. J'ai des connaissances pointues en agronomie du nord de Montréal, mais pas d'ici. Je ne sais pas trop. Tu veux sérieusement habiter ici?

— Oh non! Juste venir passer des vacances de temps à autre, mais sans plus.

— Tu me fais peur, des fois!

Il enroule mes épaules dans sa grande patte redoutable. Je fais un grand sourire, fière de moi.

— Mais je dois t'avouer que j'ai toujours voulu venir ici. Depuis que je suis petit, moi, je tripe sur l'Écosse et Émile capote sur l'Irlande. Émile, on sait que ça lui vient de ses parents qui ont habité là-bas un bout de temps, mais, pour moi, c'est le néant. On n'a jamais trop compris d'où ça vient.

— Hum! C'est parce que nous étions destinés à être sur la même route.

— Sûrement! J'aime beaucoup ton pays. Et je l'aime encore plus parce que c'est ton pays.

— Tu crois qu'on peut rentrer, maintenant? Moi, je suis gelée jusqu'aux os!

— Je suis plus highlandais que toi! Tu ne serais pas censée avoir tout le temps chaud, génétiquement?

— C'est n'importe quoi ! Je suis à moitié française, un quart anglaise et un quart seulement highlandaise. Et pourquoi devrais-je avoir chaud tout le temps ?

— Le mec d'ici ne se balade pas en kilt à l'année ? Ce n'est pas n'importe quoi, ça !

— C'était jadis. Ils avaient des culottes de lainage en dessous, franchement !

— Oh non ! Ne brise pas mon image de virilité totale !

— Niaiseux !

Tout est super depuis notre départ de Londres. La température est clémente pour un mois de décembre, les routes sont belles, les paysages sont beaux et parfois sauvages, rudes, dégarnis de vie, mais coriaces. Tout le contraire des conditions de l'an passé, aux environs des mêmes dates.

Le lendemain, nous longeons la mer du Nord pour ensuite piquer à travers les terres, entourés par les montagnes, et rejoindre la ville de Glasgow. Nous avons mille possibilités. Nous pourrions y rester un mois.

Je vais m'asseoir, seule, sur les rives de la Clyde. Je ne peux faire autrement que de penser au fleuve Saint-Laurent et à ses belles marées. C'est la première fois que je tente de me retrouver toute seule depuis que je dois affronter le suicide de papa. Ma vava me manque tellement ! Je la revois marcher dans les allées de lavande, ses longs cheveux blonds flottant dans le vent et retombant sur ses reins, tournant tout autour d'elle et lui donnant l'apparence d'une fée. Elle se promenait pieds nus dans la terre, dans les herbes hautes, dans les petites fleurs et elle éclatait de rire en me prenant dans ses bras, moi, sa grosse fille aux cheveux bouclés et en bataille.

Elle était là pour me raconter la vie en me versant des verres de jus de raisins fraîchement écrabouillés dans le presse-fruits. Elle se servait de jolis verres scintillants remplis de vins provençaux parfois blancs, rosés ou rouges. Nous capturions la lune ou le soleil en faisant descendre les grosses boules célestes dans le fond de nos verres pour les boire et attraper leurs forces.

Elle nous racontait son histoire, alors que nous étions couchées toutes quatre sur la grosse courtepointe derrière la villa de grand-maman. Quand Rachel s'endormait, grand-maman allait la coucher dans sa chambrette et elle venait nous rejoindre. Nous étions les trois sorcières, nous appelions les étoiles ou surveillions les gros nuages grisâtres de nuit qui les cachaient une à une et les laissaient réapparaître dans leurs filaments, quelque temps après.

La vie était douce, en Provence. L'odeur des champs de lavande avait quelque chose d'absolument rassurant. Comme la présence de Mikaël Montcalm. Les journées n'étaient jamais assez longues, les nuits étaient trop courtes, il fallait dormir le moins possible pour prendre le maximum d'énergie de la terre, humide au matin, sèche au midi et à nouveau fraîche au moment des dîners tardifs sous la pergola de grosses vignes centenaires. Les chandelles de grand-maman étaient des témoins précieux de nos rires, de nos chansons françaises, de nos amours…

22

J'en ai marre d'vos bonnes manières, J'me casse de là

Valérie : Sarah, ma puce ?
— Oui vava !
— Je vais me promener. Tu veux bien m'accompagner ?
— Et Rachel ?
— Elle est au piano avec mamie.
— Je suis prête, alors.
— Allez, mets un chapeau.

Nous étions exposées aux vents, au soleil, aux parfums… Je portais mes jeans aux jambières roulées le plus haut possible, ma camisole blanche, presque transparente, presque indécente, tout à fait française, qui venait mouler mon corps et soulignait mon ventre bombé hérité de la famille de mon père et couronné d'un nombril en étoile, mes seins tout ronds ou mon dos quand je me retournais dos au vent, mes cheveux frôlant mes joues. Les bretelles bleu-mauve tombaient sans cesse en raison de l'absence de soutien-gorge quand j'étais confinée dans le domaine. J'avais mis sur les pointes de mes ongles d'orteils manucurés du vernis lavande et des fleurettes en tapisserie. Ma mère avait peint les siens blancs, classiques, mais avec des gouttes de diamants représentant ses moments de la journée préférés, c'est-à-dire tôt le matin et au coucher du soleil. Nous marchions main dans la main en gambadant et en chantant Zaz. «Je veux de l'amour, de la joie, de la bonne humeur. Allons ensemble découvrir ma liberté...» Nous martelions le vide pour battre un rythme imaginaire.

Ma mère portait sa robe crème à pois marine, son large chapeau et ses perles aux oreilles. On voyait la bande élastique de ses sous-vêtements sous le battage des coups de vent. Elle riait aux éclats, offrant son visage au soleil pour le prendre sur sa peau, pour le laisser la caresser comme un amant céleste, pour qu'il enserre ses bras et ses cuisses de ses rayons chauds et langoureux. Elle laissait le vent entrer sous ses jupes, remonter les tissus et venir mourir sur son ventre en faisant réagir son épiderme et pointer sa poitrine. Elle était belle, pleine de liberté, vide de protocole, vide d'Angleterre et de ses grisailles. Elle était la plus belle fleur des champs. «Ce n'est pas votre argent qui fera mon bonheur. Bienvenue dans *ma* réalité.»

Valérie : Tu sens la Provence ?

J'acquiesce avec enthousiasme.

— C'est ici que tu es la plus belle, Sarah, au beau milieu des grands espaces, sous le soleil, avec le vent chaud qui vient saler ta peau. Tu es belle. Tu es tellement française !

Elle a attrapé mon bras un peu rondelet en rigolant de mon manque de pudeur.

— Toi aussi, vava, c'est ici que tu es la plus belle, quand tu danses et que tu chantes avec moi.

Elle m'a prise dans ses bras et m'a embrassée comme quand j'étais petite.

— J'aimerais tellement revenir vivre ici! Avoir mamie tous les jours et essayer de dévergonder ta sœur un petit peu!

Je me suis mise à rire.

— Je ne pense pas que Rachel puisse se dévergonder de son propre chef.

— Alors, on la laissera être elle-même et, avec un peu de chance, la France réussira encore une autre grande conquête!

Nous avons partagé une bouteille de vin, ce soir-là. Stephen est arrivé comme tous les soirs. Il est venu s'asseoir à côté de moi pour que je lui raconte ma journée.

— Tu sais quoi? C'est ici que ma mère est la plus belle. La Provence est magique. Regarde-la. Dis-moi que tu la trouves belle, toi aussi.

— Elle est extraordinaire. Elle est Aphrodite. Tu connais l'histoire d'Arès et d'Aphrodite?

— Non?

— Je te la raconterai quand tu seras assez vieille.

Moi, en feignant l'outrance: Haaa!

— Tu es aussi belle que ta mère, tu sais.

Sourire gêné.

— Tu as ses jolis yeux, son nez, ses joues et sa bouche.

Sourire carré.

— Tu es formidable, toi aussi. Je peux t'inviter à aller prendre un verre au bord de la mer ?

— Euh ?

J'ai regardé ma mère qui jetait un coup d'œil dans ma direction.

— Elle est au courant. Je lui ai demandé la permission avant de t'inviter.

— Euh ! Je suppose que je peux t'accompagner, dans ce cas !

— Seulement si ça te fait plaisir. J'ai une bouteille de Fleur de thym. Tu connais ?

— Alors, c'est oui !

Nous avons pris sa A3 pour nous rendre près de la Méditerranée. J'étais tiraillée entre l'idée de laisser libre cours aux événements et celle de me préparer à une situation embarrassante. Malgré que ma mère semblait complètement sous le charme de ce beau spécimen grec, il flirtait avec elle presque ouvertement comme pour en ajouter davantage, pour la harponner solidement. Que me voulait-il ?

— Voilà, belle duchesse anglaise ! La Méditerranée s'offre à toi, ainsi que ces jolies fleurs de thym rebelles et odorantes.

— Quelle chance !

— C'est tout juste ce que je viens de me dire. À ta santé, ma chère enfant. Et à tes amours, s'ils en souffrent…

Moi, en riant : Je n'avais jamais entendu ce souhait-là !

— C'est mon grand-père qui me l'a appris quand j'étais encore môme. Quand les amours sont au beau fixe, nul besoin de les glorifier plus qu'il ne faut. Mais, quand le cœur pleure sa bonne étoile, il faut lever son verre pour combattre la poisse.

— Alors, je lève mon verre à mes amours, Stephen!

— À tes amours, ma douce Sarah!

Nous avons trinqué et bu quelques gorgées en silence, adossés contre le nez de sa voiture, mes doigts caressant les anneaux enchâssés de sa Audi.

— Alors, le roi Arthur aurait-il encore quelques croûtons à manger pour conquérir le cœur de sa Guenièvre?

— Pas uniquement des croûtons, la baguette au complet et chacune des miettes, précautionneusement.

Stephen, en riant: Pauvre petit! Tu n'es pas un peu dure avec lui?

— Oh! Si j'avais quinze ans, je trouverais tout cela rigolo. Mais, à dix-neuf ans, je m'emmerde solidement. Oh, pardon!

— C'est le «emmerde» qui pose problème?

— Oui! Mais Arthur aussi me pose problème.

— Si tu étais ici plus longtemps, je pourrais te présenter quelques jeunes hommes de la région.

— Oh! Et ma mère nous en voudrait éternellement de m'arracher à sa sacro-sainte Angleterre.

— Je n'en suis pas si certain! Tu aimerais habiter ici? Tout le temps, il va sans dire…

— Je n'ai jamais osé y penser.

— Et si tu y penses maintenant, quelques secondes?

— Avoir la Provence à l'année? La lavande, le soleil, les bons vins et tout?

— Ouais!

— Et mamie?

— Ouais!

— J'aurais l'impression d'avoir gagné à la loterie.

— Hé bien, qu'est-ce qui te retient à Londres, jeune dame ?

— Mon père.

Il baisse les yeux.

— Je peux te confier un truc, Stephen ?

— Mais bien entendu !

— J'ai l'impression que ma mère ne survivra pas à l'Angleterre. Elle est tellement triste, à Londres ! J'ai parfois envie de pleurer quand je la vois mettre son ciré et natter ses cheveux serrés sur sa nuque, puis chausser ses escarpins noirs. Elle est tellement belle, ici !

— Hé bien, elle vient d'ici. Elle vient du soleil, des champs bleus et des espaces libres. Crois-tu que Londres puisse lui apporter cela ?

Négation véhémente du geste.

— Mais je ne crois pas qu'elle puisse laisser mon père et, puisqu'il semblerait que Londres ne daignera jamais le laisser sortir de ses frontières urbaines…

— Laissons le temps faire son œuvre. Qui sait ? Peut-être choisira-t-elle la Provence et le soleil pour se donner un peu de bonheur !

— C'est ce qu'elle fait quatre fois par année, maintenant.

Grand sourire de Stephen. Suspicion.

— Stephen ?

— Oui ?

— Je peux te poser une question à mon tour ?

— Je suis prêt ! Demande-moi ce que tu veux !

— Tu… Ma mère et toi, vous avez déjà été… amoureux, non ?

— Oui.

— Vous aviez quel âge ?

— Ton âge.

— Et qu'est-ce qui s'est passé ?

— Hé bien ! une brouille stupide qui n'aurait jamais dû avoir lieu.

— À quel propos ?

— Je voulais l'épouser et que nous partions vivre en Grèce avec la culture qui vient avec.

— Oh ! Et elle a choisi Londres ?

— Non, petite comique ! Elle a choisi ton père, le beau Patrick. L'homme du Nord, fort, téméraire, frondeur et ta, ta, ta.

Sourire triste sur ses lèvres.

— J'étais probablement aussi emmerdeur que ton roi Arthur.

— Oh non !

Je lui fais un grand sourire :

— C'est impossible. Il t'est venu à l'idée de sauter d'un toit de maison pour faire peur à quelqu'un ?

— Il a fait ça ?

— Oui. Et il a jappé à la face d'un chien de garde qui était au bout de sa chaîne. Il a sauté les rampes du métro. Bref, il ne fait que des conneries pour se montrer intéressant et voir si je tiens à lui.

— Oh ! Je vois !

— Je crois qu'il est sur le point de se faire mordre par un véritable vampire, tellement il repousse sa chance chaque fois. J'en ai ras le bol, de ces trucs de gosse. Ça me purge complètement ! Oh pardon encore !

Stephen s'est fendu le visage d'un grand sourire.

— À tes amours encore une fois !

23

Le roi Arthur et le prince Mikaël

Stephen et mamie me manquent affreusement. Qu'est-ce qu'ils deviennent? Mamie ne m'a pas donné de nouvelles de lui, dans sa lettre de décembre. Comment aurais-je pu l'oublier en si peu de temps? Et comment arrivera-t-il à oublier ma mère, maintenant? En fait, maintenant que je sais qu'il ne vivra jamais son histoire d'amour avec ma mère et qu'il est condamné à l'attendre toute sa vie…

Mikaël et Leonard viennent me rejoindre. Mikaël déplie son nouvel achat, un maillot de rugby bleu et noir des Warriors de Glasgow.

— Oh! Je suis presque surprise…

Je fais un sourire moqueur en plantant mes doigts sur le dessin du Viking derrière son bouclier.

Mikaël: Hum! Je me suis dit que je pouvais bien t'éviter les surprises pendant les prochains jours… Tu vas bien?

— Oui. Je crois qu'on va aller faire un tour en Provence, après le mariage de Rachel. Et toi?

Je donne la main à Leonard avant de poursuivre mon idée.

— Tu pourrais venir avec nous chez mamie. Avec un peu de chance, tu pourrais tomber sous le charme d'une jolie Française.

Leonard, souriant: Et tu comptes pratiquer le bronzage intégral comme avant, quand nous serons au domaine de ta mère?

— Mais certainement!

Leonard et Mikaël se regardent, de connivence.

Mikaël: Bon. On change de sujet, parce que mon cerveau est sur le point de me faire faire une crise cardiaque. C'est notre dernière soirée ensemble, les cocos. Moi, je vote pour une tournée dans un pub; on boit toute la nuit!

Nous allons au West, qui semble un incontournable de la ville. Je bois une Weihnachtsbier, la bière de Noël. Les garçons y vont de la St. Mungo et de la Dunkel, les deux noms de bière les plus faciles à retenir.

Mikaël: Demain, je fais des réserves de scotch et de bière, si je peux. Je comprends maintenant ce que tu veux dire, Sarah, quand tu dis que la bière de réplique écossaise du Québec ne goûte pas exactement l'Écosse.

— Oh oui! Mais toi tu risques de goûter l'Écossais si tu n'arrêtes pas de boire.

— C'est tellement bon!

— On reviendra!

Je ris et il grogne.

— Hé, Paddington! Finalement, tu ne tripes pas du tout sur la marmelade, tu tripes sur la bière!

— Et sur toi !

Je survis comme je peux à l'attaque de deux grosses pattes qui s'enroulent autour de moi et d'une bouche qui se met à croquer ma nuque et mon cou. Il colle le bas de mon ventre sur le haut de sa cuisse.

— Je te propose de rentrer à l'hôtel.

Mikaël : J'achète.

— Tu achètes, hein ? Moi, je dis que tu ronfles avant même que j'aie pu passer ma robe de nuit sur ma tête.

Je pose mes lèvres sur le haut de son bras.

— Moi, je dis que tu n'as même pas le temps d'aligner ta petite robe rouge.

— Bonne chance, alors !

— Mais bonne chance à toi, Sarah !

Il tourne sa langue derrière ses dents du haut et me jette un regard incendiaire. Je réponds par un sourire.

Mikaël se dirige mollement vers la salle de bain de la chambre en avalant dans un coup de tête et de gorge des Tylenol qu'il fait suivre de deux verres d'eau. La formule magique, semblerait-il, transmise de génération en génération chez les Montcalm. Il gagne son pari sur toute la ligne une partie de la nuit. L'odeur divine de son corps mélangée à celle de la bière est envoûtante. Un grand dieu grec tombé dans un lit écossais…

Le retour à Londres est des plus longs. Ma consolation est que nous partons dès le lendemain pour Montréal. La Jaguar nous raccompagne docilement, dressée par Leonard. Mikaël est content de revenir à

Londres pour visiter la ville, un peu comme toutes les autres que nous venons de traverser en quelques jours. Je me demande quelle équipe il va encourager.

À notre retour, Emily-Kim nous attend avec impatience au bras de son cher Jean-Nicolas qui a dû se conformer aux fantasmes de ma cousine et faire des tournées de pub en kilt avec les autres copains de notre bande. Mikaël revêt le sien – un deuxième tout neuf – tout comme Leonard, et nous allons les rejoindre directement sans passer par la maison de Rachel. La bonne nouvelle, c'est que j'évite la nuit chez ma sœur en acceptant l'offre de Leonard de partager sa chambre d'hôtel, adjacente à celle d'Emily-Kim. La mauvaise, c'est que le roi Arthur m'attend, prêt à déclarer la guerre à l'envahisseur.

— Oh merde, Mikaël ! C'est Arthur ! C'est le gars qui faisait toujours des trucs dingues pour me rendre folle de lui ou folle tout court !

— Ton ancien petit copain ?

— Ouais. On peut ne pas trop traîner avec lui ? Il peut être assez…

— Laisse-moi lui parler.

Arthur est déjà dans notre bulle.

— Sarah. Ça fait longtemps.

— Arthur.

Il me prend dans ses bras.

— J'aimerais te présenter Mikaël.

— Mikaël ?

Changement d'humeur de la part d'Arthur. Mikaël s'avance.

— Mikaël Montcalm ! Tu dois être le très amusant Arthur ?

— Je vois que Sarah a relaté mes innombrables exploits.

Il affiche son attitude arrogante à la troisième puissance.

— Oh ! Pas réellement. Nous avons tant de choses à nous raconter !

— Tant que ça ?

— Hum ! Encore plus que ça, finalement. Tu nous présentes ta copine ?

Mikaël jette des regards vers le centre du pub, feignant de chercher quelqu'un du coin de l'œil. Arthur prend son air le plus fendant.

— Je n'ai pas qu'une seule copine, mais plutôt plusieurs filles dont je dois m'occuper.

Il lève le nez sur moi.

Mikaël : Oh ! Je suis désolé. J'ai certainement pris suffisamment de ton temps. Ne te gêne pas pour nous et va vite prendre soin d'elles. Je t'en prie.

Il le balaie de la main.

— Je vais prendre soin de Sarah, pour ma part. C'est un plaisir pour moi d'être seul en sa compagnie.

Mikaël se pare de son plus beau sourire frondeur en me regardant.

Comme Arthur et Mikaël ont la même stature, que je connais la force d'Arthur et celle de Mikaël, comme je sais en outre qu'il faut toujours compter avec la spontanéité d'Arthur et son imprévisibilité, je m'interpose entre les deux afin de minimiser les risques de casse. J'explique à Arthur ce que je deviens au Québec. Il écoute d'une oreille attentive, en cherchant une faille dans mon histoire qui lui permettrait d'insister pour que je revienne définitivement en Angleterre. Il garde

Mikaël dans son champ de vision. Je mets fin à notre discussion après lui avoir fait la bise et lui avoir dit que je veux présenter des copains à Mikaël. Arthur choisit de carrément quitter le pub. Aaaah. Je me rends compte que j'aime bien Arthur encore, finalement, malgré qu'il soit le plus grand casse-pieds de Londres. Je souris en imaginant que j'aurais sûrement fini par succomber à son charme et par vivre une vie de bordel en lui faisant des enfants qui seraient devenus tout aussi casse-couilles que lui. Sarah-Londres aurait mené une vie complètement insensée, mais sûrement palpitante. J'attends qu'il soit sorti de la place de sa démarche fière, solide, convaincue, directe et inébranlable. Arthur McGowen n'aura plus jamais le titre officiel d'amoureux avec moi, même s'il a très bien joué ce rôle pendant trois ans et demi. Je sais que je l'aimerai toujours, toutefois.

Mikaël revient mettre sa grande patte autour de mes épaules. Il a chassé le mâle alpha. Quelle conquête extraordinaire !

Il accroche parfois sur certaines expressions anglaises et c'est pire encore quand Julianna ponctue son discours de gaélique. Mais, comme tout le monde s'est donné le mot pour le faire boire, il se met en mode simple d'écoute, sans trop prendre part à la conversation, mais en profitant du moment. Julianna passe pas mal de temps avec lui à lui parler d'elle et de moi avant que nous soyons séparées.

Nous étions auparavant comme deux sœurs. Quand elle m'est tombée dans les bras à notre arrivée au pub, j'ai eu à la fois l'impression de l'avoir vue la veille et que cela faisait un siècle. Elle s'est fait couper les cheveux et les a colorés plus roux, un peu comme quand nous étions petites, en plein cœur de l'été, et que nos chevelures déteignaient sous les rayons solaires et les effets du chlore. Elle a perdu beaucoup de poids, aussi. Elle s'est inscrite dans un gymnase. Comme mon départ a créé un trou immense dans son quotidien, elle a donné la place aux machines d'entraînement et aux programmes de mise en forme. Elle est magnifique. Ça me donne une grande gifle au visage. Je fais un pari avec moi-même ; je veux faire comme elle. Si je pouvais arriver à trouver du temps dans mon horaire…

Julianna s'est inscrite à l'Université de Nice Sophia-Antipolis pour terminer ses études. Il lui reste deux sessions avant d'avoir son diplôme et d'installer sa vie et sa carrière. Elle a l'ambition de parfaire son français.

— Tu crois que tu vas y arriver, Julianna ?

— Mais bien entendu !

— Il y a toute une différence entre converser dans une langue et pondre des pages sur des sujets hyper pointus.

— Douterais-tu de moi, ma chère ?

— Non. Mais tu ne crois pas que tu en prends beaucoup sur tes épaules ?

— Non. Pas tant que ça. Ça fait des années qu'on en parle. Toi, tu fais bien tes cours au Canada !

— Au Québec. Mais je suis dans une université anglaise.

— Oh !

— J'ai confiance en toi, Julianna. Tu vas être hyper bonne. Et tu comptes faire quoi, après la fac ?

— Euh ! Aller rejoindre ma meilleure amie à l'autre bout de la planète !

J'ai une expression d'incrédulité qui ne lui échappe pas. Elle éclate de rire.

— Tu viens de faire une face de Rachel quand elle se rendait compte des conneries que nous faisions. Aaaah ! Comment va ta sœur ?

Je hausse les épaules.

— Je n'en sais rien. Elle est triste, je crois. Mais voilà ! C'est sa vie, aussi. Je n'y peux rien. C'est pas faute d'avoir essayé de la tirer de là. Sauf qu'il n'y a rien à faire, elle se barre dans sa bulle imaginaire à tout coup. Au moins, ici, elle arrive à se fondre dans la foule.

— Ouais ! Et toi ? Tu crois avoir trouvé ton mec ?

— Ouais. Mais tu es sérieuse ? Tu projettes de venir t'installer au Québec ?

— Pourquoi pas ?

— Tu crois pouvoir te passer de ta famille ?

— Bof. Pour ce que j'en fais. Mon frère est complètement barge. Je le fuis toujours. Mes parents sont aussi marteaux. Je n'ai rien à perdre, crois-moi. Plus il y a de distances entre eux et moi, mieux je me porte. Si j'arrive à foutre un océan entre ma famille et moi, crois-moi, ce sera ce qui peut m'arriver de plus extra.

— Hé bien. Pour une surprise…

— On se tiendra au courant. Mais, de ton côté, tu devrais investir un peu plus de temps dans tes courriels. Tu m'abandonnes souvent. Un peu plus et on ne se voyait même pas, alors que tu es sur notre île depuis près d'une semaine. Tu aurais pu m'emmener faire ta virée écossaise avec toi !

— Mais bien sûr ! Oh, je suis tellement désolée ! Julianna, j'ai tellement passé à côté d'une super occasion ! En plus, tu aurais pu avoir mon cousin pour toi tout ce temps.

— N'en rajoute pas, je te prie. Il lui arrive quoi, à ce superbe mâle ?

— Travail. C'est tout ce qui lui arrive.

— Mon Dieu ! Mais qu'est-ce qu'il fout d'autre ?

— Pèlerinage perso ! Je ne sais pas trop. Il travaille tel un acharné comme pour fuir la vraie vie.

— Hé bien, la prochaine fois que tu m'oublies ainsi, je te fous un sentiment de culpabilité de l'enfer pour que tu ne recommences jamais.

Je ris de bon cœur.

— Pas besoin. Compte sur moi, je vais m'en souvenir.

Julianna a perdu son aura chaotique qui m'avait accrochée à elle dès notre premier jour d'école. Elle a l'air de s'emmerder royalement sans notre amitié. Vers les trois heures du matin, Mikaël demande grâce. Il fait la bise à Julianna et aux autres filles, donne la main aux garçons et nous partons en promettant de donner des nouvelles.

24

Arthur McGowen, shérif de Londres

Arthur McGowen, Scott nous l'a ramené un soir sans avertir, sans demander la permission. Arthur s'est faufilé dans le café de mon père comme l'ombre de Scott, sans qu'on puisse le foutre dehors ou empêcher qu'il reste collé à nous. Il était drôle. Même Matthew laissait des sourires se former sur ses lèvres, pendant qu'il continuait de gribouiller ses pages sans sembler lui prêter une attention particulière, mais sans rien manquer du déroulement de la soirée. Angus et Scott étaient un public extra. Les mecs réagissaient au quart de tour, riant aux bons moments et jurant quand Arthur le souhaitait…

Quelques mois auparavant, Julianna avait repris de plus belle son approche audacieuse auprès de moi. Quelques jours seulement s'étaient écoulés après le premier kidnapping de ma personne par St. Matthew dans la classe déserte et reculée de l'école. Julianna avait sans doute été mise au courant que Matthew avait repris contact avec moi d'une façon toute physique. Elle est arrivée à mes côtés, s'est moulée à ma démarche et a passé son bras autour de mes épaules comme si elle était mon mec. Je n'ai pas pu m'empêcher de sourire. Elle a souri aussi en voyant ma réaction, la tête haute, sans ralentir l'allure, arrogante.

— Tu es à moi, Sarah, mon cœur !

— Peut-être que tu as raison !

— Évidemment que j'ai raison ! Et j'en dois une à St. Matthew qui a réussi à faire des miracles avec toi.

— Tais-toi ! Tu me parles de lui une autre fois et je t'arrache la tête.

— Tu l'aimes, Sarah ?

— Je n'en sais rien ! J'espère que non ! Et toi ? Tu l'aimes ?

— St. Matthew ? Absolument pas ! C'est ton mec, Wolfe ! Je ne mettrai jamais la patte sur lui. Je ne l'ai jamais baisé, ni même embrassé comme toi. Et je me la ferme jusqu'à ma mort à son sujet. Ça te va ?

— Ouais.

Peu à peu, nous avions repris nos escapades nocturnes. J'avais à présent un couvre-feu plus strict, mais, comme je respectais toutes les ententes, mes parents m'avaient redonné une certaine liberté conditionnelle. Les regards que me jetait Matthew avaient plusieurs effets sur moi. J'avais parfois envie de m'enfuir avec lui à l'autre bout du monde ; parfois, je voulais lui arracher la peau centimètre par centimètre pour le voir mourir misérablement, puisque j'avais l'impression qu'il m'arrachait ma vie de la même façon en gardant une distance glaciale entre lui et moi. J'étais à son service la plupart du temps, attendant le signe. Le signe sacré.

Arthur est arrivé au milieu de tout ça. Ses intentions envers moi étaient claires au vu et au su de tous. Matthew semblait trouver fascinant d'attendre mes réactions. Il ne souriait pas, sinon pour lui-même, il ne m'encourageait pas, mais ne me décourageait pas non plus. J'étais livrée à moi-même, écœurée d'être à ses pieds.

La première fois qu'Arthur m'a prise dans ses bras, j'ai cherché à comparer sans hésitation en me mordant pratiquement la langue pour ne pas lui faire part de mes constatations. Arthur sentait la testostérone. Le courage lui coulait dans les veines et la témérité risquait de lui bloquer les artères. Ses bras étaient longs, larges et forts. J'ai eu l'image d'un casse-noisette en tête, lors de notre première étreinte où je jouais le rôle de la noisette, ce qui m'avait fait rire. Arthur avait interprété mon hilarité comme l'expression de mon bonheur.

Il m'était tombé dessus un peu par hasard… enfin, selon ma vision du hasard, s'il existe. J'étais sur le point de me transformer, sûrement, mais douloureusement, en statue de glace. Matthew ne faisait rien pour corriger mon inconfort. Quand Arthur nous a rejoints, il m'a prise contre lui, a enlevé son anorak et l'a posé sur mes épaules. Il a enlevé ses mains de ses moufles et les a posées, les paumes grandes ouvertes, sur mes joues. La chaleur irradiante m'a fait fondre. J'ai planté mes yeux dans les siens. Il a posé ses lèvres sur les miennes. En quelques secondes, je suis devenue brûlante d'une fièvre de vengeance. Je me suis donnée à Arthur dans la semaine qui a suivi.

Arthur était tellement heureux ! Il me tenait par la

taille en public. Lorsque ses doigts frôlaient ma peau, il faisait frémir mon épiderme, mais il glaçait mon cœur. J'avais un goût amer et âcre dans la bouche. Mon corps le voulait, mes rêves aussi, mais mon cœur le fuyait, lui glissait des doigts. Je voulais me convaincre de la joie que je ressentais avec lui, mais mes réflexions se transformaient en cauchemars. Mes pensées se tournaient vers Matthew. J'étais sa prisonnière en liberté.

Trois ans et demi ont passé ainsi. Notre mauvais jeu a duré tout ce temps. Mon conte des mille et une nuits. Un long rêve inconfortable duquel je n'arrivais pas à me réveiller.

25

Donner sa vie

Mikaël, en conduisant la Jaguar de mon oncle vers l'aéro-port: Hé bien, je croyais que je m'ennuierais à Londres, mais je n'ai aucune idée de quoi ça a l'air. On n'a pas eu tellement de temps dans ta ville. Tu dois trouver ça ordinaire en maudit !

— Non ! Je ne sais pas trop, mais je suis mal à l'aise, ici. Je ne vois que du triste partout, même si j'y ai eu tellement de plaisir avant. Je m'enfarge dans tout ce qui est désolant, déprimant, dévalorisant, dramatique. C'est comme si j'avais des lunettes noires. Tu vois ?

— Hum !

— Mais je pense que c'est Rachel qui me jette à terre. Je ne sais tellement pas quoi faire avec ça !

— Tu n'as pas à faire quoi que ce soit.

— Franchement, Mikaël ! C'est ma sœur !

— Tu as raison.

Je prends une grande inspiration.

— Qu'est-ce qui se passe quand on n'a plus d'intérêt pour sa propre sœur ?

— Je ne sais pas ! C'est tellement pas ce que je vis. Je veux dire… je donnerais ma vie pour Arielle. Si elle avait besoin d'aide, même si elle est à l'autre bout du monde, je laisserais tout tomber et j'irais la rejoindre le plus vite possible. Je ne pense pas qu'un jour je puisse vivre quelque chose qui ressemble à ta relation avec Rachel.

— Tant mieux.

— Mais je ne pense pas que tu doives te culpabiliser avec ça pour autant. Elle fait sa vie.

— …

— …

Moi : Tu joues au tennis, Mikaël ?

— Je joue que je joue au tennis, disons !

Rire sec de ma part.

— Mais tu aimes ça ?

— Je ne suis pas mauvais, mais je suis meilleur au basket, au rugby ou au soccer, mettons.

— Hum ! Si je joue au rugby contre toi, je vais me faire massacrer. Au tennis, par contre, j'ai une chance de ne pas terminer en pancake.

— Hum ! Même si tu mets une minijupe blanche et qu'on voit dessous chaque fois que tu fais un service ?

— Niaiseux !

— Pourquoi me demandes-tu ça ? Tu voudrais qu'on joue au tennis ensemble ?

— Ouais. Peut-être bien.

— Super bonne idée !

Je souris.

— Tu trouves ?

— Oui.

— Et je veux aller au gym !

Mikaël : Oh ! Compte pas trop sur moi pour ça, par contre. Moi, courir sur place en me regardant dans un miroir…

— Oh !

— Je peux installer mon elliptique et mon vélo stationnaire dans la chambre du haut. Avec un ballon d'entraînement, des poids de base, une corde à danser et un DVD ou deux, tu peux être en affaires. Tu n'as pas besoin d'aller au gym. Si tu veux, je peux être ton entraîneur personnel.

— Hum !

— C'est dans quel objectif ?

— Perdre du poids et être en forme. Comme tout le monde.

— Je vais te suivre. On se fera un programme ensemble et, quand il recommencera à faire beau, on pourra aller courir dehors. Qu'est-ce que t'en penses ?

Je réponds d'un simple sourire.

— On peut demander à Alexis de nous superviser, si tu veux.

— Non, quand même, Mikaël ! Je n'ai pas besoin d'un médecin pour perdre du poids.

— Si tu le dis. Avec le travail qui nous attend au verger, c'est une bonne chose qu'on se remette en forme. Je suis certain que je pèse au moins deux ou trois bouteilles de scotch de plus qu'à Noël et quelques chopines de bière aussi.

— Ouais, mais tu as plus de six pieds pour les disperser.

— Hum ! Six pieds et trois pouces, mais tout est

concentré dans les trois pouces autour de mon nombril. Je suis zéro compétent pour disperser les choses uniformément.

Je fais un nouveau sourire, tout juste à la limite d'éclater de rire.

— …

— …

Mikaël : Tu es tout le temps dans ta tête.

— Je dois te dire que je trouve ça dur en chien, l'affaire de mon père.

— Tu as déjà pensé à la possibilité de mettre un terme à ta vie par tes propres moyens et de ne pas attendre qu'une maladie te bouffe ou que tu perdes tranquillement ton humanité pour mourir de vieillesse?

— Euh !

— Moi, oui. Quand j'ai appris ce que Léa voulait faire, je me suis dit que, si elle était déjà enceinte, mes parents ne me permettraient jamais de renier le bébé. J'aurais été obligé de prendre soin du petit ; financièrement, cela va de soi, mais en tant que parent… Là, je ne pouvais pas imaginer de négocier ma vie avec Léa. Elle faisait déjà suffisamment de chantage, je ne pouvais pas entrevoir la possibilité d'inclure un petit là-dedans. Je pense que j'aurais volontairement envoyé ma Subaru dans un pilier de viaduc ou quelque chose du genre. Quelque chose de vraiment solide, mais qui ne risquait pas de tuer quelqu'un d'autre que moi. De cette façon-là, personne n'aurait su la vérité, ni mes parents ni mon enfant.

Il serre les mâchoires avant de poursuivre :

— J'aurais fait exactement comme ton père. Mais c'est pour ta mère que je suis vraiment désolé. Elle, ce n'était pas son choix. C'était celui de ton père et je peux le comprendre.

Son visage est envahi par la rage. Il demeure silencieux quelques secondes à peser ses mots avant de continuer.

— Mais il n'aurait jamais dû faire ça à ta mère. Elle avait le droit d'être heureuse sans lui. Je pense que c'est ce que je n'arrive pas à mettre de côté dans sa… dernière idée.

— On n'a pas le droit, Mikaël, de se tuer.

— Pourquoi ?

— Mais parce que… Parce que la vie est quelque chose de trop précieux. Il faut se battre jusqu'au bout, peu importe ce qu'il y a devant ou derrière nous. Il faut… se battre.

— Pourquoi ? Si tout ce que tu fais n'a plus de sens, si le simple fait de respirer n'a plus de sens ? Si tu as l'impression que c'est tout ton corps qui te le demande ? Que ton cœur n'aura plus jamais de défi ? Que ton ambition est écrasée sous la semelle fatidique de la vie des autres ? Que ton âme ne va pas pouvoir faire autrement que de se balafrer encore plus ?

— Parce qu'il y a l'espoir. Parce qu'il y a la foi.

— Non ! Non, Sarah ! L'espoir et la foi, ce sont des concepts. Ça ne sert à rien quand tu es rendu là. Tu ne peux pas physiquement t'accrocher à l'espoir. C'est psychologique ou moral, mais, quand tu es démoli, la psychologie et le moral tombent et oublie ça, l'espoir. La foi, ça a l'air d'un conte pour enfants. Ça devient n'importe quoi, ça n'a plus de sens. Il n'y a plus rien de vivant. C'est le vide qui devient beau, la Mort est rassurante. Tu as l'impression que c'est la seule entité

pour qui tu comptes encore. Que c'est la seule qui veut
bien de toi et qui ne te jugera pas. La Mort devient la
plus belle des solutions. Tu sais que tu ne souffriras
pas plus longtemps et qu'elle sera contente de prendre
soin de toi.

— ...

— Les animaux aussi se laissent mourir. On ne dit
pas qu'ils sont immoraux ou possédés par le mal. C'est
la nature. Le désir de mourir fait tout autant partie
de nous que le désir de vivre. C'est notre système de
valeurs qui nous porte à juger que le premier est un
signe de faiblesse, de folie, démoniaque à la limite, et
que le deuxième est fort, équilibré et sain.

— Mon Dieu, Mikaël !

— Dieu est aussi un concept. On ne peut pas le
nier. Si Jésus, sa légendaire concrétisation humaine,
avait vécu de 2000 à 2033, il n'aurait peut-être pas eu
le même impact. On aurait dit qu'il avait des talents
de prestidigitateur ou des connaissances d'ostéopathe
avec un mélange de motivateur à la Tony Robbins et
de programmation neurolinguistique. Pourquoi a-t-on
tant besoin de croire en Dieu, hein ? Et, dis-moi, tu
penses quoi de Dieu qui a fait mourir tes deux parents
en même temps, s'il est supposé être si bon et si compréhensif ?

— ...

— Il y a même des kamikazes qui sont persuadés
que leur mort violente va leur valoir une rédemption
gratuite, alors qu'elle entraîne la mort d'autres humains,
des parents, des enfants, de bonnes personnes, mais pas
de la même religion qu'eux ou, pire, pas de la même
allégeance politique qu'eux. Je suis désolé, Sarah.

Mais la foi et l'espérance, ça fonctionne tant et aussi longtemps que tu crois en ces principes conceptuels-là. Comme l'âme, à la limite.

— Tu ne crois même pas à ça ? Tu ne penses même pas que nous avons une âme ?

Je suis sur le point de prendre panique.

Mikaël : Oui. Oui je crois que nous avons une âme ou une marque historique, un genre de code génétique énergétique qui se greffe à notre code génétique physique. Mais de là à dire que l'âme a une valeur religieuse… De là à dire que c'est Dieu qui juge de notre droit à la vie ou à la mort, certainement pas. Je crois que c'est le mélange de nos codes génétiques énergétiques et physiques qui a le droit de choisir si la sublimation des deux est toujours viable ou non.

— …

— Je crois donc que tu es la seule, Sarah, qui aies le droit de vie ou de mort sur toi-même. Ton père ne l'avait pas sur toi. Et il ne l'avait pas sur ta mère.

Il prend une grande inspiration :

— Je pense que nous n'avons pas le droit de porter un jugement de valeur sur ce que ton père a fait. Nous ne devrions pas garder le souvenir de la façon dont un homme meurt, mais des choses qu'il a su réaliser tout au long de sa vie. Je pense, en quelque sorte, que ton père a eu le courage d'aller jusqu'au bout de ses convictions en mourant auprès de ta mère. Il était amoureux d'elle et sa vie, à lui, se terminait là, avec son départ à elle. Au lieu de devenir un fantôme physiquement, il est passé en mode énergétique seulement.

— …

— Tu savais que les samouraïs se faisaient hara-kiri

pour sauver leur honneur ou suivre leur chef dans la mort parce qu'ils avaient failli à leur tâche de protecteurs ? Au Japon, le suicide a un tout autre sens. En japonais, il y a des dizaines de termes différents pour désigner la mort, selon les objectifs qu'elle poursuit. On respecte les suicidés. Leur mort devient leur dernier geste significatif et donne un sens ultime à leur vie, contrairement à nos croyances, nous qui essayons de cacher la vérité quand un suicide survient parce qu'il jette la honte sur la famille. Les mères peuvent se donner la mort pour assurer une meilleure vie à leur enfant. Un père peut se donner la mort pour que son fils puisse à nouveau être fier de lui et du courage de son acte.

Des larmes roulent sur mes joues.

Mikaël : J'essaye de te montrer que ton père est probablement mort par conviction, par amour pour sa famille, pour que toi et ta sœur puissiez vous souvenir de vos parents unis dans la vie... et dans la mort.

— Arrête ! Il n'avait pas le droit ! Il n'avait pas le droit ! Il n'avait pas le droit !

Il stationne la voiture à la place que mon oncle nous a indiquée sur les étages du parc automobile :

— Je suis désolé, Sarah.

— Je déteste mon père ! Je déteste mon père ! Je le déteste !

Il ferme les yeux.

— Il a tué mes deux parents ! Il les a tués ! Il les a tués ! Ce n'est pas un héros, ce n'est pas un honneur, Mikaël ! C'est un assassin, un meurtrier et un lâche ! Il a tué ma vava. Et il nous a abandonnées. Il nous a abandonnées. Tu peux aussi mettre ça dans ta belle analyse du suicide ?

Il ne se laisse pas démonter pour si peu.

— Et tu crois qu'il fait quoi maintenant?

— Je m'en fous! Je m'en tape! Je m'en moque!

Il fait des yeux incrédules.

— Je ne veux plus rien savoir de lui. Je ne veux plus jamais entendre parler de lui. C'est un lâche. Il était jaloux, envieux et peureux. Il n'était même pas capable de refaire sa vie. Comme si, Rachel et moi, on ne comptait pas assez! Comme si ma mère n'avait pas le droit d'être heureuse sans lui! C'est un traître. C'est un lâche. C'est un perdant de merde. Je le déteste. Je le déteste. C'était un barbare, un… un… un… aah! Je pourrais lui arracher la tête, le cœur, les yeux. Il n'avait pas le droit. Il n'avait pas le droit. Il ne nous aimait pas assez. Il n'avait pas de cœur. Il n'avait pas de cœur!

Je serre les mâchoires.

— Mikaël, misère! arrête d'en faire un homme bien. Il mériterait la prison à vie s'il était encore en vie. Il a prémédité son geste. Il voulait tuer ma mère. Et il l'a fait. Il l'a tuée!

Mikaël, en frottant son front avec sa main: Je suis désolé.

— Non, tu n'es pas désolé. Tu essayes de me faire croire qu'il a fait quelque chose de bien. Tu essayes de penser que, si Léa t'avait donné un fils, tu aurais eu le droit de te tuer aussi. Tu te mens. Tu te mens tellement! Si ton bébé était là, il aurait du temps avec nous et du temps avec sa mère. Tu n'aurais pas le droit de te tuer. Encore moins avec un enfant. Par amour pour ton enfant, par respect, par sens des responsabilités, par reconnaissance de sa vie. Tu n'as pas le droit de te tuer, Mikaël! Jamais. Jamais, jamais! C'est pas une solution, c'est pas un geste héroïque, c'est pas un dernier message ultime qui donne un sens à la vie. C'est un crime.

Il baisse la tête, roule les épaules et courbe le dos. Il murmure :

— Je n'arriverai pas à te faire comprendre comment je me sens. Comment je me suis senti. Comment j'ai vu la vie et pourquoi tout est si différent pour moi, maintenant.

Moi, impérative et enragée : Regarde-moi dans les yeux, Mikaël ! Si jamais l'envie te reprenait de t'arracher à la vie dans ta Subaru ou de n'importe quelle autre façon, sache que ta mort va briser ma vie et que, tant et aussi longtemps que tu penseras que ton suicide pourrait sauver un des tes enfants, je vais m'organiser pour ne jamais tomber enceinte. Est-ce assez clair ?

Il serre les dents.

— Réponds-moi !

Ma cousine arrive avec Jean-Nicolas et Leonard, ma tante Sophie et mon oncle William. Ils garent leur voiture tout près de la Jaguar. Mon oncle descend, souriant. Il ressemble tellement à mon père ! Je lui fonce dedans et le martèle en lui criant toutes sortes de choses dont je perds le souvenir à mesure. Je pleure de rage. Je souhaite lui arracher la tête. Jean-Nicolas, qui est juste à côté, m'immobilise dans ses bras en me faisant des « chut ! » à l'oreille.

— N'essaye pas de me faire taire, toi !

Jean-Nicolas : Sarah ? Sarah, tout doux !

— Non.

Emily-Kim : Sarah, arrête !

— Je ne peux pas ! Il a tué ma mère. Mon père, j'ai

son sang qui coule dans mes veines. J'ai son putain de sang qui coule dans mes veines ! Je le déteste !

William : Assez, Sarah ! Tu ne peux pas le comprendre. Et j'espère que tu ne pourras jamais le comprendre tout à fait. Mais, pour l'instant, c'en est assez.

Sophie : Sarah ? Sarah, écoute-moi ! Écoute-moi !

— C'est toi qui serais morte si votre famille avait été à la place de la mienne !

Mikaël : Sarah, arrête ! Arrête ! On est tous avec toi. Il n'y a personne contre toi. On est avec toi.

— Tais-toi ! Tais-toi ! Tu es pareil à mon père !

— Non ! Je ne suis pas pareil à lui. William n'est pas pareil à lui et ta tante n'est pas ta mère. William t'aime. Et je t'aime. Arrête !

— Mon père, lui, ne pouvait pas m'aimer ! Il n'aurait jamais pu faire ça s'il m'avait aimée.

Je pleure de rage et de douleur.

Mikaël : Ton père t'aimait, Sarah. Arrête de te faire des histoires.

Je force mes dents ensemble. J'essaye de me jeter sur lui comme un taureau devant qui on brandirait un drap rouge.

— Rrrr ! Tu es un menteur !

Mikaël : Lâche-la, Jean-Nicolas !

Je me catapulte sur lui et lui envoie un crochet au visage. Il encaisse et plante ses yeux dans les miens, sans violence, les mâchoires toujours serrées. Je prends mon élan en étirant le coude vers l'arrière et me prépare à le frapper à nouveau. Il est prêt à parer le coup.

William : C'est assez, Sarah ! Qu'est-ce que tu cherches à faire ? Tu veux le tuer ?

Je me fige. Il lève doucement la main et la place entre

nous deux. Je recule en trouvant difficilement mon air. Il pose sa main grande ouverte sur mon ventre et il ferme ses yeux.

William : Mikaël, ça va ?

— Je pense que oui. On vous rejoint.

Emily-Kim : Cibole, Sarah ! Tu fais peur !

Mikaël : Ça va, Emily-Kim !

— Elle est folle !

— Non, j'ai couru après !

— Ostie de nono ! Y a rien qui justifie de fesser sur quelqu'un !

— Question de valeurs !

— Calvaire, question de valeurs ! Tu t'entends parler, Montcalm ?

— Emily, pour une fois, tais-toi ! S'il te plaît…

— Tu vas avoir tout un œil au beurre noir !

Il esquisse un sourire de travers.

— C'est pas mon premier. Raphaël est capable d'en donner de solides aussi ! Sans rien vouloir enlever à Sarah, c'était pas le coup du siècle…

Moi : Va te faire foutre !

Il sourit.

— Sarah n'est pas folle, elle est enragée à propos de ma théorie sur le suicide. On a une divergence d'opinions culturelle.

Emily-Kim : Cibole !

— Jean-Nicolas et moi, on en a déjà parlé avec notre maître de karaté.

Jean-Nicolas fait oui de la tête avec un faible sourire.

— J'ai pas réussi mes explications aussi bien que je le voulais, disons.

Jean-Nicolas : Semblerait que non. Mais la résistance à la douleur, ça, tu maîtrises vraiment bien !

Mikaël : Merci !

Jean-Nicolas : Viens, Emily !

William : Je peux vous parler ?

Mikaël : Évidemment.

William : Sophie, tu…

Sophie : Je vous laisse. Je suis Leonard.

Mon cousin regarde le sol, semblant éprouver un sentiment de honte mélangée à de la culpabilité.

William, en hochant la tête : Sarah ?

Je suis vraiment honteuse et j'ai les yeux vers le sol, comme Leonard.

William : Regarde-moi !

Moi, en retenant difficilement mes sanglots et en allant vers lui : Je suis désolée !

Il me bloque et me retient par l'épaule de son bras en pleine extension.

— Attends ! Je t'ai dit de me regarder.

Il n'y a aucune douceur dans sa voix, aucune parcelle de compréhension ou d'excuses.

— Tu m'as fait mal ! Et tu as fait mal à Mikaël ! On n'a pas mérité ça.

— Je sais ! Je vous demande pardon !

— Eumm ! Tu peux m'expliquer qui t'a mise au courant, pour le décès de Patrick ?

Je ferme les yeux et me mords les lèvres.

William, en prenant une grande inspiration de colère, suivie d'une longue expiration : Leonard… Il a eu raison de le faire. J'ai eu tort de te taire la vérité.

Je le regarde. Il a l'air plus vieux.

— Je te présente mes excuses aussi, Sarah. Je suis profondément désolé. Surtout en ce qui concerne ta mère.

Je baisse les yeux.

— Il a eu tort de faire ce qu'il a fait.

— Et tu le vois comme un héros, ou comme un lâche ?

— Ni l'un, ni l'autre ! Seulement comme un homme qui avait mal et qui voyait à travers la douleur sans trouver de lumière, sans trouver de réponses, sans trouver d'avenir et sans trouver sa place.

Je serre les dents.

— Simplement comme quelqu'un qui est gravement malade, mais pour qui aucune médication ne semble vouloir fonctionner. Quelqu'un dont la blessure s'infecte et empire, en le faisant souffrir de manière intolérable. Quelqu'un qui veut que ça arrête.

— Mais il n'a même pas attendu que le docteur arrive. On ne peut pas lâcher comme ça !

— Non. Tu as raison. Mais ce n'est pas un lâche. Tu ne sais même pas à quel point ton père était brillant. Il a usé de toutes ses forces afin de bâtir ses entreprises et d'assurer un avenir à sa famille.

— Vava ne voulait pas être riche. Elle voulait seulement être heureuse. Elle voulait sa Provence. Il n'avait qu'à faire comme toi et foutre le camp de l'Angleterre. Dans le pire des cas, il n'avait qu'à la laisser partir !

— Tu laisserais partir Mikaël ?

Je me raidis.

— J'aime mieux l'imaginer avec une autre fille que dans le fond d'une tombe.

Il ferme les yeux.

— Je ne pense pas que ton père ait imaginé Valérie au fond d'une tombe.

— C'est là pareil qu'il l'a poussée !

— Tu as raison.

— Donne-moi une bonne raison de ne plus lui en vouloir. Une seule !

— Je n'ai aucune raison à te donner. Mais je peux t'assurer une chose, ton père t'aimait. Chacun des jours de sa vie en est la preuve. Chaque fois qu'il partait travailler, c'était pour toi, pour ta sœur et pour ta mère. Il ne trouvait aucune reconnaissance sociale dans son travail. Il n'était pas juge ou médecin ou notable. Ta grand-mère paternelle l'a renié parce qu'il avait choisi le travail acharné plutôt que les hautes études et une carrière prestigieuse. S'il s'est obstiné à rester en Angleterre, c'est qu'il croyait que c'était de cette façon qu'il pouvait vous rendre heureuses toutes les trois. Quand il s'est rendu compte que toute sa vie reposait sur une distorsion de la réalité, que ta mère le quittait faute d'avoir trouvé le bonheur et qu'il avait failli à sa tâche d'époux… plus rien n'avait de sens. Rien. Sarah, tu n'y es pour rien. Ça, ça doit être une conviction profonde et inébranlable. Il t'aimait. De ça aussi tu dois être convaincue toute ta vie. Pour le reste, tu n'as pas à chercher à comprendre, à excuser ou à condamner.

Il regarde le vide.

— Si, cependant, tu pouvais à nouveau être fière d'être sa fille, je crois… non, je suis persuadé que ce serait le plus grand honneur que tu pourrais lui rendre et le plus grand bien que tu pourrais te faire.

Je regarde le sol.

— Tu ne pourras pas y arriver en claquant des doigts.

C'est un travail difficile et long, puisque ça implique le pardon. Mais tu dois y arriver !

Mon oncle s'efforce de rester digne et de ne pas éclater en sanglots.

— Si tu ne le fais pas pour lui, peux-tu, je t'en prie, le faire un peu pour moi ?

Je fronce les sourcils en le regardant.

— Pour m'aider à me pardonner à moi-même de n'avoir pas réussi à le tirer de là ?

Il me prend dans ses bras sans serrer comme Mikaël, sans conviction, sans vie. Alors, c'est moi qui presse mes bras autour de son corps.

— Je t'aime, oncle William !

À son attitude, je comprends qu'il me boude quand même un tout petit peu.

26

Le suicide de Lucifer et les rails londoniens

Suicide, pour moi, rimait avec pacte. Un soir que je m'étais retrouvée seule avec Matthew et que nous attendions l'arrivée de Scott, de Julianna et d'Arthur, nous avions eu une discussion sur la mort. Des garçons de notre école s'étaient jetés sur les rails, devant un train qui filait à pleine vitesse, la semaine précédente. Nous étions sidérés. Le cours de la vie semblait s'être accroché quelque part et ne voulait plus reprendre son rythme normal. Quand un sourire surgissait du fond de ma peine, de mon incompréhension, de mon refus, je le faisais disparaître comme si une grosse gomme à effacer imaginaire pouvait venir interrompre tout signe de bonheur inopportun. Nous avions appris par la direction de l'école que nos deux copains de classe s'étaient donné la mort à la suite d'un pacte de suicide. Nous avions de sérieux doutes sur la façon dont les choses s'étaient imposées entre eux. Bref, l'un d'eux avait forcément proposé la chose à l'autre et il avait gagné son dernier pari.

St. Matthew avait élaboré une longue théorie sur les portes du paradis. Il soutenait que St. Peter y veillait sûrement, mesurant la valeur des gens et jugeant du droit de chacun d'accéder ou non au plaisir céleste. Sinon, il prétendait que nous faisions face au choix de la réincarnation ou de la transformation en une sorte d'ange gardien, chargé de veiller sur une personne dans l'espoir d'obtenir la rédemption. Dans un melting-pot d'idées, il était même allé jusqu'à soumettre que nous pouvions nous incarner en ange gardien sur terre et veiller sur une personne de plus ou moins près, afin d'assurer son bonheur et sa sécurité.

Il avait ensuite développé son hypothèse dans ce sens en me donnant des exemples. Ne croyant ni au hasard ni au libre arbitre de chacun, il tentait de me convaincre que, rien n'étant laissé dans les mains d'une autre réalité que le destin, chaque personne se trouvait, dans la seconde exacte de chaque moment de l'histoire, à la place précise qui lui revenait. Si quelqu'un traversait la route sans regarder et que toutes les voitures l'évitaient, c'était que son heure n'était pas arrivée, tout simplement. Un autre, juste à côté, qui aurait scrupuleusement regardé de chaque côté avant de s'engager sur la chaussée, pouvait bien se faire happer par un conducteur qui aurait soudain dévié de sa route pour éviter le premier piéton. Dans un cas comme dans l'autre, un ange veillait sur chacun des individus, le premier étant sous la protection divine, le deuxième étant appelé à rejoindre son protecteur et, ultimement, Dieu.

Dans le cas des gardiens incarnés, les rôles étaient

similaires. Les gardiens évitaient que les gens se retrouvent au mauvais moment à la mauvaise place.

Paradoxalement, là où ses explications sont devenues le plus confuses dans mon esprit, c'est au moment où j'ai eu la preuve la plus irréfutable qu'il n'avait pas tort. En effet, j'étais avec lui quand mes parents s'en sont allés et j'ai beaucoup ruminé par la suite les conclusions que je pouvais tirer de cette circonstance.

Juste quelques minutes avant leur dernier départ, ma vava avait téléphoné, me demandant si je voulais me joindre à eux pour revenir à la maison en profitant de la chaleur de la voiture. J'avais refusé, étant prise au piège des yeux et des bras de Matthew. Rachel avait aussi décliné l'offre, préférant faire un peu de magasinage avant de rentrer. Est-ce que les copines de Rachel étaient un comité d'anges gardiens? Je n'en savais rien. Mais il était évident pour moi que, sans Matthew, j'aurais probablement fait partie de leur plan. En supposant que leur heure était arrivée, incontournable et invariable selon ma présence ou mon absence…

St. Matthew m'a sauvé la vie, mais il a arraché mes ailes, tel un ange déchu, tel Lucifer avant la chute, tel le plus charismatique des archanges, dangereux compétiteur de Dieu lui-même, qui l'a si sévèrement emprisonné dans les abysses de l'enfer…

27

Montréal, Québec, Amérique

Je me réveille en sursaut. Nous sommes toujours à bord de l'avion. Ma tête repose contre la coque, près du hublot. Je veux faire semblant de continuer de dormir. J'ai tellement honte de ce que j'ai fait à Mikaël et à mon oncle ! Je sais qu'Emily-Kim et Jean-Nicolas vont garder ce souvenir en mémoire toute leur vie. J'ai de la peine, des remords, des regrets. La main de Mikaël est posée dans mon cou, coincée entre l'appuie-tête de mon siège et ma nuque mouillée de sueur. Je tourne péniblement la tête dans sa direction et je suis gagnée par une nouvelle montée de culpabilité. Le dessus de sa joue est rougi et la partie inférieure de sa pommette commence à bleuir. Je me mords la lèvre et grimace de douleur.

— Je suis… tellement désolée !

Mikaël, sans sourire : Hum !

— C'est ridicule. Je n'ai jamais frappé quelqu'un de toute ma vie et là, je… aah !

Je mords mon chandail pour étouffer mon cri.

— Ça va aller.

— Mais oui. Parce que je suis une fille, ça va aller si je frappe un gars. Mais si j'avais été un gars et que j'avais frappé une fille, hein…

— Tu ne l'aurais pas frappée.

— Qu'est-ce que tu en sais ?

— Je le sais, c'est tout.

— Mikaël, je suis tellement désolée !

Je passe mes doigts à quelques millimètres de sa peau. Il ne recule pas.

— Je sais.

— Je regrette tellement !

— Je sais.

Les larmes aux yeux, je fixe le vide à travers le hublot.

— Quand ma sœur Arielle a eu quinze ans, le matin de sa fête, Raphaël lui est tombé dessus et lui a fait prendre les nerfs comme jamais auparavant. Elle s'est retournée sans avertir et lui a envoyé le crochet de sa vie au visage. Exactement comme tu as fait tout à l'heure. C'était la première fois qu'elle frappait Raphaël. Il a eu une marque pendant deux semaines.

Il sourit et grimace tout à la fois. Je le regarde à nouveau.

— Oh mon Dieu ! Je suis tellement désolée !

— Arielle n'a jamais plus recommencé. Même quand elle était enragée contre lui, elle ne l'a plus jamais touché.

— C'est évident.

— Je savais que tu voulais me démolir quand j'ai dit à Jean-Nicolas de te lâcher. Je sais aussi que c'est pas tant à moi que tu voulais t'en prendre qu'à toute la situation.

J'approuve du geste.

— Je t'ai servi d'oreiller pour te défouler. C'est pas plus compliqué que ça.

— Tu… ne m'en veux pas ?

— C'est pas comme si tu en avais l'habitude non plus.

— Je sais. Je suis tellement désolée ! Bordel. Je ne sais pas quoi te dire, Mikaël. Je ne sais pas comment je peux réparer ça.

— Tu ne peux pas. Et c'est ce qui fait que c'est extraordinaire. Tu vas devoir vivre avec.

Il me fait son plus charmant sourire possible. Je fronce le front.

— Il y a une chose dont je suis certain, c'est que tu ne recommenceras sûrement plus.

C'est tellement évident !

— J'aime quand même mieux ta façon de discuter que celle de Léa qui me boudait des jours et des jours.

— Ouais, mais au moins elle ne t'a jamais arraché un œil.

Il fait une grimace qui devrait être un sourire.

— Tu ne m'as pas arraché un œil. Tu n'es pas assez forte.

— Haa !

Je suis surprise par son humour, mais sa réplique ne m'inspire aucune colère.

— J'ai juste à dire que je me suis battu dans un sombre pub anglais.

— Pas question ! Je vais assumer.

— Même devant mes parents ?

Il m'adresse un sourire en coin à l'opposé de sa joue mise à mal.

— Pfff.

— Tu sais quoi ? On va aller les voir et on va prendre le temps de tout expliquer ça tranquillement.

— …

— Ma mère a perdu sa mère dans les mêmes circonstances que toi ton père.

Je me raidis.

Mikaël : J'ai eu la chance d'avoir une discussion là-dessus quand j'ai eu douze ans. L'âge auquel elle a perdu sa mère. Commence par voir comment tu vas gérer ça toi-même avant de parler aux autres du suicide de ton père. Mais mes parents vont comprendre. Ils ne jugeront pas son geste. Que tu me sois rentrée dedans avec ton joli petit poing dans les airs, je vais m'arranger pour que ça fasse mignon.

— Non. C'est pas mignon. Quand tu vas te voir dans une glace…

— Je vais avoir l'air d'un ours qui s'est battu ?

Je hausse le sourcil gauche.

Mikaël : Ça va aller. Tu sais, ma sœur avait aussi réussi à bien maganer son homme. Je pense qu'elle avait plus ou moins arraché la peau du dos d'Emmanuel.

Je souris et commente :

— C'est tellement pas ce qu'on pourrait penser d'elle à première vue !

— Et pourtant.

— Comment se sont-ils retrouvés ensemble ?

— Je suis allé la chercher à l'école. Il était juste à côté avec sa voiture. Je suis allé voir Emmanuel, que je ne connaissais que de vue, et je l'ai invité à la maison. Il est venu avec sa Z et, le lendemain, il nous a proposé, à Raphaël et à moi, de nous prêter sa voiture pour aller à la plage. On avait l'impression d'avoir des couilles grosses comme des oranges. C'est ce jour-là que j'ai réussi à me planter les pieds dans le piège de Léa et qu'on a commencé à sortir ensemble. Ensuite, ma sœur a accompagné Emmanuel à son bal et les dés ont été jetés. Ils étaient amoureux fous l'un de l'autre. Puis il est parti en voyage et Arielle a rencontré Thomas. Je pense que tu connais un peu la suite, non ?

— Oui. Je connais les deux suites. Celle de Léa et celle de Thomas. Finalement, la Z n'a peut-être pas servi les bons couples… Arielle est tombée amoureuse de lui à cause de sa voiture ?

— Non !

Il rit en faisant une grimace.

— Ma sœur ne tripe pas trop là-dessus. Et je ne pense pas que la Z ait eu un rôle dans l'histoire d'Emmanuel avec Rosalie non plus.

— …

— Tu sais quoi, rapport aux voitures, je vais devoir changer la mienne. Tu me vois conduire quoi, toi ?

— Hum. Un tank, peut-être.

— Hum ! C'est pas super rapide.

— Non, mais c'est super sécuritaire.

— Y a deux de mes chums qui transforment des voitures et ils m'ont proposé un truc génial. Je leur ai raconté que j'ai toujours voulu faire la traversée du Canada et le tour des États-Unis en Westfalia.

— En Westfalia ?

— Ouais, le campeur Volkswagen.

— Oh ! Le trip hippie !

— Ouais !

Il me fait un sourire tout raide.

— Hi ! hi ! Je ne suis pas certaine.

— Attends de le voir.

— De voir quoi ?

— Le West.

— Mikaël, c'est une horreur. Tu veux te lancer sur les routes avec une épave ?

Il y va d'un grand éclat de rire.

— C'est loin d'être une épave. La carrosserie est presque refaite à neuf et il est monté sur un moteur 2012 avec une mécanique récente complète. Il a l'air conditionné et tout. Le chauffage et le bloc de camping sont neufs. Il est digne de l'émission *Pimp My Ride*. Tu connais ?

— Non !

— C'est un truc de gars.

— Sûrement.

— Les sièges sont en cuir et les lits sont neufs. À part la forme, je te jure qu'il n'a plus rien d'une épave de West…

— Ffff.

— Il est vert gazon ! Il est super beau.

— Ouais, avec de grosses insignes *peace* et *flower power* ?

Il rit à nouveau.

— Non. Mais il y a un support pour les planches à neige et les planches de surf.

Moi, intéressée : Ah !

— Voilà ! Tu vas l'aimer, tu vas voir. On peut brancher un iPod directement dedans. Jérémy l'a super bien modifié. Le coffre à gants est transformé en congélateur et il y a une super console dans le toit pour jouer à des jeux de PS3, regarder la télé par satellite, brancher le GPS et le cellulaire. C'est idéal !

— Bien voyons !

— Non, c'est vrai ! Jérémy et Vincent, les jumeaux, ils tripent comme des malades sur les autos depuis qu'ils sont petits. C'est leur travail. Ils montent des autos et les modifient.

— Hum ! Et c'est assurable ?

— C'est pour ça que j'attendais qu'il soit prêt pour vendre la Subaru. Je ne peux pas avoir les deux en même temps.

— Tu as confiance en eux.

— Totale confiance !

Je prends une grande inspiration.

— Je ne sais pas.

— Écoute, je suis prêt à partir avec Hugo dans ce West là. Il est super sécuritaire. Il a des coussins gon flables et tout…

— Et tu vas l'avoir quand ?

— Dès que je vends la Subaru.

— Tu vends la Subaru quand, alors ?

— Hum ! C'est un projet à court terme. Mais je ne sais plus, depuis que j'ai des comptes à rendre à quelqu'un d'autre qu'à mon banquier, financièrement.

J'ai un geste qui veut signifier que sa préoccupation est futile.

— Si tu parles de mon oncle et de moi, ça n'a rien à voir.

— T'es sérieuse ?

— Mais oui.

— Alors, je la mets en vente demain.

— D'accord !

Ma réponse est courte et peu enthousiaste.

Mikaël : Attends de le voir. Je te dis que tu vas tomber en amour avec.

J'éclate d'un rire sarcastique, alors qu'il fait un sourire-grimace.

— Tu comptais entreprendre quand ta traversée de l'Amérique ?

Il prend une grande inspiration.

— À court terme aussi ?

— Ouais. Janvier ! Mais c'est annulé.

Froncement de sourcils.

Mikaël : Je ne peux pas partir.

— Pourquoi ?

— Mais, tu es là, maintenant !

— Et alors ? Tu pensais partir avec qui ? Avec Léa ?

— Non, idéalement.

— Hé bien ! fais comme prévu.

— Non.

— Mikaël, c'est ton rêve. Il faut que tu le réalises.

— Mais j'ai pas envie de le réaliser sans toi !

— Tu n'as jamais pensé que tu le ferais avec moi !

— Euh ! Depuis les pommes… ouais. J'osais t'imaginer, les orteils sur le tableau de bord, en bikini autant qu'avec une tuque sur la tête. Mais mon West va être consigné au Québec, finalement. C'est tellement pas grave ! Sarah, aucun voyage va m'éloigner de toi.

Je prends un air incrédule.

— Ça n'aurait aucun sens si je faisais cette tournée tout seul.

— Mon Dieu ! Tu sais quoi ? Je m'attendais à ce que

tu veuilles qu'on prenne nos distances, avec le coquart que je viens de te faire.

— Ouais. Mais non. Ce n'est pas mon genre. Et je sais très bien que ça n'arrivera pas à nouveau. Tu as eu une réaction de gars ! Je me suis déjà battu, avec Jérémy, entre autres, parce que j'étais en crisse contre lui. J'aurais aussi pu essayer de te parler pour te calmer pendant que tu étais pris dans l'étau de Jean-Nicolas.

Je prends une longue inspiration.

— Je suis tellement désolée !

— C'est fini ! On n'en parle plus.

— Mais je dis que tu dois faire ton voyage quand même.

— On verra.

— Pourquoi partais-tu en janvier ?

— Parce que mon travail avec monsieur Saint-Gilles devait se terminer là, au départ, et que le timing était bon pour aller faire de la planche plusieurs semaines en Colombie-Britannique, à l'extrême ouest du Canada.

— Ah !

Mikaël, les yeux brillants : Ensuite, je voulais descendre la côte ouest en avril et mai, traverser vers la Louisiane en juin et revenir par ici en juillet ou au plus tard en août.

— Si tu pars… disons en mars, tu vas pouvoir encore aller faire de la planche dans l'ouest ?

— Ouais. Faut voir pour les avalanches, par contre.

— Quoi ?

Il esquisse un sourire malicieux.

— Si je pars en mars, tu crois que tes orteils pourraient être du voyage ?

Je hausse les épaules.

— J'en sais rien. Mais peut-être que mon bikini et ma tuque pourraient t'accompagner…

Mikaël, les yeux remplis d'étoiles : Cibole, Sarah !

— J'ai dit peut-être. Je vais essayer de trouver une solution au sujet de ma session d'hiver. J'ai seulement à ne pas suivre de cours d'été.

— Je pense que tu peux annuler tes cours avant le début de la session et ne pas être trop pénalisée.

— Ouais. Il me semble que tu as raison.

— Tu veux vraiment faire ça ?

— Faire quoi ?

— Le Canada et les États-Unis ?

— Il faudra regarder les possibilités. Je ne peux pas abandonner la Cafetière. Mais je peux accélérer mon départ progressif de deux mois. Si tu veux, tu peux partir avant moi, te rendre dans tes montagnes. Je te rejoindrai là-bas par avion ou par bus…

Je demande à ma tante de changer de place avec moi quelques minutes en lui disant que je veux faire mes excuses à mon oncle. Elle me tient la main en me souriant et se lève.

William : Alors ?

— Je suis désolée ! Je ne peux pas dire autre chose que ça.

— Comment va Mikaël ?

— Ça va aller. Il ne m'en veut pas. Même qu'il ne m'en veut pas du tout. Mais moi je suis bouleversée en chien.

— Tant mieux. Emily-Kim a déjà frappé son frère aussi. Leonard s'est moqué d'elle pendant des semaines, tellement qu'Emily a remis ça et que Leonard l'a traitée de folle-furieuse. Ça a été assez long, merci !

avant que tout rentre dans l'ordre. J'espère seulement que tu n'auras pas besoin de lui donner une deuxième raclée avant de te convaincre de laisser tomber cette approche.

— Non. Non. C'est évident.

— C'est bien.

— Et je suis désolée pour toi aussi, mon oncle.

— Oh, moi, je le méritais un tout petit peu.

Il m'accorde un léger sourire.

— Non.

— Je pensais te protéger en te disant la moitié des choses. Mais, je crois que Leonard a eu raison de te faire confiance et de tout te dire.

— Peut-être…

William : J'apprécie beaucoup Mikaël. Je pense que tu as raison de lui faire confiance et de mettre en place les éléments de son projet. Comment ça avance, en fait ?

— On va faire une pause d'ici l'automne. Mikaël avait déjà l'intention de faire autre chose au cours des prochains mois.

— Ah bon !

— Il veut faire un voyage.

— C'est bien. Quel genre de voyage ?

— Il veut traverser le Canada et les États-Unis. Il a préparé son petit campeur dans ce but et il voulait partir en janvier.

— C'est bon.

— Il a pensé tout annuler parce que le projet de verger s'est précipité et qu'il sent qu'il doit demander notre approbation à chaque étape de sa vie. Je lui ai plutôt proposé de partir, comme prévu, et de vivre son voyage à fond avant de se lancer en affaires, parce qu'il en aura pour des années avant de pouvoir refaire quelque chose de cette nature.

— Tu n'as pas tort. Est-ce que je peux te proposer la même chose, alors ?

Je fronce les sourcils en le regardant.

— Pars avec lui.

— Oh ! Je vais d'abord aller voir comment ça s'est passé à la Cafetière. Ensuite, je verrai avec Jacob. Si ça ne s'est pas bien passé, je vais rester un peu plus longtemps que prévu.

— Pas question. Je vais prendre ta relève si ça ne va pas, mais toi, tu pars. La vraie vie c'est pas juste le travail, Sarah. Ne tombe pas dans les convictions de ton père et dans les miennes. J'ai trop réfléchi depuis l'an passé. Tu vas me faire le plaisir de décrocher.

— Et l'université ?

— Elle va s'en tirer même si tu n'es pas sur sa liste de facturation les prochains mois. Mikaël prévoyait partir quand ?

— Le mois prochain.

— C'est parfait.

— Mais moi je vais lui demander de repousser son départ en février, par contre. Je ne suis pas prête à partir dès maintenant.

William : C'est ton choix, mais, si tu veux partir avant, il n'y a pas de problème. Je peux transférer un gérant d'un de mes restos à la Cafetière, au pire.

— Oh non ! Non. Ça, je préfère pas. Mathilde et Delphine sont vraiment extra. J'ai pas envie de changer l'équipe, même pendant quelques mois. Je vais pouvoir communiquer avec elles par Internet, de toute façon.

Ça devrait aller. Je ferai des réunions par Skype et j'ai accès à tous les comptes par AccèsD.

— C'est bon !

— Si jamais il y a quelque chose de trop gros, je solliciterai ton aide, mais je pense qu'elles peuvent très bien s'en tirer seules.

William: J'avais l'intention de t'en parler un peu plus tard, mais, si tu permets, je vais commencer les démarches en vue d'établir la deuxième Cafetière.

— Déjà ?

— Il y a une bâtisse à vendre près de la Place des Arts. Le prix est exorbitant, mais je crois que ça reste une bonne affaire. D'un côté, je veux ouvrir mon restaurant et de l'autre, du côté transversal, je pensais y mettre ta Cafetière. Tu penses à un nom qui pourrait être intéressant ?

— Tu aimes beaucoup le peintre Riopelle. Appelle ton resto comme ça. Tu vas être près de la Place des Arts. Moi, je crois que je vais pencher vers le chanteur de l'autre jour, celui qui parlait du peuple québécois, Vigneault. La Cafetière de Vigneault. Qu'est-ce que tu en penses ?

— Oui. Je vais consulter le registre des noms d'entreprises et je te reviens là-dessus, mais j'aime bien.

— Propose d'abord à Jacob, pour le nouveau café. J'aimerais mieux que tu ne sépares pas les filles dans le Vieux-Montréal. Elles font un super beau travail ensemble.

— Tu connais quelqu'un de bien qui pourrait être intéressé à partir ça ?

Moi: Je vais voir, mais peut-être que oui. Tu me

laisses en parler un peu avant que je te revienne avec des noms ?

— Oui.

— Quand, environ, l'ouverture ?

William : Pas avant un an. Maisonneuve a pris plusieurs mois à se mettre en place.

— OK. On peut viser le temps des fêtes l'an prochain ?

— Oui. Je crois que c'est raisonnable, je dois voir les contrats de location de la bâtisse avant. Je ne sais pas quels sont les termes établis. Mais bon, je vais aller de l'avant et on verra où cela nous mènera dans le temps.

— Super.

— Dans le pire des cas, je vais voir à l'ouverture du resto et on repoussera celle du café. Mais c'est assez pour l'instant. Va retrouver Mikaël et demande-lui s'il veut bien t'emmener avec lui faire le tour du monde.

— Merci, oncle William.

— Ne fais pas comme moi, Sarah. Profite de la vie.

— Je te dis la même chose. Profite de la vie, toi aussi.

— C'est mon intention. Je vais ouvrir près de Place des Arts et ensuite je jette un coup d'œil sur tout ça. Mais je me pousse tranquillement. Emily-Kim pourra faire sa part, Leonard aussi éventuellement, ainsi que Mikaël et toi. Cela me fait une belle relève de quatre personnes. Qu'est-ce que tu en penses ?

— Beaucoup de bien.

Je lui adresse un grand sourire.

— Essaye de prendre soin de ce jeune homme, au lieu de le maltraiter, veux-tu ?

Nouveau sourire de ma part.

— Je vais y réfléchir.

— Allez. Je veux poursuivre ma discussion avec ta tante. Va.

Je m'assois dans mon banc, légère, flottant à quelques parcelles de millimètres de terre.

Mikaël : Tu as l'air de bien aller, toi.

— Oui. On pourrait dire ça.

— Alors ?

— Alors, si Maisonneuve s'en tire bien, je pars avec toi. D'ici un mois, si ça te va.

• • •

L'avion se pose sur la piste comme dans du beurre. Pas de sautillage, pas de freinage brusque. Juste tout doux. Mikaël m'aide à récupérer les valises et on prend un taxi qui nous conduit à notre petite maison anglaise du Vieux-Montréal.

28

Arielle, Emmanuel et Rosalie, le 31 décembre

Le party du 31 décembre a lieu au condo des Montcalm. Je passe acheter des bouteilles de champagne avec Mikaël en kilt et nous arrivons vers seize heures. Comme nous sommes parmi les premiers invités, nous pouvons aider Victoria qui trouve des milliers de choses à préparer. Emmanuel et Raphaël sont occupés à défaire le sapin. Arielle met aux fenêtres des rideaux de colliers de billes brillantes et de petits miroirs, alors que Victoria fait du ménage dans la cuisine.

Tout le monde s'arrête devant le coquart de Mikaël, le contour de son œil ayant pris des teintes surprenantes de bleu, de vert et de jaune.

Raphaël : *Cibole*, mon gars. Tu t'es cogné sur le bord de ton lit solide ce matin ?

Mikaël : Très solide !

Victoria : C'est n'importe quoi ! Qui t'a fait ça ? Emily ?

Mikaël : Non.

Raphaël : Ton nouveau beau-père ?

Mikaël : Ha, ha, ha ! Non.

Moi, pas très fort : C'est moi !

Victoria : Oh !

Raphaël, avec un grand sourire de connivence : Vous avez tripé fort en Angleterre. La baise en valait la peine, au moins ?

— C'était pas une baise, Raphaël ! Je voulais vraiment défoncer la tronche de ton frère.

Arielle : Ah !

— Ffff. Je ne sais pas trop par où commencer, en fait. Mais, si vous le permettez, je vais aller droit au but. J'ai appris des trucs sur l'accident de voiture de mes parents. En fait, c'était…

Mikaël passe son bras autour de mes épaules et dépose un baiser sur le dessus de ma tête.

Arielle : Bon ! Au moins, vous êtes toujours ensemble. Qu'est-ce que tu lui as fait, grand nono, pour la faire fâcher comme ça ?

— Il a rien fait. Je te jure, Arielle. C'est pas de sa faute. Il a essayé de me faire voir certaines choses d'un autre point de vue et j'ai paniqué.

Victoria vient vers moi et me prend dans ses bras à son tour. Elle plante ses yeux dans les miens.

— Vas-y. On est là pour toi, ma belle.

Moi, comme si je parlais seule à seule avec Victoria : C'est un suicide, Victoria !

Mes yeux s'imbibent de larmes et débordent aussitôt. Elle ne bronche pas, mais ses yeux font comme les miens et elle renifle un bon coup.

Emmanuel, qui vient de laisser tomber une boule de Noël sur le sol : Merde !

— Ma mère… voulait quitter mon père. Mon père a lancé la voiture contre un mur de pierres. Quelque chose de solide. Ça aurait pu être un viaduc ou n'importe quoi qui ne risquait pas de tuer personne d'autre. Juste eux deux.

Je plante mon regard dans celui de Mikaël pour qu'il sache pourquoi je ne peux pas accepter ses explications sur ses propres projets avortés de suicide. Il ferme les yeux et refait une boule autour de moi avec tout son corps, en expulsant doucement Victoria de son espace.

— Je suis désolé, Sarah.

J'acquiesce. Raphaël pousse une longue expiration en prenant Victoria dans ses bras. Emmanuel me fixe. Je fais pareil. Il ne bouge pas, mais une douleur terrible semble se former en lui et c'est comme s'il se mettait à absorber ma propre détresse, silencieusement. Je m'accroche à lui, au noir de ses yeux, et je sens que ça va mieux. Il se compose un sourire, presque imperceptible. Je fais comme lui, comme quand on trouve son chef de meute et qu'on s'apprête à le suivre, sans savoir où il a l'intention de nous mener.

Emmanuel : Ta vie est devant toi. C'est ce que je me dis tous les matins quand j'ai envie de regarder en arrière.

— Merci.

Arielle est attachée à lui. Pas simplement, pas avec un petit nœud sur lequel on tire doucement pour le défaire. Avec un cadenas et une chaîne. Mais je sais pourquoi, maintenant. Quand ces yeux-là ont été amoureux de soi, je suppose que c'est tout bonnement impossible de se tirer de là. Elle vient vers moi et me prend dans ses bras sans rien dire. Elle pleure à gros sanglots. Elle va vers sa chambre et Emmanuel lui emboîte le pas.

Raphaël : Je comprends rien là-dedans moi, les histoires de suicide. Et je suis bien content. Sarah, je sais pas quoi te dire. Je suis poche dans ce genre d'affaires-là.

— Tu n'as pas besoin de dire quelque chose en particulier. Je trouve ça difficile en maudit. C'est tout.

Victoria, dans un murmure : Je crois qu'Arielle trouve ça dur elle aussi. Elle est sensible.

Victoria et Raphaël passent l'éponge sur mon mouvement d'humeur. Arielle et Emmanuel reviennent avec un grand sourire comme s'ils étaient frère et sœur et que la vie était belle. Mikaël m'embrasse comme un malade juste en avant de la porte des toilettes et me pousse dans la petite pièce en verrouillant bien derrière nous. Il me fait l'amour joliment, en me tenant prisonnière entre le lave-linge et lui. Nous avons un mignon sourire et un regard un peu béat quand nous sortons de là quelques minutes plus tard.

La fête est une magnifique réussite. Rosalie vient nous rejoindre avec Frédélie et Alexis. Les parents d'Emmanuel gardent leurs bébés. Gabriel et Marianne arrivent tout juste après. Hugo passe la nuit chez les parents de Marianne. Émile et Juliette s'amènent à leur tour, tout joyeux. Mikaël se retrouve dans la cuisine avec son grand ami, une bouteille de bière à la main, et lui raconte sa tournée écossaise dans le détail. Ils se promettent que, la prochaine fois, ils feront une tournée irlando-écossaise ensemble, ce qui me donne une idée qui concerne plutôt la Provence. Ensuite, c'est Antoine et Coralie qui arrivent avec Thomas. Ce sont des sortes de retrouvailles pour Arielle. Elle est contente de le revoir. Je crois qu'elle veut mettre des choses au clair avec lui. Alexandre et Maëna, celle qui m'avait tellement frustrée à l'Action de grâce, arrivent à leur tour, et finalement mon cher Leonard, sa sœur, ainsi que Jean-Nicolas.

Cinq, quatre, trois, deux un ! Bonne année ! Bonne année !

Je m'assois dans le sofa du salon poussé entre les grandes fenêtres, lesquelles ont été entrouvertes pour laisser sortir un peu de chaleur et d'humidité. Arielle vient se coller contre moi et couche sa tête sur mon épaule. Je caresse ses cheveux. Elle sent bon le sucré des cocktails. Elle jacasse comme une pie sans que j'écoute réellement ce qu'elle me dit. Victoria danse avec Marianne et Juliette, ainsi que Charlotte qui vient d'arriver, le nez encore rougi par le froid et des cristaux de neige fondant dans ses boucles.

Les gars sont adossés à l'îlot de la cuisine, bouteille de bière en main et portant fièrement leur kilt. Celui de Raphaël est sur fond vert kaki, celui de Gabriel est orné de carreaux bleu ciel, celui d'Emmanuel présente un camaïeu de gris, celui d'Émile donne dans les verts irlandais, celui de Mikaël mélange le rouge anglais et le bleu écossais, et celui de Ludovic, très britannique, affiche les rouges. Celui de Jean-Nicolas a des touches de jaune ; il porte presque encore l'étiquette de la boutique de laquelle il provient. Leonard a celui qu'il porte depuis toujours, rouge, noir et bleu. Par contre, mon Mikaël sort du lot. Contrairement à tous les autres, il ne porte pas de bottes noires ni de chemise, mais des bottes ocre et un maillot d'équipe de rugby. C'est le plus beau de tous les mecs de la nuit.

— Et toi, Arielle, tu trouves que ton frère surpasse tous les autres, ce soir ?

— Hic ! Lequel, Sarah ?

— Hé ! Tu as les hic !

— Hi ! hi ! J'ai quoi ?

— Les… hic ?

— Le hoquet ?

— Je ne sais pas. Quand on fait hic…

— C'est ça. Hic ! C'est drôle. C'est parce que je suis fatiguée. Quand je suis sur le point de commencer à bâiller, j'attrape le hoquet.

— Oh !

— Comment ça s'appelle en anglais, déjà ?

— On dit *hiccups*.

— Ça ressemble au vrai bruit. Hic ! Alors, tu disais que mon frère était le plus beau ? Je suppose que tu parlais de Mikaël ?

— Hum !

— Demande à Marianne. Elle va te dire que c'est Gabriel. Si tu demandes à Victoria, elle risque de te dire : Raphaël et Emmanuel. Hic ! Je suppose qu'elle aime les antagonistes. Mais je pense que, ce soir, avec son œil au beurre noir, Mikaël est vraiment intense.

— Ouais.

— J'avais magané Raphaël de la même façon il y a quelques années. Et tu sais quoi ? Il m'a presque demandé de recommencer parce que les filles le trouvaient super viril… Hic !

Elle a un sourire complice et poursuit :

— Mon préféré, depuis que je suis toute petite, c'est Gabriel. Je sais pas. Hic ! C'est l'énergie qu'il dégage. Raphaël est trop… trop. Juste trop. Tu vois ? Mais si j'avais à en prendre un comme chum, je prendrais Mikaël. Totale confiance. Zéro violence, zéro boudin, zéro arrogance, zéro risque. Patient, protecteur, compréhensif... Ça devrait faire un bon papa. Hic !

Un sourire distrait flotte un temps sur mes lèvres.

Arielle, avec un beau sourire qui se transforme en un long bâillement : Tu vois ? Je t'avais dit que j'allais commencer à bâiller. Et là, je ne suis pas sortie du bois. Mais je pense que je vais aller me coucher. Je suis brûlée.

— Qu'est-ce qui s'est passé avec Emmanuel, quand je suis arrivée ?

— Oh ! Il a été égal à lui-même. Genre parfait. C'est la plus belle chose qui m'est arrivée.

— Quoi ? Que vous vous parliez ?

— Non. Hi ! hi ! Hic !

Elle bâille longuement.

— Fiou. Emmanuel tout court, c'est la plus belle chose qui m'est arrivée. Bonne nuit, Sarah !

Elle me fait la bise. Je la regarde faire la tournée des gens extraordinaires qui sont là. Victoria l'embrasse sur la bouche, Marianne la prend dans ses bras et elles ferment les yeux toutes les deux quelques secondes. Charlotte lui fait une bise bruyante et un magnifique sourire. Juliette lui fait une accolade de fille avec le : « Aaah, je t'aime, Arielllllle ! » Emily-Kim lui souhaite une bonne nuit avec un grand sourire. Rosalie est beaucoup plus chaleureuse que ma cousine. Je pense que je pourrais aimer Rosalie, finalement.

Raphaël la fait tourner dans les airs et l'embrasse dans un genre de tango. Gabriel fait un peu comme Marianne. Émile fait un peu comme Gabriel, mais avec un petit moins. Ludovic fait comme Rosalie. Jean-Nicolas y va d'une belle bise bien protocolaire sans joie. Emmanuel... Autant, juste avant aujourd'hui, je n'ai jamais compris comment ces deux-là ont pu se retrouver ensemble, autant je vois maintenant le fil entre eux, quelque chose qui sera toujours là. Arielle Montcalm et Emmanuel Cartier. J'ose imaginer que je suis là quand ils se fondent l'un à l'autre, changeant leur vie à jamais. Arielle est belle. Emmanuel est plus grand.

Mikaël recouvre sa sœur de sa bulle en lui redonnant sa totalité. Emmanuel la regarde partir se coucher, une brume de nostalgie planant entre eux. Rosalie vient vers moi.

Rosalie: Comment ça va ?

— Oh ! Bien. Super bien. Et toi ?

Elle hoche la tête sans sourire.

— Tu t'en sors ?

— Je ne sais pas trop.

— Emmanuel a eu le temps de me glisser un mot sur l'accident de tes parents. Il ne devrait plus être là, non plus, aujourd'hui. Tu le savais ?

— Non !

Froncement de sourcils. Elle me fait un sourire fugace.

— Il a couru après sa mort pendant des années, disons. Je pense qu'il est en mesure de ne pas juger le suicide de tes parents. Honnêtement, moi je ne comprends pas trop comment on en arrive à mettre fin à ses jours, mais je n'analyse pas non plus. L'image que j'avais d'Emmanuel quand il me parlait de ses idées noires, c'était celle d'un humain devant Dieu, devant son destin ou peu importe le nom que tu donnes à ce qui décide pour nous sans attendre notre approbation. Je le voyais là, debout, devant un vide plein de quelque chose, en attente, et soudain la mort le prenait dans ses bras ou le repoussait vers la route. Je pense qu'on meurt d'un cancer, d'un accident ou de nos propres mains quand la seconde exacte où nous devons passer de l'autre côté arrive. Pas pour l'histoire de l'humanité ou des trucs énergétiques ou spirituels. Pour soi. Ça m'a pris des années avant de voir la mort de mon père en pleine face sans vouloir affronter et crier ma rage. Mais je te jure que je suis mieux aujourd'hui que tout ce temps où je voulais me battre contre la mort, infiniment plus grande que moi. Contre la mort qui a tout de même refusé Emmanuel à plusieurs reprises et qui a bien voulu nous tourner le dos, à moi et à Lili-Rose aussi, au moment de l'accouchement. Et je ne peux rien comprendre à ce que tu vis. Je ne devrais même pas te dire tout ça.

— Non. C'est bon. C'est un point de vue que j'arrive à comprendre.

Elle regarde mon cousin et change abruptement de sujet.

— Tu dois m'en vouloir. Je n'ai aucune idée de ce qu'il t'a dit sur mon compte, mais je te jure que j'ai passé tout près de rester dans sa vie. Sauf qu'Emmanuel est tombé du ciel. Et tout ce qui vient avec. Ça m'arrive de m'imaginer une vie parallèle avec Leonard. Je ne sais absolument pas si ça tiendrait la route, mais l'idée est tripante.

Rayonnante, elle m'adresse un grand sourire, dont je ne lui rends que la racine carrée, un peu mal à l'aise. Elle s'empresse d'enchaîner :

— Je trouve ça un peu paradoxal de parler de ça avec toi. J'espère sincèrement que Leonard est heureux.

— Oui. Moi aussi.

— Tu m'en veux toujours, Sarah ?

— Non. Je ne pense pas. Je sais que non, en fait.

Je lui fais un doux sourire. Elle sourit aussi, visiblement fatiguée.

— Mais dis-moi que tu es heureuse avec Emmanuel, au moins.

— Mais oui.

— Mais quoi ?

— Oui. Je suis heureuse avec lui, avec Olivier et Lili-Rose, avec Sacha comme voisin, avec Raphaël et Victoria à deux coins de rue, toi et Mikaël, tout près. Je suis heureuse, Sarah. Vraiment.

— Tant mieux.

— Victoria est magnifique, non ?

— Oui. La plupart des femmes enceintes que j'ai connues ont toutes cette petite lumière de plus sur elles. Comment vous en sortez-vous avec les enfants, Emmanuel et toi ?

— Euh ! Dans la seconde, je suis éreintée. Je ne comprends pas comment les mamans font pour passer au travers. C'est le bordel à la maison. On doit préparer des millions de biberons. On a des couches de coton… Je te jure que je suis parfois incapable de m'imaginer encore fonctionnelle dans quelques semaines.

— Tu veux que je vienne te donner un coup de main pour faire des biberons ou changer des couches ?

— Tu es tout le temps à ton café. Tu en as déjà assez sur les épaules. En plus, il y a le projet de Mikaël. Charlotte travaille à votre projet d'auberge depuis le début des vacances de Noël. Tu étais au courant ?

— Non.

— Elle considère Mikaël un peu comme son

deuxième frère. Frédélie et Ludovic sont en pleine recherche de nouveaux matériaux ou de nouveaux procédés qui conviennent à une bâtisse aussi grande que la vôtre. Et ma mère est en amour avec ton homme. En fait, elle est en amour avec Raphaël aussi, et Sacha, et je crois avec le père de Sacha, et Lili et Olivier, et Hugo. Bref, elle laisse de côté son entreprise et elle veut s'occuper de son monde, comme elle dit. Je pense que vous avez une bonne alliée…

— Tu sais quoi ? Autant vous êtes épeurants de l'extérieur, autant quand on fait partie des vôtres on se sent invincibles.

— Tant mieux.

Emmanuel vient se joindre à nous, silencieux. Il s'assoit aux côtés de Rosalie et glisse ses doigts dans ses cheveux et sur sa nuque. Elle ferme les yeux et pose sa tête sur lui. Il lui met un baiser sur le front.

Rosalie : Tu crois qu'on peut y aller ?

Emmanuel : Oui !

— Je suis fatiguée de m'entendre dire que je suis fatiguée, mais cibole que c'est ça pareil !

Emmanuel sourit pour lui-même en me regardant. Elle a toujours les yeux fermés, en confiance :

— Je sais. Si jamais on peut faire quelque chose pour toi, Sarah…

Ses yeux sont moins vifs que plus tôt dans la journée, mais toujours aussi sincères.

— Prenez soin de vous deux, pour l'instant.

Emmanuel acquiesce. Victoria va se coucher aussi. Charlotte et Ludovic repartent, emmenant avec eux ma chère cousine et son Jean-Nicolas maintenant pas mal saoul. Juliette et Émile acceptent de venir dormir chez nous. Gabriel et Marianne partent dans le vent glacial, montent à bord de leur Tribeca qu'ils ont fait réchauffer pendant quelques minutes et retournent à la campagne.

Je répète le rituel de ma mère en entrant par la porte arrière pour faire sortir l'année passée. Je demande à Mikaël de la garder ouverte le temps que j'ouvre en avant et que se crée le courant d'air nécessaire. Quand la maison est glaciale, je lui dis de refermer et je laisse la nouvelle année entrer. Une année de voyage en Westfalia, de lavande et de·pommes.

Le lendemain, très tard, nous nous réveillons lourdement. Mikaël allume son ordinateur portable pour mettre officiellement sa Subaru en vente. Il a le cœur gros, même si un super Westfalia l'attend quelque part au chaud.

Quand Émile voit son vieux copain dans cet état, il lui donne une super poignée de main et il décrète que nous devons passer par le garage de Jérémy et de Vincent avant d'aller dans les familles.

29

L'atelier des jumeaux

La Subaru suit son vieil ami Jeep sur l'autoroute. Quand nous arrivons chez les jumeaux, Mikaël va caresser le gros pneu de secours qui sert de nez à son West. Son West... C'est tout près d'une relation amoureuse. Vraiment. Une passion. Et son West est génial. Il est beau. Il est vert gazon. Vert trèfle. Jérémy m'ouvre la portière.

Jérémy: Allez, Sarah. Va t'asseoir dedans. Tu vas voir, tu vas capoter. C'est plus confortable que des divans El Ran.

— Je n'ai aucune idée de ce qu'est un divan El Ran.

Jérémy me laisse quelques secondes, que je me fasse une opinion sur l'intérieur débordant de blanc et de gris :

— Qu'est-ce que t'en penses ?

— Oui.

— Oui quoi ?

— C'est confortable.
— Pis ?
— Pis quoi ?
— Je sais pas, Sarah. Dis ce que t'en penses.
— Si tu me laisses trente secondes, Jérémy, je vais essayer de faire ça pour toi.

Je fais un clin d'œil à Mikaël. Il fait un grand sourire. Je m'assois côté passager et enlève mes chaussettes avant de poser mes pieds sur le tableau de bord :
— Les bancs sont vraiment confortables et mes orteils vont être super bien ici, tu vois ?

Jérémy prend un air étonné.
— Bon, moi, les filles, c'est pas clair comment ça pense !

Mikaël : Pour moi, c'est très clair !

J'allume la radio, branche mon iPod et fais jouer très fort la musique que nous avions dans la Jaguar, en Écosse. Un petit jet de lumière s'allume et se met à changer de couleur, le propre de la fibre optique. Le son est extra. Mikaël monte par la porte latérale arrière en la faisant glisser automatiquement. Jérémy se met à tambouriner dans le vide, semblant apprécier la musique. Je vais rejoindre Mikaël en passant entre les deux bancs avant. Il fait monter le toit du Westfalia pour exposer le grand lit blanc fait de mousse viscoélastique. Je grimpe. Je me couche dedans en étoile.
— Oh, c'est surprenant !

Mikaël : C'est génial, hein ?
— Oui.

En appuyant sur un bouton, il fait sortir une table en plastique transparent.
— Attends encore une seconde.

Il pousse sur la manette devant la banquette arrière et abaisse une planche de bois couleur chocolat noir.

— Voilà la table et ça, c'est le deuxième banc.

Le tout forme quelque chose qui ressemble à la traditionnelle table à pique-nique, longée de deux bancs en parallèle. En sort à une des extrémités le bloc de camping avec un lavabo gros comme un plat à vaisselle, un dispositif de cuisson rond fonctionnant au gaz et un four tout juste assez grand pour mettre une petite cocotte à poulet. Il descend du véhicule et m'offre sa main.

— Viens. Regarde, ici, de l'autre côté du Volks. Tu vois, on va pouvoir prendre des douches chaudes. Pas très longues, mais chaudes.

Ce disant, il rabat une sorte de grand cerceau avec un velcro. Je souris en grand. Il se met debout sur le siège du conducteur.

— Ici, on a accès au compartiment fermé pour les planches à neige ou de surf!

— Toi, tu y as accès. Oublie ça en ce qui me concerne. À ma taille, je ne suis pas capable de faire ça.

— Je vais être là, Sarah.

— Oui.

— Qu'est-ce qui manque, Jérémy?

Jérémy: Couche la banquette arrière et ouvre le coffre.

— Oh oui! Ça, c'est génial.

Il couche le banc, ouvre la malle et déroule un petit filet en moustiquaire, tout en donnant des explications sur l'utilité de chaque élément qu'il me présente. Il me montre des plaques de plastique qui serviront de volets à chacune des fenêtres; il en saisit une qu'il plaque contre je contour pour couvrir la vitre. Il sort une espèce de ventouse qu'il lève au niveau de ses yeux pour me décrire le fonctionnement des aimants qui tiennent les plaques à la carrosserie.

Il retourne à l'intérieur et soulève le banc arrière plié en V.

— Ici, c'est notre coffre à linge. Alors ? Tu veux toujours partir avec moi ?

Je fais un tout nouveau très grand sourire.

Jérémy : Ce West-là et ce que vous allez faire dedans, ça n'a pas de prix, chérie ! Pour le reste, il y a Visa.

Il sort la console PS3 du plafond et un petit écran relié à un clavier.

— Ça sert de télé, d'ordi et d'écran pour le GPS !

Moi, impressionnée : Oh ! Et les toilettes ?

— Ouais bien ! pour les mecs, c'est relativement simple ; pour le numéro deux, vaut mieux ne pas faire ça dans le Westfalia. Mais il y a les haltes routières, les restos et tout.

Vincent : Je ne suis pas certain de te laisser partir avec, Mikaël !

Mikaël : Tu parles du West, ou de ma blonde ?

Jérémy : Garde le West, Vincent ! Moi, je prends sa blonde !

Émile : Comme si ça remplaçait ton Suburban, Vincent !

Vincent : Na-an ! Viens voir ça, Sarah. Ensuite, tu choisiras si tu pars avec Mikaël et son West ou si tu pars avec mon Suburban et moi.

On fait un tour rapide des autres véhicules du garage. De l'extérieur, la bâtisse a l'air d'une vieille grange sur le point de s'écrouler. Les deux frères ont ajouté une structure à l'intérieur, ils l'ont chauffée et y ont accroché des milliers d'outils, ainsi que des posters plus ou moins gratifiants pour les filles.

Moi : Qui a un faible pour Megan Fox et les premiers films *Transformers* ?

Jérémy, en faisant un geste éloquent vers la braguette de son pantalon : Moi ! Et c'est un solide faible. Je lui suis total fidèle !

— Et Vincent tripe sur les nouveaux *Transformers* et Rosie H-W ?

Vincent : Yeap, et Victoria's Secret. C'est un genre de deux pour un. C'est pour l'encourager, tu vois ?

— Ouais. Je vois très bien ! Mais, franchement, votre mur cinématographique est vraiment extra.

Jérémy : Tu vois, Mikaël ? Elle sait reconnaître les belles choses !

Vincent, en montrant Mikaël du menton : Ouais. Aussi, c'est surprenant qu'elle ait arrêté son choix sur toi !

Je fais un sourire vers Mikaël et il me le rend. Il s'approche de moi et me donne un baiser sur le dessus de la tête.

— Je vais passer chercher le West pour le reconduire à la maison d'ici la fin de la semaine.

Jérémy : Ouais. Tout est réglo. La bête a subi l'inspection et elle est plaquée. Faut pas oublier les assurances.

— C'est bon.

Vincent : Super. On va pouvoir faire entrer le Hummer.

Moi, dédaigneuse : Un Hummer ?

Jérémy : Ouais, ma belle. Une belle grosse chose pleine de testostérone dans laquelle on va foutre un moteur à l'hydrogène. On va créer un Hummer écolo à la Schwarzenegger. C'est-t'y pas beau, comme concept ?

Je suis agréablement surprise.

Derrière le West, un petit autocollant trône: *Montréal, Québec, Amérique*. Je fais un beau sourire en regardant Mikaël, mon patriote préféré. Il me regarde avec un sourire de travers et l'air de dire: «Je suis désolé, mais je le laisse là.»

30

Le lit du roi Arthur

Il y a toujours possibilité de se faire surprendre par la vie. L'affection glaciale que me démontrait St. Matthew me tuait lentement, imperceptiblement et irreparablement. Julianna avait de plus en plus de mecs dans les jambes. Elle aurait pu avoir un genre de vestiaire d'hommes bien ordonnés, en stand-by pour elle, prêts à combler ses différents besoins. Scott était de plus en plus rarement intéressé par la présence de Julianna. Comme Angus avait foutu le camp en raison d'un écœurement total suscité par les prouesses de notre chère amie, nous étions souvent seuls, Matthew et moi. Un bon soir, j'en ai eu ma claque.

— Là, mon chéri, tu vas devoir faire un homme de toi. Soit tu assumes notre relation, soit c'est terminé entre nous deux. Mais complètement terminé, tu vois?

— Hé bien! c'est terminé, Sarah. Tu sais très bien que je n'ai pas envie de vivre une forme quelconque d'obligation envers une fille. C'est pareil avec toi. Je ne veux pas être asservi. Tu me connais mieux que ça, quand même !

— Moi, t'asservir ? Tu pousses fort, franchement !

— Va voir Arthur. Lui, il va se soumettre à ton joug avec plaisir.

Matthew a eu, à ce moment, le chic de se mettre à genoux, la langue pendante comme un petit chien, et il a fait quelques aboiements pour soutenir son jeu.

— Tu trouves que je ressemble à Arthur, dis-moi ?

— Va te faire foutre !

— Toi d'abord, ma belle !

J'ai mis ma veste et mon foulard. J'ai agrippé mon gros tricot de laine. Je suis partie, coléreuse, bouillante de rage. Je me suis retrouvée devant la maison d'Arthur avec l'idée de lui rendre compte de la discussion que je venais d'avoir avec Matthew. Madame McGowen m'a ouvert la porte de leur demeure, souriante. Elle a sautillé joyeusement entre plusieurs sujets de conversation, sincère, entière, chaleureuse, auréolée d'un sentiment de confort et de bonheur, ce dont j'avais exactement besoin à cette seconde précise de mon existence. Monsieur McGowen est alors sorti de sous l'évier de la cuisine, une grosse clé anglaise dans la main, le sourire au visage, et il est venu vers moi m'offrir de m'accompagner jusqu'à la chambre de son fils. Le visage d'Arthur s'est tout simplement illuminé lorsqu'il m'a vue franchir le pas de sa porte. J'avais l'impression d'être un soleil qui faisait resplendir sa face. Il était beau, grand, pâle, heureux. Je me suis avancée vers lui, hésitante. La porte de sa chambre s'est refermée derrière moi, probablement de la main de son père. Arthur a marché vers moi, confiant,

direct, avec la certitude d'un tank, pour me prendre dans
ses longs bras et me serrer contre son cœur. Il a déposé
un baiser sur le dessus de ma tête. Il m'a fait un sourire.
J'étais sans mots, sans gestes. Ses yeux se sont empêtrés
dans les miens, ses lèvres sont tombées sur les miennes,
ses mains ont trébuché dans le bas de mon dos pour
terminer leur chute sur mes fesses et remonter le long de
mes côtes. Il les a escaladées une à une jusqu'à emprison-
ner ma poitrine dans ses paumes, ses doigts se posant
sur ma peau comme des pattes d'insecte. Sa langue s'est
abandonnée dans mon cou, ses lèvres se sont vautrées
sur mon épiderme. Il m'a souri. J'étais hésitante. Ma raison souhaitait lui accorder mon vote de confiance, alors
que mon cœur était sur le point de vomir et que mon
corps tremblait de désir. J'ai aligné le lit du roi Arthur
dans mon viseur et je suis allée m'y enfoncer comme
dans un nid, pour panser mes blessures et lécher mes
plaies en souhaitant un miracle, celui qui m'aurait fait
oublier Matthew.

Arthur y arrivait, finalement. J'ai recommencé à sourire, à rire et même à aimer la vie en sa présence, près de
lui, ma main calée dans la sienne, ses bras tout autour
de moi, ses longues jambes collées aux miennes. J'aimais regarder son dos dénudé, son ventre, ses épaules,
les contractions de ses muscles, la sueur qui suintait de
son corps. Nous avons passé des heures et des heures,
enfermés dans sa chambre, à faire nos devoirs sco-
laires et à gagner son lit aussi souvent que possible. Il
posait sa main grande ouverte sur mon ventre pour me
réchauffer, pour que je sois heureuse. J'étais amoureuse.
Arthur était mon homme à moi. J'avais son rire sur mon
écran radar, un son fort, contagieux, spécifique à lui. Sa

chaleur irradiait et m'enveloppait tout le temps et aussi souvent que j'en avais besoin. Il me faisait rire, il était tout pour moi.

Un soir où il m'avait donné rendez-vous près des hangars, c'est Matthew qui s'est pointé. J'avais laissé mon portable à la maison et Arthur avait eu un empêchement. Matthew est arrivé comme une ombre, un terminateur, éteignant toutes les lumières de ma vie, me plongeant dans le noir, souriant pour lui-même.

— Alors, Sarah ? Tu es arrivée à m'oublier ?

— Évidemment !

— Tu es heureuse avec Pendragon ?

— Totalement !

— Menteuse ! Tu vibres jusqu'ici !

Il a continué sa vilaine démarche. J'étais stupéfiée sous son regard méchant et démoniaque. Quand ses yeux noirs ont été à quelques centimètres de moi, il a survolé mon corps de sa main en ne me touchant pas, en ne m'effleurant même pas. Il a approché ses lèvres des miennes en pointant langoureusement sa langue vers ma peau, comme une vipère. Il avait le sourire de l'homme imbu de lui-même. J'étais incapable de m'en éloigner. Il avait raison, je tremblais ; je tentais de résister à son magnétisme, comme si je pouvais empêcher le fer de se coller sur l'aimant. J'ai fait un pas vers l'arrière en luttant de toutes mes forces, en le maudissant, en le détestant, et soudain en me parjurant. Je l'ai laissé m'approcher, me caresser, m'embrasser, me toucher, me prendre une fois de plus. Je le détestais, je me détestais et mon corps entrait presque en convulsion tellement je me battais, tellement je lui menais une lutte effroyable. L'abandon m'a plongée dans une ascension insensée, puis dans un marasme interminable. Mon corps était assouvi, gorgé de plaisir. Mon cœur était mort par asphyxie. C'est à ce moment exact que ma vie s'est cassée, que mes émotions se sont endormies sous la douleur, exigeant désormais des efforts surhumains de la part d'Arthur pour m'arracher un nouveau sourire. Matthew me faisait trembler de haine et de désir. Arthur tentait de me garder dans sa main pour me protéger, sentant le fil invisible entre mon bourreau et moi.

31

L'amour dans une passoire
à spaghetti

Quand nous remontons l'allée pour nous rendre à la maison des Montcalm, mon cœur se met à cogner super fort.

Mikaël: On passe la soirée chez les Saint-Charles, juste à côté. Tu vas voir, leur mère est aussi intense que la nôtre quand il s'agit de décorations et de bouffe.

Je fais un sourire.

— Mes parents t'adorent. Tu le sais, hein?

— Ouais. Mais, pour l'instant, j'ai bousillé ta joue. Je ne suis pas certaine qu'ils vont encore m'adorer.

— Ils ont compris. Ne t'inquiète pas.

— Quoi? Ils sont déjà au courant?

— Oui. Je les ai appelés cette nuit pour leur souhaiter la bonne année. Et j'en ai profité pour le leur dire. Je me suis dit que le malaise serait trop poche et j'ai préféré procéder de cette façon.

— Hum.

— Ma mère doit t'attendre avec impatience. Elle a dit qu'elle voulait prendre du temps avec toi. Elle n'a pas pu le faire en octobre ni à Noël. Là, elle ne veut pas passer à côté de sa chance et te revoir seulement en août.

— Ils savent aussi pour le voyage ?

— Mais oui. C'est pas trop long à dire : « Bonne année ! Merci. Oui, ça va super bien, merci. Il est arrivé un petit accrochage en Angleterre. Sarah a appris que son père s'est suicidé. Oui, je sais. Elle trouve ça dur. Elle m'est rentrée dedans parce que j'essayais de la faire changer d'idée sur le suicide en m'y prenant comme un cave. Ouais. Non, juste un petit œil noir, mais ça ne fait plus mal. Hum. Oui, je vais m'excuser, maman. Oui. Elle part avec moi en Colombie-Britannique et aux États. Oui. Je suis le gars le plus heureux de toute la planète. C'est ça, on se voit demain. Bonne nuit et bonne année encore ! »

— Ta mère veut que tu t'excuses pourquoi ?

— Parce que j'ai essayé de te contrarier pendant que tu étais déjà par terre. C'est assez simple, non ?

— Oh mon Dieu !

— Dans les valeurs de ma mère, il y a un temps pour l'écoute qui dure deux fois plus longtemps que le temps où on prend la parole. Si on se réfère à ce principe, j'avais juste à me fermer la gueule et attendre que tu sois prête avant de te parler de ma vision des choses.

— Oh !

— Écoute, Emmanuel avait presque arraché le cou à Arielle en jouant au vampire et ma mère avait réussi à le féliciter devant ses talents pour la morsure. Je pense qu'elle arrive à bien remettre les choses en perspective.

— Je... J'ai compris quelque chose par rapport au lien entre Arielle et Emmanuel, hier soir.

— C'était tangible, hein?

— Oui.

— Tu sais quoi? Je crois que lui et Arielle ne se perdront jamais de vue et qu'il sera toujours prêt autant que moi à aller secourir Arielle n'importe où sur la planète.

— Hum!

— Comme ton Arthur.

Je fronce les sourcils. Il ouvre la portière de la voiture.

— Comme ton Arthur! Tu es toujours un peu amoureuse de lui et lui de toi. C'était aussi tangible qu'entre Emmanuel et Arielle, quand on est sortis à Londres. Bon, si tu ne veux pas voir ma mère nu-pieds dans la neige, on va se dépêcher d'entrer dans la maison.

— Attends donc deux minutes. Tu penses qu'il y a ce quelque chose entre Arthur et moi et ça ne te fait rien?

— Tant qu'il n'est pas notre coloc, je pense que je ferais paranō un peu comme un con pour rien. Non?

Je fais une expression incrédule.

— L'amour ne s'est jamais coupé au couteau. Je te souhaite de perpétuer la tradition et de soupirer, plus tard, quand tu vas parler de ton premier homme à notre fille...

Sourire de petit malin.

— Et de te demander: «Si Mikaël Montcalm n'était pas dans ma vie, qu'est-ce que je serais devenue?» Et de te dire en même temps que tu ne pourrais jamais te passer de moi et de venir m'embrasser en courant parce que tu m'aimes à ne pas savoir trouver les mots pour l'expliquer.

Grand sourire. Je lui saute dessus pour l'embrasser.

— Un jour, je prendrai le temps de t'expliquer qui est Arthur et qui est Matthew. Je suis contente que tu sentes quelque chose entre Arthur et moi. C'est comme un compliment.

Il enroule sa grosse patte autour de moi et nous marchons vers la maison pour aller rejoindre sa mère qui travaille encore comme une abeille dans sa cuisine. Elle vient vers nous en essuyant ses mains sur une grosse serviette roulée en boule.

Marie : Bonjour, les enfants ! Je suis contente que vous soyez arrivés !

Mikaël : Bonne année, ma maman chérie !

Marie : Bonne année, mon amour ! Oh ! Tu ressembles à Raphaël, avec ton bleu ! Viens, j'ai préparé l'onguent d'arnica pour toi.

Mikaël sourit pour lui-même.

Marie : Bonne année, ma belle Sarah ! Je suis contente que tu sois là. As-tu apporté ton maillot de bain ?

— Oui. Bonne année à vous aussi, Marie !

— Si tu arrives à me dire tu, j'aimerais beaucoup ça.

— D'accord, je vais essayer.

— Il y a un spa chez les Saint-Charles et on y va chaque année entre filles, pendant que les gars font le souper.

Mikaël : Non ! Pendant que les gars servent le souper. J'ai jamais vu un seul jour de l'An où toute la nourriture n'était pas déjà prête dans de petits plats numérotés avec une feuille de service et tout.

— Oh !

Marie : Bon, je vais vite finir dans la cuisine et ensuite je viens vous rejoindre. Gabriel et Raphaël sont déjà de l'autre côté.

Elle regarde vers la maison des Saint-Charles avant de poursuivre :

— Arielle s'en vient de Montréal avec Alexandre et Maëna. Je pense qu'ils vont aller directement là-bas aussi.

— Papa est où ?

— Il revient bientôt, mon grand. Il est allé faire un tour sur le terrain.

— Je vais essayer de le trouver. C'est bon si je vous laisse entre filles ?

Marie : Oui.

Hochement de tête de ma part. Il embrasse sa mère en lui volant un des bouts de poires qu'elle est en train d'apprêter et il vient m'embrasser à mon tour.

Marie a un beau sourire et semble fixer ses poires par politesse.

— Je suis désolée d'avoir frappé Mikaël.

Elle lève les yeux vers moi en gardant son sourire. Elle m'accorde un bref regard seulement avant de se remettre à ses travaux. Tout en parlant, elle ouvre le lave-vaisselle, rince son couteau et sa planche avant de les mettre à la machine, met le détergent dans le compartiment à savon et actionne le lavage automatique.

— Tu sais quoi, Sarah ? Je ne veux pas que tu te sentes mal à l'aise à cause de ça. Mikaël est un grand garçon et il n'a pas besoin de moi pour s'expliquer ou pour régler ses trucs. On a fait notre possible, son père et moi, pour lui apprendre à parler et à dire ce qu'il avait besoin de dire. Si, à vingt et un ans, il n'y arrive pas, c'est pas à moi de trouver ce qui coince, parce que, à cinq ans, il maîtrisait déjà ce qu'il avait à faire et, avec

Raphaël, il a eu la chance de s'entraîner et de maîtriser ses affaires.

Elle replace une mèche de cheveux derrière son oreille, après quoi elle sort le shakeur. Elle se met sur la pointe de pieds pour attraper ses bouteilles dans les armoires du haut.

— Bon! Tu veux boire quelque chose? Victoria m'a appris à faire un cocktail qui s'appelle l'Alaska. Une mesure de chartreuse pour deux de gin et beaucoup de glace. Je le fais au shakeur. Viens t'asseoir. Tu aimes la chartreuse?

— Oui, j'adore.

— Parfait.

Elle fait son mélange sans trop mesurer.

Marie: Vous avez eu du plaisir au condo, hier soir?

— Oui.

— Qui était là?

— Oh! Pas mal tout le monde.

Je lui récite la liste des présences.

— Les garçons étaient en kilt?

— Euh! Oui, les garçons étaient pas mal tous en kilt.

— Et lequel était ton préféré?

Je me contente d'un grand sourire pour toute réponse.

Marie: Moi, je trouve que Mikaël, Émile et Gabriel sont plus convaincants. Il me semble qu'ils ont de plus grosses jambes et de plus gros mollets. Mais c'est mon goût à moi.

— Je pense que c'est aussi le mien. C'est même étonnant de voir à quel point Émile et Mikaël se ressemblent. On pourrait croire que ce sont deux frères.

— Oui. Tu as raison.

En souriant, elle verse une partie du mélange dans deux verres et met le shakeur au frigo.

— La première fois que j'ai vu Raphaël, il était avec Thomas et je croyais qu'ils étaient frères aussi.

— Oui. J'ai eu l'impression que, physiquement, Thomas ressemblait à Raphaël et que, énergétiquement, c'était Emmanuel qui lui ressemblait. Comme si Arielle avait essayé de faire une décomposition de son frère.

— Ou une recomposition.

Marie: Oui. Tu as raison. Tu viens t'asseoir au salon avec moi?

— Oui.

Je me lève et lui emboîte le pas. Elle pose son verre sur la table de bois, replace les coussins et replie les couvertures.

— Assieds-toi!

— Euh! Je peux vous aider?

— Mais non. Repose-toi. C'est mon petit Hugo-Tornade qui est venu faire un tour et je n'ai pas eu le temps de repasser derrière lui.

— Je l'aime beaucoup, Hugo!

Marie: Il t'aime aussi. Il m'a demandé si tu allais venir ce soir. Il a même préparé une surprise pour toi.

— Oh!

— Il l'a emportée avec lui. Il devrait te la donner tout à l'heure.

— J'ai très hâte qu'il vienne passer la fin de semaine chez nous, dans quinze jours.

— Oui. Alex et moi aussi on aime ça quand il vient passer du temps avec nous. Il nous rappelle son papa au même âge.

Sourires concurrents.

Marie : Mikaël était comme un petit nounours, à l'âge qu'a maintenant Hugo. Il venait nous donner une grosse dose d'amour et de calme et il repartait jouer.

— Il est toujours un peu comme ça.

Elle vient tout près de s'asseoir, mais elle se ravise et va allumer le foyer au gaz. Elle reprend son verre et s'assoit finalement en exhalant une longue expiration.

— Voilà !

Je m'assois à mon tour. Elle ferme les yeux une seconde et me fait à nouveau un beau sourire.

— Alors, vous avez fait le tour de l'Écosse ?

— Oui. Avec Leonard, mon cousin.

— Mikaël devait être tellement heureux !

— Oui.

— Comment va Leonard ?

— Bien.

— Et toi ? Comment ça va ?

Son ton n'a rien de dramatique. Il est plutôt heureux et léger.

— C'est dur !

Sur mes lèvres se mélangent le sourire et la moue. Elle se dessine un doux sourire.

— Je pense que tout le monde s'est donné le mot pour essayer de faire en sorte que je trouve ça moins dur, mais c'est quand même tabou. Comme une maladie honteuse.

Marie : Et Mikaël doit t'avoir parlé de ce que son prof de karaté lui avait enseigné…

— Oui.

— C'est pas facile à saisir, hein !

— Non.

— Et toi, tu vois ça comment, ce qui est arrivé à ton papa ?

Haussement d'épaules. Elle me fait un grand sourire avant de me dire, simplement :

— C'est bien !

— Qu'est-ce qui est bien ?

Marie : Hé bien, tu te poses des questions. Tu remets tes convictions sur la balance pour voir ce qui fait ton affaire ou pas. Tant qu'on n'est pas confronté à ce genre de chose, on ne peut pas avoir une notion solide de nos croyances. Tu rééquilibres tes convictions à ta façon et c'est très bien, ma grande. Tu es bonne, de pouvoir faire ça.

— …

— Tu en veux quand même beaucoup à ton papa, non ?

— Si.

— Tu lui en veux pourquoi, au juste ? Mais tu n'as pas à me répondre à moi. Juste à toi.

— Je lui en veux de m'avoir abandonnée.

— Hum !

Elle fait un léger hochement de tête, davantage pour elle-même que pour approuver ce que je viens d'avancer.

— Je lui en veux à cause de ma sœur aussi. Mais surtout à cause de ma mère. Je lui en veux affreusement à cause de ma mère.

Elle est soudain immobile, statufiée.

— Ce n'était pas son choix, Marie ! Vous comprenez ?

Elle penche la tête sur le côté :

Marie : Hé bien, je ne sais pas.

— …

— Pas que c'est ce qu'elle souhaitait réellement, mais elle s'est rendue très malheureuse non, avant d'en arriver là…

— …

Marie : Peut-être… Peut-être qu'elle y a pensé durant toutes ces années ?

— …

— Peut-être qu'elle en a parlé avec ton père, aussi, avant.

— …

Marie : Et peut-être que leurs discussions ne les ont pas poussés assez loin pour éloigner le suicide des solutions possibles.

— Je ne sais pas.

— Ça fait combien de temps que tu es avec Mikaël ?

— Euh ! Je ne sais pas trop. Plus ou moins un mois.

— Bon, c'est certain que la situation a précipité les choses, mais vous avez déjà eu une discussion sur le suicide, non ?

— Oui.

— Tu crois que tes parents n'en ont jamais parlé ?

— Euh !

Marie : C'est certain que, tant que tu n'es pas dans les conditions parfaites pour que le suicide devienne une option envisageable, tu ne prends pas position aussi fermement, mais quand même. L'un comme l'autre avait une idée de faite et savait ce que l'autre en pensait aussi. Ton père en avait parlé à quelqu'un ?

— Oui. À mon oncle.

— Et ton oncle ?

— Je ne sais pas s'il en a parlé.

— Mais tu crois que ta mère pouvait être au courant un peu ?

— Je ne sais pas.

— Tu savais qu'elle avait pris la décision de partir de la maison ?

— Non.

Marie, en regardant son sapin, alors que les lumières se reflètent dans ses yeux : Ah !

— Oh !

— On ne dit pas toujours tout à nos enfants, tu sais. Il y a un temps pour que ça plane entre les parents et, quand la poussière est prête à retomber, on convoque les enfants et on fait une mise à jour familiale.

— Vous… tu penses que ma mère était d'accord ?

Marie : Non. Non, ce n'est pas ce que je pense. Mais ce que je pense n'a pas d'importance. J'essaye de voir avec toi, de mieux comprendre ce qui s'est passé juste avant que ce drame arrive.

— …

— L'un de tes parents n'est pas complètement noir ni l'autre totalement blanc. C'était plutôt un mélange de deux gris.

— …

— Mais bon. Encore là, c'est juste ce que je pense. Tu peux imaginer tout à fait le contraire, ma pitoune. Tu as le droit de croire ce que tu veux. Pour l'instant, ce n'est pas important. Ce qui est important, c'est la façon que tu vas choisir afin de passer au travers.

Elle me fait un sourire gentil auquel je réponds par un simple mouvement de la tête. Je lève mon verre vers elle.

— C'est très bon !

Marie : Tant mieux. Victoria nous arrive toujours avec des mélanges super intéressants. Et je trouve que le nom fait hivernal. L'Alaska ! Il me semble qu'on voit une tonne de glace, non ?

— Oui. Est-ce… Mikaël m'a dit que vous… que toi aussi, je veux dire pour votre… pour ta mère.

Marie, en arborant un grand sourire : Ouf ! Je ne savais pas trop comment amener ça sur la table. Merci, Sarah !

Elle lève son verre vers le mien et je fais comme elle.

Marie : À ton père, ma chérie !

— Et à nos mamans aussi, alors !

— Mais bien entendu !

Avant de prendre une gorgée, je lui demande :

— Tu as eu l'impression qu'elle t'avait abandonnée aussi ?

— Mais oui.

— Tu lui en as voulu ?

Marie : Je ne sais pas. Sûrement.

— Comment as-tu fait pour te tirer de là ?

— Ça m'a pris pas mal de temps, parce que je me suis sentie coupable très longtemps.

— Oh ! Et tu avais quel âge ?

— Douze ans.

— On ne peut pas être coupable de la mort de sa mère à douze ans !

— Hum ! À partir de quel âge, alors ?

— Je ne sais pas. Pas avant d'être adulte !

— Est-ce que tu es adulte, Sarah ?

— Oui.

Marie : Est-ce que tu es responsable de la mort de tes parents ?

— …

— Non. Et ne cherche pas une raison qui te permettrait d'essayer de le devenir. Si à douze ans je n'étais pas responsable, tu ne l'es pas plus que moi. Ni pour l'un, ni pour l'autre ! Tu n'aurais pas pu les protéger ni même deviner non plus.

Je regarde le sapin.

Marie : Tu n'as même pas à avoir honte du suicide de ton père ou de ce que tu penses que les autres peuvent penser. Tu sais, la première réaction des gens qui t'aiment, c'est d'avoir de la peine avec toi et d'essayer de trouver des solutions pour t'aider à t'en sortir. Les autres qui diront des choses dures sur ton père, ne les écoute pas. Et ne t'écoute pas non plus si c'est le genre de remarques qui tournent dans ta tête. Aime-toi assez pour t'épargner ça.

Je serre les mâchoires.

— Tu peux lui en vouloir parce que, pour le moment, tu as mal. Tellement mal que tu dois absolument trouver un coupable pour te donner l'impression que ça fait moins mal. Mais tu perds ton temps à jeter de la haine dans les étoiles. Prends le temps de te jeter de l'amour jusqu'à ce que tu en aies par-dessus la tête. Tu vas trouver ça beaucoup plus vivable. Tu peux me faire confiance.

— Vous ne me parlez pas de pardon ?

— Non.

— Pourquoi ?

— Parce que le pardon vient avec l'amour.

— …

— …

— Et l'amour vient avec le pardon ?

Marie : Oui. Mais le principe d'amour est plus accessible. On aime dès notre première seconde de vie. On aime toute sa vie. Si une tonne d'amour produit une once de pardon, aime très fort. Quand tu auras ton once de pardon, essaye de comprendre comment ça marche et multiplie-la. Tu crois que tu peux arriver à faire ça ? Aimer ?

— Oui.

— Et t'aimer toi ?

— …

— C'est pas simple, hein ?

— Non.

— Mais ça commence par là quand même. Sinon, tu formes une bulle magnifique qui te coupe du reste du monde. La première chose à faire c'est des petits trous dans ta bulle pour laisser entrer l'amour. Tu peux faire ça ?

— Je pense que oui.

Marie : Tu peux visualiser un poinçon de la forme que tu veux et t'attaquer à ta bulle pour laisser passer, je ne sais pas, moi, disons l'amour d'Hugo. Un tout petit trou peut suffire. Avec ses petits doigts, il va pousser tout son amour à l'intérieur.

L'image est belle. Je souris.

Marie : Et faire un autre petit trou pour Arielle. Elle, elle risque de réussir à faire passer son amour pour toi à grands coups de rire.

Je fais un plus grand sourire ; j'imagine une Arielle qui a beaucoup de plaisir à faire passer ça par le trou.

— Tu peux en faire un pour Leonard.

Leonard ! Je me sens bien.

— Un pour ton oncle William.

Hochement de tête et sourire léger.

— Un pour moi, si tu veux!

J'ai instantanément les larmes aux yeux. Je ne sais pas comment l'expliquer, mais c'est comme si un jet de lumière descendait directement du ciel et passait à travers Marie pour couvrir ma bulle, tellement l'amour arrive vite. Je fais plein de trous super vite.

— Fais toute une partie en passoire pour Mikaël.

Les larmes roulent sur mes joues.

— Tout ce qui reste, laisse-le fondre doucement avec ton propre amour. Ou ton amour-propre, si tu préfères.

Je mets mes mains sur mes yeux.

Marie, en venant s'asseoir près de moi: Ça va aller, ma puce. Quand tu en seras capable, laisse passer l'amour de ton papa aussi. Tu vas voir, il ne t'a pas abandonnée. Il s'est abandonné en confiance dans ce qu'il y a dans un autre monde. Mais il ne t'a pas abandonnée. Ni toi ni ta sœur. Tes parents vont très certainement placer des gens sur vos routes à toutes les deux pour prendre soin de vous. Prépare-leur une petite place.

J'approuve d'un balancement de tête songeur.

Marie, en se levant: Attends, je reviens. Je vais aller chercher les mouchoirs.

Je me sens déjà plus calme. Elle enroule une grosse couverture autour de mes épaules et me tend la boîte de mouchoirs aux couleurs de Noël. Elle dépose un baiser qui s'attarde sur mon front et caresse doucement mes cheveux. Elle s'éloigne sans faire de bruit. Je couche ma tête sur l'appuie-coude. Je suis immobile, le cerveau dans un nuage, les yeux fixant les lumières. De minuscules flocons tombent, ajoutant encore un peu plus de hauteur aux gigantesques bancs de neige. Marie a quelque chose d'angélique. Un petit ange empressé et attentif qui veille au bonheur des autres.

Il neige toute la nuit. Puis toute la journée suivante. Je reviens à Montréal avec un magnifique dessin d'Hugo sur lequel il y a une grande fille en robe très courte avec des cheveux bruns et rouges en tire-bouchon qui a de grandes ailes dans le dos, des collants arc-en-ciel et de gros pieds. Cette fille-fée tient la main d'un petit garçon aux cheveux en porc-épic jaunes, dont l'autre main tient une épée.

Hugo, en pointant la fille: Tu vois ? Ça, c'est toi ! En fée. Toi, tu es la grande fée. Et ça – il a montré le garçon –, c'est moi qui te défends avec mon épée. Ça m'a pris beaucoup de temps pour le dessiner. Tu peux le mettre sur ton frigo et tu peux dire à tout le monde que c'est Hugo Montcalm qui l'a fait. Les gens vont me trouver pas mal bon, hein ?

— Oui.

— Mais *ze* suis pas capable d'écrire mon vrai nom. Ça – il a indiqué une petite échelle, un u et un gros cercle –, c'est mon nom, mais les adultes ne savent pas lire mon écriture. *Zuste* mes parents, mes grands-mamans et ma tante Arielle. Maintenant, toi aussi tu vas pouvoir la lire.

— Et je vais apprendre à lire à ton oncle Mikaël aussi. D'accord ?

— D'accord !

— Si je pars en voyage, est-ce que je peux apporter ton dessin ?

Il adopte un air perplexe.

— Est-ce qu'il y a un frigo où tu vas en voyage ?

— Oui. Même que je vais avoir un frigo qui va me suivre durant tout mon voyage.

Il gratte le dessus de sa tête.

— Tu pourras le mettre sur ce frigo-là, alors. Mais *ze* comprends pas pourquoi tu apportes un frigo dans ta valise !

— Tu sais quoi ? Quand tu vas venir faire dodo chez nous, dans deux semaines, je vais te le montrer. Il est dans un genre de camion et c'est avec le camion qu'on part en voyage.

— Aah ! Il est quelle couleur, le camion ?

— Vert.

— Vert ? Ça sert à rien, un camion vert.

— Quoi ?

Hugo, en parlant plus lentement : Z'ai dit : ça ne sert à rien, un camion vert !

— Ah ? Il y a des couleurs de camion qui servent à quelque chose ?

— Mais oui, ma tante Sarah !

En entendant la sonorité de son « ma tante Sarah », je me suis aussitôt composé un grand sourire spontané.

— Les camions rouges vont vite ; c'est pour ça qu'ils peinturent les camions de pompier en rouge. Les camions bleus sont prudents. Les camions noirs sont dangereux pour les autres, mais pas pour ceux qui sont dedans. Les camions *zaunes* sont forts. Comme les Tonka. Les camions blancs sont salissants ; ça non plus ça sert à rien. Mais les camions verts, ça, ça sert vraiment à rien.

— Bon ! Hé bien, on pourrait dire que les camions verts servent à voyager, peut-être !

Il hausse les épaules.

— Peut-être ! Bon, moi, *ze* vais aller *zouer*. Ne perds pas mon dessin ! D'accord ?

— Promis. Je vais y faire très, très attention.

— À tantôt !

— À tantôt, mon chevalier Hugo !

Un beau rire cristallin est allé rebondir sur les murs de la maison des Saint-Charles. Hugo brandissait une épée imaginaire dans les airs juste avant de crier :

— *Sarzez* ! Ti galope, ti galope, ti galope !

Table des matières

Découvrez les
péripéties d'Isabelle

Angèle Delaunois

CHRONIQUES D'UNE
SORCIÈRE
D'AUJOURD'HUI
I. Isabelle

ÉDITIONS
MICHEL
QUINTIN

Tome 1

Angèle Delaunois

CHRONIQUES D'UNE
SORCIÈRE
D'AUJOURD'HUI

2. Alicia

ÉDITIONS
MICHEL
QUINTIN

Tome 2

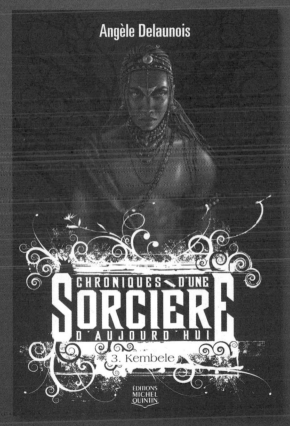

Tome 3